U0108133

文學新象 103

光之石四部曲 III

勇者帕尼泊

THE STONE OF LIGHT:
Volume 3, Paneb the Ardent

克里斯提昂・賈克◎著
劉美玲◎譯

高寶書版集團

文學新象 103

光之石四部曲Ⅲ：勇者帕尼泊
THE STONE OF LIGHT: Volume 3, Paneb the Ardent

作　　者：克里斯提昂・賈克（Christian Jacq）
譯　　者：劉美玲
總 編 輯：林秀禎
編　　輯：蘇芳毓
出 版 者：英屬維京群島商高寶國際有限公司台灣分公司
Global Group Holdings, Ltd.
地　　址：台北市內湖區洲子街88號3樓
網　　址：gobooks.com.tw
電　　話：(02) 27992788
E-mail：readers@gobooks.com.tw（讀者服務部）
pr@gobooks.com.tw（公關諮詢部）
電　　傳：出版部（02）27990909　　行銷部（02）27993088
郵政劃撥：19394552
戶　　名：英屬維京群島商高寶國際有限公司台灣分公司
發　　行：希代多媒體書版股份有限公司/Printed in Taiwan
二版日期：2008 年5 月
版　　次：二版一刷
Copyright © XO éditions, 2000
Copyright licensed by XO éditions arranged with Andrew Nurnberg Associates International Limited.
Complex Chinese translation rights © 2008 by Global Group Holdings, Ltd
All rights reserved.
凡本著作任何圖片、文字及其他內容，未經本公司同意授權者，均不得擅自重製、仿製或以其他方法加以侵害，如一經查獲，必定追究到底，絕不寬貸。
◎版權所有　翻印必究◎

國家圖書館出版品預行編目資料

光之石四部曲. 三, 勇者帕尼泊/克里斯提昂・賈克(Christian Jacq)著 ; 劉美玲譯 -- 二版. -- 臺北市：希代多媒體發行, 2008.05
面； 公分.—(文學新象； TN103)
譯自：THE STONE OF LIGHT: Volume 3, Paneb the Ardent

ISBN 978-986-185-158-7(平裝)

876.57　　97002200

在深處於如山丘般袤廣無垠的上埃及沙漠裡，有一座不為人知的禁城，城內有一群人盡心護衛著法老王最珍貴的祕密，那就是可將大麥變成黃金、物質幻化成光的「光之石」……

1

五名男子取道山路，成功地潛入了禁區。他們的任務是：悄悄進入位於底比斯西岸的真理村神廟，以取得行會的無價之寶。

一想到這次任務的豐厚酬勞，這五人的帶頭者不禁露出了笑容。就算當地的安全警衛隊隊長索貝克再謹慎，也無法顧及萬一；再說行會裡面埋伏了他們的一名同夥，準備與他們裡應外合。所以這次行動的危險性小之又小。

叛徒的心跳得很快。

他和幕後的主子決定利用新法老尚未登基的這個混亂時期，派幾名慣竊去奪取真理村的珍寶——光之石。真理村工匠的主要任務是在國王谷地建造和裝飾法老們的陵寢，這個重要的「光之石」則被小心翼翼地保存著。

再過幾個小時，他就要永遠離開這個行會了。他在行會裡生活了很長的一段時間，在這裡他學到了工匠的專業技術、參與了許多的祕密、也度過了一些令人興奮的時刻。他擁有許多的才能足以擔任行會的首長，但為何他的同事沒有選擇他？

他由失望而轉為憤怒，由憤怒而產生了報復的心態。當命運為他安排了另一條路時，他沒有猶豫：只要將行會置於死地，他就能成為有錢人，擁有一棟漂亮的房子和大花園，有成群的僕人殷勤地侍候著他。雖然他現在辛勤地工作一整天，累得半死，還要聽命於首長，那些無聊的工作只為法老的個人利益，這一切，叛徒馬上就要向它們說再見，他很快就會忘記當初在行會所立下的誓言，也很快就會忘記他的過去。

幸好，他的妻子全力支持他，成了他的共犯，而無後顧之憂。她也很高興能成為豪宅的女主人、受人尊重。他原先擔心妻子知道他的計劃後會有負面的反應，所以隱瞞了很長的一段時間；但他卻沒想到，妻子所表現的態度和他一樣堅決。這一次就是她準備的迷湯，讓警衛喝下去，而睡得不醒人事。

這一次，成功就在眼前，近得讓他興奮得忍不住發抖；他設法使自己冷靜下來，就在今晚寧靜的夜裡，他多年來的等待終於要開花結果。

再過不久，主子派來的人馬上就會用他準備的爬繩越牆而入，一經會合後，再到主廟去偷「光之石」。

帕尼泊阿當被一連串嘎嘎聲吵醒。三十六歲的他已被行會首長和智女認為義子。雖然他睡得很少，每天卻似乎越來越有力，不過他還是很痛恨別人打擾他的睡眠。

「什麼東西？」他的妻子娃貝特純潔睡眼惺忪地問道。

「睡吧，我去看一下。」

他們的兒子阿沛弟仍然熟睡中。他雖然還小，卻已經看得出將來是個高大健壯的小子。肇事者在廚房搖搖擺擺地走來走去，先是吞了一大堆棗子，現在又開始進攻麵包籃。

「我實在不該聽我兒子的話，讓你進到這個房子！」帕尼泊數落著那隻肥大的鵝，牠有個很適合它的名字：大壞蛋。

大壞蛋不但不聽話、攻擊性很強、愛偷東西，而且有一個填不飽的胃。牠有紅色的啄子、紅色的腳蹼、黃色的脖子摻有黑色的線條、棕色的羽翼、白色的肚子加上黑色的尾巴，是阿沛弟最好的玩伴；大壞蛋會咬阿沛弟的對手，從後面攻擊他們，牠甚至連狗都不怕。

「出去！」帕尼泊命令牠，「否則我把你烤來吃！」

大壞蛋受到了威脅，只好任由他把自己趕出去，但嘴裡仍發出不滿的抗議聲。

叛徒躲在牆角，看見小隊的第一個人正沿著爬繩越過牆。他決定等到其他人到齊後再過去與他們會合。

當第五個才剛落地時，其中一人突然痛得大叫一聲。大壞蛋剛剛咬了他小腿一口，而且正在攻擊另外一個人，新的受害者也痛得忍不住大叫出聲。

「我們被攻擊了！」

大壞蛋的動作又快又教人抓不到，只見牠不斷地一咬再咬，同時嘎嘎叫得越來越大聲。

叛徒看到這一幕愣住了，只能呆呆地站在原地；他們五人試圖抓住這隻鵝，卻都無法得逞，大家互相叫嚷成一團，根本忘了不得出聲這件事。

其中一名好不容易掐住了這隻鵝的脖子。

「我要掐死你，你這個大壞蛋！」

說話的人還來不及動作，帕尼泊已經一拳把他打昏了。

帕尼泊聽到了大壞蛋的叫聲，知道牠沒事不會這樣亂叫，因此跑出家門查看原因。

大壞蛋一溜煙地跑開，叛徒也貼著牆壁盡快地跑回家去，而其他四個傢伙早已撲向帕尼泊，心想要打敗他不是件難事。

然而帕尼泊用膝蓋朝第一個攻擊者的下半身重重一擊、手肘拐向第二個人的太陽穴、額頭撞向第三個人的鼻子；只有第四個人還有機會捶向帕尼泊的胸膛，對帕尼泊而言卻不痛不癢。

他一看苗頭不對，立刻跑向牆邊的繩索。

「要跑沒那麼容易，小子！」

歹徒下意識地摸向匕首。

「把它放下。」帕尼泊吼道。

歹徒拿著刀子威脅著他。突然，他認出了這個人。

「你……你，你居然敢侵犯真理村！」

這人憤怒地朝自己的喉嚨劃了一刀。

由於大壞蛋繼續在村子的大街上邊跑邊叫，好一些村民因而被吵醒。第一個來到出事現場的人是畫匠烏奈士，手中拿著一把火炬。

「這些人是利比亞人！」烏奈士叫道。

「自刎的那個呢？」

烏奈士將火把拿近那個奄奄一息的人查看。

「不，不可能……」

其他的工匠陸續來到現場。村民一個接一個跑出來，行會的首長尼菲寡言這時也來到帕尼泊身邊。

烏奈士將這四個利比亞人捆綁起來，大壞蛋在一旁表現得雄糾糾、氣昂昂，彷彿要讓大家知道這是牠的功勞。尼菲這時發現了刎頸自殺者的屍體。

「他是負責保護我們安全的一名警衛！」他驚訝地喊叫。

2

七十二歲的肯伊全身都是痛，雖說如此，他始終身居「底比斯西岸百萬年大神廟總書記」的要職，負責將每天發生的大大小小事情記錄在陵寢日誌上。他同時也負責監管送來的物資、發放每個人的薪餉、分派工匠所需的工具、檢核工地缺席員的事由、盤點行會的物資庫存……

總之，所有的行政管理必須要完美無缺，還要解決村子裡日常的芝麻問題，包括村子裡的工匠和他們的妻子、小孩，還有那些單身男女的問題。

而最糟的事情才剛剛發生：他喝的啤酒居然是熱的，而且他的床正在燃燒！

「您醒醒，肯伊！」

陵寢書記睜開眼睛，看到尼菲正站在床前。四十六歲的他中等身高、瘦而結實，飽滿的額頭下有一雙灰綠色的眼睛。

「是你，尼菲……我又忘了把混有啤酒、沒藥的新鮮草藥擦在臉上，所以做了一個惡夢！根據解夢法，我們的村子會遭竊，而且不得不將某人逐出村外。」

「您的夢與事實也相去不遠了。幾個利比亞人潛入村子，有一名警衛是他們的共犯。」

「你說什麼……索貝克隊長的一名部下？」

「的確很不幸。」

肯伊困難地坐起身，尼菲幫忙他站起來。

肯伊的女僕牛妞出現在房門口，她的身材嬌小，有著棕色的皮膚，是個美麗的年輕女孩。她知道老闆的起床氣很嚴重，大半個早上的脾氣都很壞，因此決定還是讓首長來叫醒他。

「您要不要用早餐？」

「幫我準備一些熱餅和牛奶，不過要快。」

肯伊很胖，樣子有點笨重，走路必須要用一根枴杖，偶而在特殊的情況下也會有敏捷的時候。他在一張扶手椅上坐下，兩眼發出憤怒的光芒。

「居然敢侵犯真理村！我馬上給法老寫一份報告。」

「除非塞特裔登上法老的王位，」尼菲反對道，「因為目前還沒有人登基。」

「這些歹徒可選對了時間……我們得通知索貝克。」

* * *

索貝克隊長身材高大、左眼有一道疤痕、大大的手掌已慣於使用棍棒，是個很有權威的努比亞人。他已經幹了一輩子的警察，說起話來很堅決，容不得部下違抗他的命令，也習慣擔當一切責任，從不會將罪過推卸給部下。

他沒有權利進入村子，而當他看見村子的大門半開、出現陵寢書記和首長時，馬上知道事情不妙。二十幾年前，他的一名部下被人殺了，他從未停止調查這件事，但至今沒有找到兇手，他認為這名兇手一定是行會的一名工匠；現在又有一名警衛有著同樣悲慘的下場，只不過是這次不是被殺，而是畏罪自殺！

肯伊的臉色很難看。

「你有沒有查出這個自殺的歹徒身份？」

「他的確是我的一名部下，」索貝克說道，「我去年才任用這個人。」

「他負責什麼樣的工作？」

「負責監守山丘上的一些小徑。」

「我在想他為什麼自殺……」

「道理很簡單，」索貝克揣測道，「當他發現無法逃跑時，他寧可選擇自殺一途，也不願忍受我的嚴刑拷打。」

「你盤問過那四名利比亞人了嗎？」

「第一個因為遭到重擊而意識不清，第二個是個啞巴，第三個舌頭已經被割掉了，第四個連一句埃及文都不會說。我已把他們交給西岸當局，以便查明他們的身份。」

「那名值班的警衛呢？」

「他被人下了藥，現在才剛醒過來。」

「我們都知道有一名工匠背叛我們，」肯伊生氣地再度提到這件事，「可是我們卻不知道你的一名部下居然是叛徒的共犯！而且看來是這名共犯為那幾個利比亞人帶路。」

「如果您懷疑我或多或少有參與這個陰謀，」索貝克反駁道，「您何不直接了當去告我？當然，我會立刻給您遞上辭呈的。」

「我們信任你，」尼菲介入道，「你依舊是村子的安全警衛隊隊長。」

首長過去已經為索貝克說過一次話；這次還是為他說話，而肯伊也同意尼菲的看法。

「我們怎麼知道其他的警衛不會被敵人收買呢？」肯伊埋怨道。

「我犯了一個很大的錯誤，」索貝克承認道，「這個渾蛋並不屬於我的族人，我不該用他的。這個要命的錯誤不會再有第二次了，我向您保證。」

「你打算採取什麼措施？」

「您放心，我會派人日夜監視整個村子的四周，並取消所有的放假，直到新法老登基為止。也希望你們所有人在這個非常時期不要離開真理村。」

整個村子的人都受到了驚嚇。

＊　＊　＊

為了去霉運，雕匠歐塞哈特和兩名助手特別雕了一座小石碑，一名是歐塞哈特，另一名是雷努貝。石碑上刻有七條蛇。

這座小石碑被安置在村子內牆靠近大門處，可以驅走邪氣。

儘管如此，村子裡沒有一個家庭不為真理村的未來憂心；如果新法老不再是它的保護者、如果爆發一場內戰，這七十間受到仔細保養的白色房子會有什麼樣的命運？

畫匠帕依為了村子的前途擔心得茶不思、飯不想。原本圓嘟嘟而快樂的臉龐，現在寫滿了憂愁。他的妻子不由分說地把他拖到智女家中，好讓這位行會之母為他看病。

他對自己的沮喪感到有些丟臉，但還是接受了。因此他們來到卡萊兒設於住家隔壁的診所求診。

他敲敲門，一陣吠聲響起，智女出來應門，手上抱著一隻小狗。

「小黑最近有點焦躁，」她解釋著，「我給牠弄了一些艾蒿球讓牠吞下去，好讓牠排掉肚子裡的蛔蟲。」

小黑雖然還是隻幼犬，但體型已經很高大，長長的嘴，長長的耳朵自然垂下，核桃似的眼睛閃耀著慧黠的光芒，看起來一點都沒有不舒服。

牠和卡萊兒的上一隻狗有一樣的名字，去世的小黑已被木乃伊化，埋葬在一個小小的墳墓裡，他們在裡面為牠放了牠最心愛的枕墊、一瓶聖油和木乃伊化的豐盛食物。

每一次當帕依看見已有四十來歲的卡萊兒，總是為她的美感到心神愉悅；她臉上細緻的五官散發出一種寧靜的光芒，能夠使人的靈魂平靜下來，而且她的聲音溫柔而甜美。她和尼菲結了婚後才進入真理村，經過了許多年的磨練，兩人分別被選任為行會的首長和智女。

「我覺得不舒服。」帕依沮喪地承認道。

「有什麼明顯的症狀嗎？」

「沒有，只是有點全身疼痛……而且沒胃口。眼前這種未知數的處境，教人如何忍受？也許明天，村子就被毀了，我們也流散各處，未來的生活將成為一場痛苦的回憶。」

「你躺到蓆子上，帕依。」

智女曾經受過醫療總長奈菲莉的指導，和前任智女的訓練，因此有相當深厚的專業知識。前任智女將她的技術一點一滴傳授給她，並留給了她這間實驗室，她就是在這兒為村民準備各式的處方。氣色、身體的味道和口腔的氣味是初步診斷病情的良好根據，但最重要的仍是把脈，頸部、頭頂、手腕、腹部和腿部的經脈可以讓智女了解病人體內氣的流動情形。

卡萊兒花了很長的時間為帕依診斷，他的妻子越來越不安。

「很嚴重嗎？」

「不會，你放心，不過有些穴道因為你的焦慮而開始有不通的現象。」

智女準備了一種藥膏，裡面混合了牛脂、松油脂、蠟油、刺柏脂和薯蕷籽，讓帕依連續四天抹在胸膛上，不適症狀便會慢慢地減輕。

帕依坐起身。

「我已經覺得好多了，但唯有村子不再有危機，我的病才會真正痊癒。卡萊兒，人家都說妳能預見未來……妳能預見我們行會的未來嗎？」

「只要它遵循瑪亞特女神的道路、任何時候都不放棄正義，在這種情況下，不管發生什麼事，我們有什麼好怕的？」

3

莫希四十來歲、圓胖的臉、厚厚的嘴唇、肥嘟嘟的手腳、黑色的短髮平貼在腦袋上、虎背熊腰的體型，雖然有令人不甚悅目的外表，卻是身兼底比斯西岸總督和上埃及底比斯軍隊總司令的兩項要職。他深棕色的眼睛有著達官貴人的那種傲慢，不但野心勃勃、意志堅強，而且高深莫測的眼神只有他的妻子賽克塔能解讀他的心事。她知道他有一股頑固的意志力，想要將真理村的祕密和「光之石」占為己有，進而駕馭整個國家。

為了成為富裕的底比斯城主人，莫希不惜除去阻礙去路的許多對手，他既不信神、也不信鬼，為達事業的高峰，就算作奸犯科也在所不惜。他親愛的賽克塔是他最好的共犯，而且以殺人為樂。

他與行會有不共戴天之仇，但命運很會捉弄人，因為法老正式任命他為行會的保護者，負責讓工匠們有最好的生活條件，以便專心的工作。因此他只能暗中活動，並收買了行會的一名工匠，藉由條件的交換來獲得他的幫助。

然而直到目前，事情的結果離他的目標還很遠，他的耐心受到了極大的考驗。幸運的是，目前一觸即發的內戰將有利於他暗中給予行會致命的一擊。

賽克塔戴著華麗的假髮，身上穿著一件寬鬆的粉紅色長袍，遮掩了底下臃腫的身材。她剛自底比斯採購回來，後面跟著一群頭頂著布匹、陶罐、家具等採購品的僕人。她喜歡用她那淡藍色的眼睛撒嬌，故作小女孩的模樣。

莫希在他們的花園豪宅內不斷地來回踱著方步。賽克塔望著他說道：「你看起來心神不寧。」

「我們收買的那個努比亞警衛，一點消息都沒有。」

「不要這麼悲觀嘛，我的親親。」

賽克塔一把環住丈夫的脖子，他用她一向喜愛的方式用力搓揉著她豐滿的胸部。

「要不要到房間裡來一杯酒？」

* * *

賽克塔一如往常般假裝達到高潮。她回想著自從莫希告訴她那些計劃後、這些年來所過的刺激生活。用最現代的武器征服最高權力、主宰別人的生死大權、先取寶物再滅真理村……這些成了賽克塔在無聊的生活中唯一的樂趣。

如果當初莫希對她不夠真誠，她可能早已除掉他，就像母螳螂把公螳螂吃掉一般。現在成了他的同盟、為他除去障礙的人事物，她已開始喜歡兩人這種配合無間的刺激生活。

「你有沒有首府方面的消息？」

「塞特裔沒有放棄登基的念頭。」

「阿孟美斯王子真的在你的控制之中？」

「等到他父親宣佈即位的消息時，我不知道他會作何反應。」

阿孟美斯雖然被塞特裔放逐關到底比斯這個金籠子裡，一心仍舊想當上法老。莫希甚至還鼓勵他，目的是想製造父子倆的衝突，以便坐取漁翁之利。但年輕的阿孟美斯還在順從與造反之間猶豫不決。

莫希的眼光朦朧，回想著他在西峰所犯下的第一個殺人案。當時他正在窺視行會的成員拿著「光之石」出現在國王谷地，一名警衛突然走來，於是他一不做、二不休把他殺了。

也就是從那一刻開始，莫希知道真理村擁有關於埃及的重要祕密，這個祕密可以讓法老駕馭死亡。因此真理村才會在法老的保護之下，不讓世俗之人進入，甚至包括那些大臣。

為了獲取這塊「光之石」，莫希已經走了很長的一段路，殺人、說謊、威脅、造反，樣樣都來，但這場戰爭離勝利還有一段距離。

他要讓這個該死的行會為當年拒絕他進入而感到後悔。

而賽克塔是全然站在他這邊的，他甚至除掉了她的父親，以取得他龐大的財產。賽克塔殺人不眨眼的嗜好，是他最好的戰友。不過，遲早有一天她會瘋的，這時他也得除掉她。

「我們的新武器好了嗎？」她問道。

「我們所擁有的武器數量足以對抗北方來的軍隊，可是我沒有向阿孟美斯提到那些新式戰車。多年來，我不斷地給官兵們一些好處，因此他們只會對我誓死效忠。就算是王子來指揮軍隊，底比斯的軍團也只聽命於我。不過，我對塞特裔倒是懷有戒心……他的個性很強，光是統治三角洲不會滿足他。這就是為什麼我會派人傳信給他，讓他認為我絕對忠誠，並讓他知道目前的情況……當然是用我的方式。」

「太有意思了！」賽克塔興奮地說道，同時用她的胸部去摩擦莫希的臉。

莫希厭倦了他在下面的姿勢，於是將她推到一旁。她有點害怕地叫了幾聲，彷彿深怕受到強暴。

有人用力地在敲他們的房門。

「總司令，請快點來，是警察！」總管叫門的聲音顯得很驚慌。

莫希和賽克塔兩人疑惑地對望了一眼。

「我絕不讓人逮捕我。」她說道。

莫希站起來。

「應該不是什麼大不了的事。」

「說不定是阿孟美斯背叛了你？」

「沒有我，他什麼都不是！」

莫希套上一件衣服，走出房間。

「門房沒有讓任何人進來，」總管說明道，「可是警方堅持要立刻見您。」

莫希大步走到大廳門口，前面就是花園，好幾個僕人已經聚集在那裡。

「全都回去工作，」他板著臉命令道，「你，把門打開！」

僕人立刻做鳥獸散，門房也馬上開了門。

莫希發現來者是高大的索貝克，後面有一群努比亞警察架著四個人，雙手被反綁著。

「索貝克隊長……發生了什麼事？」

「我的一名部下企圖與這四個歹徒一起闖入工匠的村子。由於您代表西岸的最高行政當局，同時您負責保護真理村，因此我才想盡快通知您這件事。」

「我把他們帶到總營部……到了那裡，他們不得不吐實的，相信我！」

「總軍營在東岸，不屬於我的管轄範圍，而這些人卻是我的犯人。」

「你剛剛也說了，我代表這裡的最高權力，而我要知道這些歹徒是什麼人、目的為何、為誰賣命。」

「請容許我參與訊問，總司令。」

索貝克不喜歡莫希，因為他覺得莫希野心太大，為了目的，會不擇手段，然而卻始終沒有抓到他明顯的小辮子。他不能對付這麼一個重要的人物而沒有具體的證據。

如果莫希不讓他參與這個調查，不就等於是有這麼一回事？索貝克屆時會故意順從他，然後寫一份報告到首府，向上層指出總司令這種令人懷疑的態度。

「你的要求不是很符合規定，」莫希說道，「不過我能了解；陵寢書記和發現你的部下這種背叛的行為後，有什麼反應？」

「他和首長依然信任我，我也不會讓他們失望的。」

「我和他們的想法一致。我先換個衣服，然後帶你到總營部。」

莫希不敢輕忽索貝克的介入，這個傢伙不接受賄賂，而且很固執。他曾經試圖收買他，也試過將他調職，甚至打擊他，卻都不得其果，因為索貝克太熱愛真理村，而他卻不過是一個村外人。

有時候，莫希覺得索貝克看他的眼神很奇怪，好像索貝克認為莫希就是他二十幾年來所尋找的兇手，只是沒有說出來而已。不過莫希沒有留下任何的把柄，索貝克也拿他沒辦法。

莫希穿上了軍服，這時賽克塔好奇地跑過來。

「事情相當麻煩，」他承認道，「那幾個人徹底的失敗了，妳收買的那個努比亞人怕被索貝克嚴刑拷打，所以自殺了，但這四個利比亞笨蛋被抓到，我只好帶索貝克到營部，以免引起他的懷疑。我必須將計就計，擺脫這個困境。」

「我一點都不擔心，溫柔的親親。」賽克塔撫摸著丈夫的胸膛和匕首的把柄，只要一有狀況，這支匕首會教索貝克永遠閉嘴的。

4

四名利比亞歹徒躺在一間牢房的牆邊。副官向莫希和索貝克隊長行禮致意。

「這些歹徒試圖潛入真理村，」莫希說道，「幸好有索貝克隊長，這四人因而被捕；可是他們之中只有一個人能夠說話，而且只會說利比亞文。我的副官利比亞文說得很好，所以讓他去盤問……不過我有一個問題要問他：我們軍隊的所有傭兵是他負責僱用的，不知道他認不認識這幾個人？」

莫希向副官使了一個眼神，他立即明白莫希令他不要在外人面前多話，可是他是否該用「是」與「不是」來作答？

副官走近查看這四名犯人，然後回到兩人面前。莫希刻意站在索貝克斜後方，以便能夠用點頭、搖頭示意副官，而不被索貝克發現。

「我見過這幾個傢伙……」副官故意將聲音拉得很長，「我在想他們搞不好就是上個月在演練時、偷竊武器的傢伙。」

「他們的確是利比亞傭兵，而且是被通報的逃兵！」

「不但是逃兵、竊賊，說不定還犯了重罪，總司令！他們打昏了一名衛兵，以便潛入武器室，結果那名衛兵傷重而死。」

「你現在盤問他們。」

副官只問了一個問題，利比亞人用斷斷續續的句子回答他。

「我問他，他是否和其他人犯了罪，結果他全承認了。」

「他為什麼試圖闖入真理村、是誰教唆的？」

利比亞人還是同樣慌張的神態作答。

「他和其他同夥打算偷竊西岸的所有村子，然後取道沙漠、帶著大量的贓物回到他們的國家。」

「我們把這幾個人交給索貝克隊長，讓他送到法庭接受審判。」

「恕難照辦，總司令，這是不可能的。」

莫希看起來有點惱怒。

「你這是什麼意思？」

「這些犯人必須立刻接受軍法審判；如果您做不同的決定，總司令，您本身將等於是犯了嚴重的錯誤。根據先前的事實，我必須寫一份有關報告，並把他們關在牢裡，直到審判結束。」

＊　＊　＊

礙於規定，索貝克只好留下歹徒，空手而回。他一離開，莫希立刻叫人將四名利比亞人關進密室，等待最後的審判，再直接送到哈爾塞綠洲去服終身苦役。

「您會在判決書上蓋章嗎？」副官問道。

「不用了，」莫希回答道，「我不想再聽到這幾個渾蛋的事情。」

「我想我的表現應該沒讓您失望，總司令。」

「你的表現很好。」

「我剛才只猜到您一半的意思……弄不好便會說錯話。」

「還好沒有發生，幹得好。你和我的共同目的都是為了軍隊的光榮，而且永遠不要忘記，服從紀律就是最大的美德。」

「我會繼續服從您，不過，我的表現是不是……值得您嘉獎？」

莫希露出一個笑容。「自從你跟著我以來，你已經了解我的作風，也應該知道我討厭失去主動權。如果你試著要脅我……」

「當然不是，總司令！」

「假使我用兩頭乳牛、一張上好的床和三把高級椅子來表示謝意，你是否會忘了利比亞人這檔子事？」

「那當然！」副官肯定地回答。

* * *

索貝克穿過第五道堡壘，往工匠助理區走去。他發現情況有點不對勁。鐵匠、鍋匠、陶匠、皮匠、織布工、鞋匠、洗衣工、樵夫、麵包師傅，以及他們的助手，全都從自己的工作坊跑出來，圍成一個圓圈，正在大聲嚷嚷著。

當班的哨兵手上拿著一根棍子，這時起身站到村子的正門口，彷彿擔心那些助理工會攻擊村子。其他的警察則保持一定的距離；他們過去所收到的命令是不准外人進入，而不是逮捕這些為行會工作的領餉工人。

索貝克撥開人群，發現陵寢書記拄著枴杖，被包圍在裡面。他已經和這些以陶匠貝肯為首的助理工爭論了一個小時。

「各位安靜一下，」索貝克要求道，「否則我就叫部下把你們趕走！」

「我們已經有一個禮拜沒有拿到應得的魚乾，」貝肯抗議道，「我們每人每天至少要有一百克的魚乾。如果這種情況一直持續下去，我們會連工作的力氣都沒有。」

「行會的成員比起你們來也好不到哪裡去，」肯伊反駁道，「我只能向西岸總督陳情抗議，而他那邊也在等待新首相的上任。」

「那我們吃什麼？」

「真理村法庭同意將醃菜分配給大家。新法老應該很快就會登基，物資的運送也會恢復正常。」

肯伊多麼希望他對自己的話有把握；不過他的堅定語氣讓助理工平靜了下來，大夥兒拖著腳步回到各人的崗位工作。

「您這麼直接面對他們，是很危險的作法。」索貝克對陵寢書記說道。

「我這把年紀，也沒有什麼人好怕；再說，這種問題本來就應該由我來解決。莫希有沒有接見你？」

「他甚至還把我帶到底比斯的總營部，他的副官盤問了那個唯一能說話的利比亞人。」

「他有沒有招供？」

「就副官的說法，這一票人是竊賊，打算對西岸所有的村子進行偷竊，而且他們不但是逃兵，甚至是嫌疑犯。因此他們會受到軍法審判。依我看，我們再也見不到這幾個人了。」

「如果他們被控這麼多項罪名，鐵定會被判終身勞役；你為什麼看起來有點煩躁，索貝克？」

「因為這件事跟本說不過去！假使這幾個歹徒真的偷了武器室的東西，為什麼潛入真理村時沒有帶武器呢？況且真理村也不是一般的村子！您忘了他們還有共犯，而且是我的一名部下？既然已經肯定了他們會被判終身勞役，我們所能擁有的唯一事實就是莫希的副官所說的。」

肯伊狠狠地頓了一下枴杖。「要說就把話說清楚，索貝克。」

「我一點也不信任這個莫希！他的野心從皮膚上的每個毛細孔散發出來，我相信他連最卑鄙的事都做得出來。」

「如果我沒有說錯的話，你算起來也是個理性的人，但有時理性到連自己的影子都會懷疑，你總不會希望再犯和上次同樣的錯誤，錯怪了行會的左隊隊長。」

肯伊提醒了他這段殘酷的回憶，索貝克感到很尷尬。

「眼前的情況有所不同……」

「你這麼肯定？我們只要就事實來討論：莫希是不是真理村的正式保護者？」

「可是連魚乾的供給都已中斷了。」

「在這段治喪期，介於已故法老和新法老的即位期，一切法令是由首相來決定。我才剛剛收到莫希的一封信，他說如果有必要，他會把西岸當局的存糧送來給我們。自從他上任以來，我們可曾有過抱怨他的機會？」

「我想沒有……」

「他有沒有企圖妨礙你的調查？」

「表面上看來沒有。」索貝克承認道。

「他有沒有把你帶到底比斯總營部，而他大可以拒絕你進入？」

「是沒錯，但……」

「他有沒有讓你參與審問？」

「有，但即使……」

「即使什麼，索貝克？」

索貝克也答不上來，不過他必須對自己誠實。

「莫希將軍本想把利比亞人交給我，是他的副官嚴詞提醒他，他們必須接受軍法審判。」

肯伊煩躁地頓了一下枴杖。

「你不喜歡莫希，這是你的權利；我不否認，這個人我和你一樣討厭，而且我仍然會繼續對他保持戒心。可是我相信真理村對他而言，不過是個跳板，他最好盡到他的責任，以免被法老怪罪。」

「萬一新法老宣佈關閉真理村呢？」

陵寢書記一下子老了許多。

「埃及文明將會告終，索貝克，諸神也將離我們而去。」

5

帕尼泊和娃貝特純潔的住家位於村子的南邊，在工匠們的三十二棟房子中，他們的房子並非最美、也非最大，不過娃貝特純潔把他們的家弄得既快樂又舒適。

他們的房子有一百多平方公尺，前廳供奉著祖先，有一張具有三個小台階的聖床；第二個房間有一根塗著石膏的棕樹幹支撐著天花板，這個房間也具有神聖的意義，裡面有一張供桌和二座石碑，其中一個代表與冥間溝通的門，另一個嵌在牆上，代表行會的守護神，這位守護神乘坐著太陽神舟航行，並將生命傳給祂的後代。這座石碑是尼菲寡言送給他的朋友兼義子帕尼泊的禮物。

第二個房間後面接著另一個房間、一間水室和一個廚房。廚房的屋頂用樹枝蓋成，有一部份是露天的，並有階梯通到屋頂上的陽台。除此之外，還有兩個地窖，一個用來儲藏放置食物的甕，另一個地窖用來放酒和橄欖油。這個屋子就是娃貝特純潔幸福的泉源。

三十六歲的娃貝特純潔和帕尼泊年紀相同，看起來卻比實際年齡少十歲；她拿出一個紅白相間的小石瓶，用一枝眉筆在裡面沾一點方鉛石製的染劑畫眉毛。接著她拿起一個方解石雕成貝殼形狀的香油盒，倒一點在脖子上，同時心裡想著她的丈夫。她必須與另外一個女人分享她的丈夫，那就是他熱情的情婦碧玉。

她們兩人都是哈托爾的女祭司，兩人之間卻從未有過衝突，就好像彼此有種默契。碧玉發誓一輩子不結婚，而帕尼泊也從不在她家過夜；他的妻子只有一人，那就是娃貝特純潔。她為他生了一個壯小子，而且也盡到了女主人的責任。儘管她基於愛而容忍帕尼泊的行為，但她絕不是一個只知順從的小女人，她的丈夫必須對她有所尊重。

她把帕尼泊送她的光玉髓和雞血石項鍊戴在脖子上。娃貝特滿意地看了看，覺得自己真的很美麗。

「今天早上還是沒有魚乾！」帕尼泊生氣地說道，「它是我兒子最愛吃的食物，我受不了他沒有魚乾可吃。」

「我們只能耐心地等。」

「不，娃貝特，我有更好的點子！」

「不要去找漁夫的麻煩，帕尼泊；他們接到命令，所以停止供應並不是他們的錯。」

「可是我要對兒子的快樂負責。」

＊　＊　＊

帕尼泊坐在一條用紙莎草編成的小舟上，將四條帶有粗鉤的釣魚繩拋入尼羅河裡。經過了一個小時的努力，他終於釣到一條長六十五公分的銀色大魚。為了不讓魚痛苦，他用一根木槌把牠敲昏。

帕尼泊受到了這個鼓勵，於是划向水位更深的地區。而幸運之神正在向他招手：他與一條鱸魚展開了激烈的拉鋸戰。這條鱸魚少說也有一公尺半長、重達七十公斤。照理說，他應該要藉助魚叉和網子來捕捉這條勇猛的戰士；然而儘管小舟搖晃得很厲害，他還是不放棄。

帕尼泊終於戰勝了這條鱸魚，也沒有忘記向牠的靈魂默禱。每當他在陵墓的牆上作畫，總是會在太陽神舟的船頭上畫一條魚，讓它能夠預先告知來自黑暗中惡魔的攻擊。

他順著水流划舟，只花了幾分鐘就回到了岸上。他把大鱸魚扛在左肩上，右手提著籃子，裡面裝了那條銀魚。帕尼泊走向茂密草叢，突然小腿狠狠地挨了一棍，身子跟著往前一倒。一張網子隨即罩在他的背上，雖然他已坐了起來，但仍被網子束縛住。

漁夫尼亞和他的三個同夥站在帕尼泊的面前。帕尼泊已經與這幾個人交過手。

「你實在不該離開村子的，」尼亞說道，「身為一個村內人，就應該認份地留在村子裡！」

「你簡直比魚來得更臭。馬上給我拿掉網子。」

尼亞捧著他的大肚子哈哈大笑。

「你現在可不夠資格逞強，小子！難道沒有人警告過你，只有我和我的員工才能在這個地方釣魚？」

「如果你還想保住真理村的助理工作，那就從今天起恢復供貨。否則，我親自動手解決你的問題。」

「你們有沒有聽見他的話……我都嚇得發抖呢！現在，我先要好好地教訓你一頓，再來嚐嚐你釣到的鱸魚！伙伴們，上！」

四根棍子齊聲打在帕尼泊身上。然而網子的厚度加上他們亂打一通，根本無法真正打到帕尼泊，而他已經用牙齒將網子的一根線咬斷，並用力把洞拉大。他發出一聲怒吼，短短的時間內就將四人攞平在地上。

帕尼泊掙脫了網子，反手就將它拿來當作武器；他把網子在空中盤旋了幾圈，然後用力甩向其中兩人，他們馬上血流滿面；第三個一見苗頭不對，便趕緊溜了。

「不要打我！」尼亞鬆了手上的棍子叫道，「你是真理村的工匠，所以沒有權力攻擊一名助理工。」

尼亞看到對手眼中的怒火，以為自己的大限已到。然而帕尼泊卻把漁網拋得遠遠的。

「你來扛我的魚，我們一起去魚塘。」他向尼亞命令道。

「你……你該不會要把我丟掉水渠裡吧？」

「要把你的臭身體丟掉水裡，我還怕弄髒了水呢。不過，如果你再來惹我的話，我會把你的頭打破，讓山上的禿鷹飽餐一頓。」

尼亞慌忙地扛起大鱸魚，然後朝魚塘走去。魚塘裡養了各式各樣的魚，不管在什麼樣的天候下，都確保有新鮮的魚可吃。

兩名值班人員正在烤鯔魚，準備與魚塘的負責人一起享用。

「哇，好豐碩的成果！」其中一名叫道，「你這個樣子要去哪裡？」

「他要把魚送到真理村，」帕尼泊回答，「你們把魚籃裝滿新鮮的魚，然後跟我們走。」

那兩人握緊了手上的棍子。

「你們最好聽他的話，」尼亞勸道，「我們剛才四個人聯手都打不過他。」

他們立刻退後一步。

「你是誰？」

「帕尼泊，真理村的工匠。」

「我們有命令在身！任何人都不可以碰魚塘。」

「這個命令很愚蠢，因為這個魚塘是屬於行會的。你們現在把魚籃裝滿。」

「其實，」魚塘的負責人說道，「帕尼泊說的並沒有錯。」

兩名工人互相看了一眼。看來，要對付這個孔武有力的人，也只有他們兩個。就算他們有本事把他打倒在地上，自己也絕對會掛彩，更何況打敗他的機會微乎其微。他們所領的薪餉不值得去賣命，因此手中的棍子垂了下來。反正如果當局怪罪下來，他們會找藉口，宣稱受到一票人的威脅，而不得不這麼做。

＊　＊　＊

助理工和大門的守衛遠遠就看見帕尼泊帶頭領著一個奇怪的隊伍走來。

「是新鮮的魚！」鐵匠雙手叉著腰喊道，「給我們的嗎？」

「你們也會有一份。」帕尼泊回答他。

「誰給你的魚？」

「尼亞充份表現了他合作的精神，而且我們的魚塘裡滿滿的都是魚。」

「這麼說，物資又恢復正常供應了？」

「你看不出來嗎？」

助理工人對於那兩籃分配給他們的鯔魚讚不絕口。

村子裡一些婦女聽見了喧嚷聲，紛紛從家裡跑出來，一看見這麼豐富的魚貨，高興得闔不攏嘴，她們又可以表演她們的拿手好菜了。

帕尼泊將那條肥大的鱸魚拿到陵寢書記的家門口，後者臉上卻寫滿了不高興的表情。

「我吃過比這條更大的，」帕尼泊說道，「不過這條也足以讓我們大飽口福了。」

「這條魚從那裡來的？」

「我自己釣到的……這總不犯法吧？」

「在法老未親口下令之前，誰都不准踏出村子一步。」

「我這麼做是為了大家好，」帕尼泊理直氣壯地說道，「同時，我也順便解決了鮮魚的供應問題。既然魚塘是我們的，為什麼不多加利用？」

「規定就是規定，帕尼泊！犯規就是犯了很嚴重的錯。」

「重要的是，所有的村民又有新鮮的魚可吃了，不是嗎？如果要等到那些高官貴人解決了他們之間的問題，我看大家早就餓死了。」

肯伊忍無可忍，用枴杖敲了一下地面。

「你給我回家去，而且不准再出來。」

「我是行會的一員沒錯，但我仍是個自由的人！」

「我要叫首長來處罰你的行為。從現在起，我不准你參與右隊的任何工作。」

6

「妳可以出去了。」肯伊向女僕牛妞說道。他剛剛派她去把首長和智女找來家裡，使得智女不得不中斷手邊看診的工作。

「村民們都很焦慮，」她向陵寢書記提道，「我已經開了無數的鎮定劑給他們服用。」

「麻煩已夠多了，而帕尼泊又再給我們來個雪上加霜！」肯伊抱怨道。

「如果您指的是送魚的那件事，我們大家倒是很高興又有魚可吃了。」

「帕尼泊一來不能擅自離開村子，二來也沒有權力代漁塘老闆作主。畢竟他收到了行政當局的嚴格命令。我打算就帕尼泊違反規定這件事，寫一份報告，並且禁止這個叛逆小子參與右隊的工作三個月。」

「表面上看來，您沒有錯，」尼菲分析道，「但實際上……帕尼泊這次的行為不正點醒了我們嗎？我們並不受任何的行政單位管轄，只有直接聽命於法老。所以，為什麼要接受沒有魚吃這件事？假使每天必須要派一組人馬去魚塘把魚帶回來，我可以負責安排這件事。」

肯伊沒想到首長會有這種反應，因此愣了好一會兒。

「可是……帕尼泊犯了不可原諒的錯誤，所以該受到懲罰！」

「我們這個義子有時的確不太守規定，」智女露出令人不可抗拒的笑容，「但就這件事情而言，他不但沒有造成任何的損失，而且還提醒了我們，生存要靠自己。再說，團結就是力量。」

「但是……」

牛妞又來到辦公室。

「我不是要妳離開嗎?」肯伊咕噥道。

「您的助理伊姆尼,要我通知您一件很嚴重的事:剛剛送來村子裡的水,數量比正常的時候少了一半。」

肯伊一下子跳了起來,彷彿少了二十歲。他像個年輕人般快速地走出家門,後面跟著首長和智女,他們和他一樣感到擔心。

三人很快地來到了一個直徑有兩公尺的水池邊。

好幾名婦女正圍著小書記伊姆尼,而且態度越來越強悍。

「我們原本在等五十頭驢送水來,」長得一副老鼠嘴、鬥雞眼的伊姆尼說道,「他們來是來了……但卻沒有水袋!」

「挑水伕有跟著一起來嗎?」肯伊問他。

「他們也是兩手空空地跟著來。」

「他們是怎麼跟你說的?」

「什麼都沒說,」伊姆尼細聲細氣地回答,「不過我仍然把他們的聲明記錄在木板上,好讓您抄寫在陵寢日誌上。」

伊姆尼對自己的文學底子很自以為是,認為越是看不懂得文章才是好文章。他不管走到哪裡,一定要帶著他的寶貝文具。

「你有沒有查過我們水的庫存?」陵寢書記煩惱的問道。

「南牆的大水甕還剩一半,哈托爾神廟祭祀用的水槽還夠應付幾個禮拜。」

「今天送來的水分配給大家了沒有?」卡萊兒問道。

「我不准他們拿,」伊姆尼驕傲地說道;「我們街上的水甕都沒有裝水。」

街上的水甕高兩公尺，半埋在地面下，是用粉紅色的陶土燒成，表面有一層亮釉，是歷代法老送給村子的禮物，為了紀念法老，水甕上刻有他們的名字，如阿孟霍特普一世、圖特摩斯三世，以及拉美西斯大帝。婦女們平常會到這裡來取水，以供日常生活所需。

卡萊兒向北邊的大門走去，尼菲跟在她旁邊。

「妳的眼神突然變得很暗淡，」他對她說，「妳在害怕什麼？」

「我擔心剛送來的水已經被人下了毒。」

＊　＊　＊

送水的驢隊和挑伕已遠離村子，索貝克親自守著放在大門邊的水袋。

「有沒有什麼人靠近這些水袋？」尼菲問道。

「沒有。」索貝克肯定的答道。

「味道很正常……請助理工拿一些杏仁和橡木果給我。還有，索貝克，請你的部下去找一隻白鷺鷥來。」

這些水袋每個可裝二十幾公升的水，卡萊兒在每個袋子裡放一些果子，讓水保持清澈，而且不受細菌污染；但這麼做仍不夠，她在等待白鷺鷥的到來。

索貝克的兩名部下在田裡抓到一隻白鷺鷥，而且完全沒有傷到牠。智女用催眠的方法讓牠安靜下來；牠朝水袋的方向走了幾步。如果牠喝了，那就表示水沒有問題。

白鷺鷥把啄子一偏，便飛走了。

「我們把這些水倒掉，水袋也一併燒掉。」卡萊兒說道。

「這一次，實在是太過份了。」肯伊目睹這一切，憤怒地說道，「先是沒有魚，再來是沒有乾淨的水，甚至想對我們下毒！我明天就寄一份詳細的報告到首府。」

「我必須得通知莫希將軍，」首長說道，「並且找出這個無恥的兇手。」

「我陪你去。」

「不，肯伊，您留在這裡，並採取一切必要的措施以防範未然。」

「所有一切的措施？」

「我們沒有選擇的餘地。」

「現在路上都不太安全，甚至連西岸也是；你帶帕尼泊一起去。」

*　*　*

莫希整個人都呆住了。

「妳說妳做了什麼，賽克塔？」

「因為我覺得有點無聊，所以在真理村要喝的水袋裡面下了毒。我偷了達克泰的一小瓶藥，然後把它倒一點在水袋裡。聽人家說，這些水袋的數量比平常少了許多。這個點子好玩吧？再過幾個小時，真理村大部份的居民會死的死、病的病！」

莫希狠狠地給了她一巴掌，力道大得使她滾到地上。

「是我讓水袋的數量減少的，這麼做是為了使行會亂成一團，引起他們的不滿，讓行會以為是阿孟美斯的主張……工匠們如果沒有足夠的水，勢必會暫時離開村子，這麼一來，我就可以盡情搜索村子！而妳，看看妳幹的好事，搞不好我們在村內的盟友早已被妳毒死了！」

「如果他們全都死了呢？」賽克塔用小女孩嗚咽的聲音說道。

「妳忘了他們有一個懂醫術的智女會為他們治療！最重要的是妳忘了我才是做決定的人。我不准妳再自作主張，賽克塔。」

賽克塔的臉一片熱辣辣的，她爬到丈夫的腳邊。

「你會原諒我嗎?我的親親?」

「妳不值得原諒。」

「請你原諒我，求求你!」

莫希實在很想一腳踹過去，可是她還有利用的價值。於是他一把提起她的頭髮，拉到面前。

賽克塔儘管疼痛難當，仍然忍住不出聲。如果有一天莫希變得有憐憫心，她才會殺了他。

「假使妳這一次的結果失敗，行會馬上就會有所反應。我也許可以讓達克泰揹黑鍋，不過我們還需要他。」

賽克塔親吻著丈夫的胸膛。

「我有一個主意。」她低聲說道。

* * *

尼菲和帕尼泊身上帶著棍棒，從真理村的側門出去，只有工匠們可以進出這條路。他們通過了崗哨站，沿著拉美西斯大帝的百萬年大神廟，前往西岸行政當局的所在地。

一路上的氣氛很沉悶，田野間不再聽見吹笛聲，也沒有人哼著小調;每個人都用懷疑的眼神偷瞄旁邊的人，並謹慎地觀察過往的行人。有人傳言內戰是免不了的，而且底比斯會因為效忠阿孟美斯而付出慘痛的代價。

「陵寢書記真的不會寫報告控訴我嗎?」

「確定，帕尼泊。」

「他為什麼會改變主意?」

「因為你不服從紀律和有人密謀侵犯村子比起來，只不過是小事一樁。」

「你一定有幫我說話，對不對?」

「如果某項規定最後變成了愚蠢的規定，就等於是違反了瑪亞特和諧的原則。」

他們一走近行政大樓，就發現有種不尋常的騷動。士兵和書記們像無頭蒼蠅般跑來跑去，官員們也雜亂無章地下命令，也沒有警衛過濾進出的人。

他們兩人直接來到一個大院子，院子裡的一些馬匹正不斷地嘶鳴著。

尼菲進入一間大廳，準備到莫希的辦公室，兩名士兵突然出現在他面前，並用長矛抵住他的胸口。

「兇手被抓到了！」情緒較為激動的那名士兵高聲喊道。

7

「所有一切必要的措施」，這是首長說的。守法的他，還是問了智女和左隊隊長的意見，畢竟他要下的命令並不尋常。

肯伊走出村子，叫人去把索貝克找來。

「你的部下是否已進入警戒狀態？」

「沒有人可以進入村子而不被發現。我的指示很明確而嚴格：先是警告，如果來者輕舉妄動，立即格殺勿論。」

「我們去找鐵匠。」

自從梅仁達駕崩以來，鐵匠歐貝德的工作少了許多。歐貝德是一個敘利亞人，五短身材、孔武有力。他閒來無事，除了睡覺，就是烤羊奶酪餡餅來吃。

他一看見陵寢書記和安全警衛隊長走進來，以為自己是在作夢。這是肯伊第一次光臨大駕，歐貝德真擔心屋頂會塌下來。

「我犯了什麼錯？」

「放心，歐貝德，你沒有犯任何錯。」

「那……」

「你製造的武器都很精良，而且修理的工作也做得又快又好；首長和我都很欣賞你的工作態度。不過今天，我無法保證真理村還能像過去一樣正常運作。萬一高層人物決定要進犯真理村，它必須要有能力保護自己。」

卵還要臭。

「保護村子是我的任務啊！」索貝克隊長驚訝的喊道。

「是沒錯，但如果有必要，工匠一定會盡全力幫助你的。」

鐵匠扳了扳指節，發出喀喀的聲響。村裡的小孩都說他的手指長得像鱷魚的腳趾，而且比魚卵還要臭。

「您是要我歐貝德……製造一些武器？」

「這是首長的決定。」肯伊加了一句。

「這是不合法的！」索貝克反彈道，「只有行政當局才可以分發武器，而且……」

「它分發了什麼給我們？下了毒的水！我要對真理村的利益負責，因此認為我們在任何事情上都必須能獨立自主。」

索貝克承認肯伊的話沒有錯，再說他和部下都得服從陵寢書記，所以也沒有責任的問題。

至於歐貝德，他對這個意外的工作倒是興致勃勃，二話不說就開始燒起木炭與棗核起火爐，再用風箱加強火力。

歐貝德用他那雙經驗豐富的巧手，將炭粉倒進一個漏斗形的陶器裡，用一把青銅製的長箝夾住，放在火上烤。火苗藉著漏斗底部的小氣孔將陶器燒得通紅，他再將鐵塊放進容器內讓鐵溶化，然後倒出來趁熱打成匕首和短劍。

「我馬上就開始製造。」他說道。

肯伊和索貝克離開了鐵舖。

「您總不會要工匠們配備武器吧？」索貝克擔心地問道。

「這些武器會經過我的助手登記，放在保險室裡，」陵寢書記回答他，「必要時，只有我一個人可以分配給工匠。而如果有必要的話，我會讓行會的成員有自衛的能力。」

「您總該記得你們之中存在著一名叛徒，如果您將武器給了他，不就讓他成了一個無形的殺人犯？」

「我的記性很好，索貝克，而且我也很清楚為了大前提，勢必要冒一些危險。在新命令未出來以前，只有你的人可以配有武器。而你，你總沒有忘記這個叛徒可以用任何其他的手段來當武器吧？」

「他的靈魂會下地獄的！」

「你不認為他的靈魂已經在地獄了嗎？」

＊　＊　＊

「我是真理村的行會首長，陪我來的是一名工匠。」尼菲凜然說道，「把你的長矛放下，帶我們去見莫希將軍。」

尼菲鎮定的態度令士兵顯得不知所措。他的同事擔心地望著帕尼泊把手上的大棍子玩過來、玩過去。要刺穿這個自稱首長的胸膛不是一件難事，但那個大塊頭必會把他們打得半死。

「我叫幾個人來……你們一定是嫌犯，我很肯定！」

「發生了什麼事，士兵？」尼菲用嚴肅的聲音問道。

「還裝蒜呢！」

「有人在水槽裡下了毒。」他的同事回道，尼菲的態度讓他覺得放心。「已經有兩個人死了，還有好幾個情況嚴重。總司令下令找出所有喝過水的人，並逮捕所有的可疑犯。」

「帶我們去見他，我有重要的消息要告訴他。」

士兵懾於首長的威嚴和平靜，最後接受了。

莫希偌大的辦公室擠滿了鬧哄哄的軍官和書記，有的在做報告，有的在等待指示。

帕尼泊用他的大棍子敲了敲地板。

所有的人全轉過頭來看這兩人。

「首長……您還安然無恙！」莫希高聲說道，「我正叫人帶封信到村子，想知道你們是否已經喝了含有毒藥的水。」

「幸好智女及早發現，所以我們大家都沒事。」

「太好了！我們這邊可慘了。」

「怎麼回事，總司令？」

「你們都出去，」莫希向軍官和書記下令道，「趕快讓大家恢復秩序。你們去通知所有的人危險已經解除，問題也已經找到了。」

一群人終於放心離去。莫希頹然在一張高背椅坐下來。

「兩位請坐。」

「我們站著就好，總司令。」

「這種報復太可怕了……如果不是一名軍醫發現得早，死亡人數至少會有十幾人。對不起，我的喉嚨很乾……要不要來一點棗子酒？」

「不了，謝謝。」

滿臉倦態的莫希，一口氣把酒乾了。

「這麼多事情接踵而來，我的腦子亂成一片……先是首府禁止在治喪期間吃魚，接著阿孟美斯又嚴厲主張減少你們村子的送水。」

「它有違對於真理村的特別法令。」首長提醒他。

「我知道，我知道……我當時馬上就向臨時主政者反應這個問題，也向阿孟美斯王子解釋法老……」

說，不管是配給或其他方面，只有法老才有權力下令。但阿孟美斯有時會自認為自己是國家未來的

「我直接了當告訴您，總司令，我們已經從屬於我們的魚塘裡直接取用了。」

「非常好，尼菲。你們只是代替那些受限於命令的漁夫來執行他們的工作罷了，沒有人，更不會是我，可以責怪你們。身為西岸總督的我，絕對全力支持你們。至於水的問題，我未能阻止今天這種減量情形的發生；而現在，要不，就是明天恢復正常供水，要不，就是我辭職。假使結果是後者，介於阿孟美斯和尊重瑪亞特精神者之間，勢必會引發一場衝突。」

莫希意圖向對方證明自己完全站在他們這一邊。而他能將天真的阿孟美斯玩弄於股掌之中，所以根本不會有被革職的危險。

「您清不清楚為何有人在水裡下毒？」尼菲問道。

「這是一個不可思議的報復行為……企圖潛入你們村子的那幾個利比亞人，其中一人有個兄弟在馬廄裡工作。當他得知這幾人被捕，而且判了重刑時，這個雜種偷了醫療所裡的藥物，並在保留給真理村和軍方的水袋內下了毒。幸好有一位醫官發現少了幾個小藥瓶，也立即通報了相關單位。可惜的是，已有兩個馬伕、一名哨兵和一位財務書記出現嘔吐的現象，還有好幾個步兵痛得死去活來，我們未能全部救活他們。」

「您如何得知這名兇手的身份？」帕尼泊問他。

「有一位軍官注意到他的舉止怪異，因此想到去搜索他的房間。結果發現了被偷的藥瓶。這個雜種還想逃跑，幾名弓箭手把他射殺了。我們從他同事的口中得知他是誰，又為什麼這樣做。我已經安排衛生單位的人每天檢查飲水和食物，讓這種悲劇永遠不會再發生。」

莫希當然漏掉了一些細節，例如賽克塔從醫療所偷了幾瓶藥水，然後嫁罪給那個利比亞人，

如此一來就不會偵查到達克泰的實驗室裡。

「我們相信您會嚴格把關，」首長說道，「不過我們自己還是會再檢查一遍。」

「多一層謹慎總是好。」

「如果明天的送水量沒有恢復正常，我擔心工匠們會有所反彈。」

莫希站了起來。

「我很明白情況的嚴重性，也會盡全力避免最壞的情形發生。」

8

根據村子裡的傳統，首長和陵寢書記的房子是村子裡最美的兩棟房子。和每個清晨一樣，尼菲和卡萊兒一早起床先沐浴淨身，然後才到廟裡祭祀法老的神光再生。

尼菲起床後，很喜歡點燃他自己做的那盞燈。它的上方是銅製的圓盆，裡面裝有蓖麻油或橄欖油；燈柱是用相思樹雕成紙莎草的形狀，底座則是半球形的石灰岩。每一回沒有烏煙的火苗在燈上跳躍，他總會想到在真理村內每天發生的奇蹟，他們在這裡努力與神力和諧一致，讓瑪亞特女神有一個化身之處。儘管他們有許多的缺點與不足，男男女女、大家都將生命奉獻於神聖的任務。

燈光照耀著屋子裡的家具，那是法老正式任命尼菲為首長時，工匠們送給尼菲的禮物：一張高背椅，椅子上的裝飾圖案有螺旋形、菱形、蓮花與石榴圍繞著太陽的圖形。與這張椅子不可分離的是一把折疊凳，凳腳的上端刻著鴨子的頭，鴨嘴含著椅面；上面還有象牙與烏木的鑲嵌細工。另一張椅子的圖案是一個葡萄藤架和一串串漂亮的葡萄。還有方形的矮桌子、單腳小圓桌、置物箱……無論是那一位王公貴族，都會因為成功而帶來的這一切感到稱心如意。

但這個房子位於一個與眾不同的村子裡，而尼菲身為行會的首長，沒有別的野心，只希望把自己在金坊所學到的一切，融入於神廟和陵墓的建築中。

尼菲凝視著他的妻子。她在絲綢般的皮膚上倒了一點香精油，這種用相思樹的花提煉而成的精油可以保護皮膚免於日曬的傷害；然後她從珠寶盒裡拿出一對雞血石耳環，上面鑲有三條金鍊子。她對著一面圓銅鏡將耳環戴好。

尼菲把手輕輕地擱在卡萊兒的肩膀上。

「妳真的是美得無法形容。」

小黑輕巧地撲在卡萊兒的胸前，溫柔地舔著她的臉頰；牠長長的尾巴熱情地左右搖動，讓主人知道牠喜歡她愛撫的程度和一頓大餐沒有兩樣。

等到小黑回到牠的蓆子上繼續睡覺後，卡萊兒打開一個圓形的籃子，從裡面拿出一條用花編成的項鍊，上下兩排是蓮花葉，中間一排有黃色的曼陀羅與紅色緞帶相間。

「為什麼要戴這條容易弄壞的花鍊？」

「這是要奉獻給沉默之神的。」

「妳要到西峰去看那條巨大的母眼鏡蛇，是嗎？」

「我們需要祂的幫助，尼菲；只有祂的神力才能讓我們迎接命運的挑戰，並改變命運。」

「每一次妳引牠出洞，總是冒著生命的危險。」

「為了村子所面臨的災難，我們難道不該冒所有的危險嗎？」

尼菲在妻子的脖子上吻了一下。

＊　　＊　　＊

第一道晨光是最美的景色。赭黃的沙漠與鮮綠的田原形成了強烈的對比；然而兩者之間只有互補，而沒有對立，沙漠的樸素使得摻有棕樹的田原顯得更熱情。

卡萊兒步伐穩定地攀向西峰。除了花鍊，她還準備了一束鮮花要祭獻給西峰；如此一來，她才可以讓聖山的怒火平息。前任的智女教導她，在面臨晦暗的未來時，她可到西峰來祭拜沉默之神，請祂引導前面的路。

西峰的高度有四百五十公尺，峰頂成金字塔形，其他的神廟在它的四周圍成一個扇形。它是「瑪亞特的神光之女」，而國王谷地的所有陵寢都在它的保護之下。

西峰山頂上的女神是新生與變化的主宰，祂正直地統治著所有的生命，對於尊敬祂的人，祂會幫助他；對於心中有祂的人，祂會保護他，然而這位神秘的主宰也能將祂的愛轉化成可怕的火焰。

只有智女能夠排除一切障礙，來到頂峰上的小廟，裡面住的聖蛇是西峰女神的化身；在許多皇室陵墓的牆上，常常可以看到這條代表女神的聖蛇，以達到太陽每日的復生。因此，祂是時間的征服者與再生的創造者。

卡萊兒到達峰頂後，將花束與項圈放在一張小祭壇上，同時口中哼著一首歌。這首意味著光之生的歌再度喚醒了所有形式的生命。

慢慢地，母蛇自洞穴中爬了出來，然後，牠以驚人的速度變成攻擊的姿勢。智女和牠一樣有節奏地左右擺動身體；她的眼神始終凝視著母蛇發出紅光的眼睛。母蛇眼中的攻擊性漸漸地減弱。

卡萊兒悠揚的聲音使得聖蛇平靜了下來，最後一動也不動，彷彿是一座花崗石像，然後靜靜聽著智女的訴說。

* * *

村民們因為憂心而睡得很少。他們所需的飲水會不會被送來？數量會不會足夠？儘管擔心，婦女們仍然如往常般做著哈托爾女祭司的工作，將祭品放在祖先的供桌上，他們現在比平常更需要祖先的保護。

「那些官員根本不把我們放在眼裡。」毛躁的卡洛說道。他是一名石匠，身材矮壯、雙臂短而有力、扁平的鼻子配上兩道濃眉。「不會再有人給我們送水、送麵包和送蔬菜了！」

「你太悲觀了，」雷努貝回嘴道。這個快樂的雕匠有個大大的肚子和頑皮的長相。「多虧帕尼泊，我們已經有新鮮的魚可吃了。」

「他只不過是瞎貓碰到死耗子，」奈克特說道。奈克特也是石匠，有運動員的身材，走起路來地面都會震動。「也沒有人拜託他這樣做，他只會給我們帶來麻煩。」

「你坐到這張凳子上，不要動。」雷努貝吩咐著奈克特。他同時也是大家的理髮師，除了理髮，還幫忙刮鬍子。

「我的頭髮又不會太長！」奈克特抗議道。

「今天是輪到你。不要帶頭做壞榜樣，否則事情就難搞了。」

奈克特望著他動作靈敏地在一塊火岩上磨刀子，於是不想再和他唱反調。雷努貝從不刮傷臉；而且刮完臉後抹上刮鬍水，皮膚就不會受到刺激。

畫匠卡烏是個大塊頭，肌肉有點鬆弛，過長的鼻子讓他的長相變得不是很好看。他走近這些右隊的同事。

「有消息嗎？」他用沙啞的聲音問道。

「沒有。」卡洛回答他，「歐塞哈特已經到村子大門口去看了。」

歐塞哈特是雕匠組長，胸膛寬闊得如一頭大雄獅。他正好回來，身旁跟著方臉小眼的石匠卡沙。

「連一頭驢都沒看見。」卡沙說道。

「你不就是一頭嗎？」雷努貝諷刺道。

「如果不是你手上有一把刮鬍刀，我絕對教你把這句話吞回肚子裡去！」

「好了，好了，」歐塞哈特說道，「我們之間不要再互相傷害了。」

畫匠帕伊睡眼惺忪地拖著步伐走出家門。

「我老婆叫我來拿廚房用水。」

「她慢慢等吧，其他人也都在等！」卡沙不高興的說道。

「該不會是那些驢隊沒有送水來吧……如果是這樣，我連家都不敢回了！」

「假使有必要，你可以來我家睡。」狄弟亞大方地說道。他是細木匠，身材很高，而動作很慢。

骨瘦如柴、弱不禁風的珠寶匠圖弟，自始至終不發一言，畫匠烏奈士也沉默不語，甚至比平常來得更封閉。

石匠費奈德和雕匠伊普伊兩人在一旁玩骰子，藉以忘卻這些煩人的事。費奈德自從離婚以後，身形消瘦了不少。伊普伊則是個瘦長而神經質的人。

「你們除了會抬槓，難道沒有別的事可做？」彩繪匠傑德對他們說。

傑德高挺的鼻子、薄薄的嘴唇、細心整理過的小鬍子，令人覺得他有種蔑視一切的感覺。

「你有什麼更好的主意？」卡洛反駁他。

「整理修護我們的工具、做外面的訂單，工作有的是……如果我們每一天不能在自己的技能上有所長進，就等於是虛度了一天。」

「但如果連起碼的生活條件都沒有保障的話，也不可能會有什麼技能！」帕伊說道。

「帕尼泊又到哪裡去了？」奈克特有點擔心的問道。

「說人人到！」卡沙說道。

帕尼泊朝他的夥伴跑來。

「驢子到了！」他宣佈著，「少說也有一百頭。」

左、右兩隊的工匠很快地聚集在一起，衝向北邊的大門，出了村子。

這些驢子背上駝著貨物，從來沒有顯得這麼可愛過！

卡洛立刻搶下一袋水。

「我渴死了。」他喊道。

首長拉住他的手腕，阻止他喝水。

「你忘了這水有可能被下了毒？」

9

「我們必須要等智女回來，讓她確定這些水沒問題。」首長決定道。

「她去哪裡了？」奈克特問道。

「她到西峰去了。」

「萬一她回不來了呢？」費奈德焦慮地問。

首長轉向遠方的聖山。

「今早的日光很清新；卡萊兒應該能自沉默中汲取我們所需的力量。」

驢子在原地吃著飼料，助理工則忙著把貨卸下，所有的水袋都被堆放在村子大門的旁邊。

大家開始了焦急的等待。有的人找一些小事情來做，有的人翹首望著智女歸來的路。

到了中午，無情的太陽曬得大家口乾舌燥，陵寢書記這才叫人優先分配一些水給婦孺，然後才輪到其他人。希望開始一點一滴減少，有些悲觀的人甚至認為他們不會再見到卡萊兒。也許她和前任的智女一樣，消失在西峰裡，被女神吸收去了。

「喝一點吧。」帕尼泊勸著首長。

「她會回來的。」尼菲輕聲說道。

帕尼泊瞧了瞧斜坡。

沒有人影。

「喝點水，然後去休息一下。」

「卡萊兒會回來的。」

帕尼泊用他絕佳的視力再度望過去，這回看到一個身影自石坡路慢慢走下來。

「你說的沒錯，尼菲……是她，的確是她！」

這個好消息一下子便傳了開來。好幾個孩子，包括帕尼泊的兒子，被允許前去迎接智女。

明亮照人的卡萊兒，受到大家的歡呼聲；她的出現證明了西峰女神已經回答了行會之母的請求，所以女神會繼續保護真理村。

「水送來了嗎？」卡萊兒問道。

「送來了，」尼菲回答她，「但還沒有人喝過。」

智女打開一個水袋，尼菲還來不及阻止，她已經喝了一口。

「卡萊兒，妳不應該……」

「我們什麼都不用怕。」

智女用手摸過每個水袋。

「這些水可以分配給大家了。」

短短的幾分鐘內，整個村子又活了起來。它的居民可以再度喝水、洗澡和……下廚。

「莫希做得好，」陵寢書記稱讚道，「他讓這個重要的民生問題獲得解決，等於是幫了我們一個大忙。只要他繼續支持我們，我們就能活下去。」

* * *

阿孟美斯王子變了很多。他天生是個騎馬好手，喜歡在沙漠中無止盡的奔馳，而在底比斯過慣了夜夜笙歌的生活，漸漸變得墮落。豪華宴會、美酒佳餚、尼羅河畔醉人的漫步、莫希在豪華別墅裡隨時為他準備的清涼水池、與年輕貌美的女人廝混，再加上無數的美容師、指甲師、按摩師……人生夫復何求？

莫希向阿孟美斯鞠躬致敬。

「您希望見我，王子？」

「我頓時清醒了，總司令！自從來到這裡，我不斷地發胖，精神不濟……這種醉生夢死的日子，再也不能繼續下去了！我決定要回比拉美西斯。」

「現在沒有進一步的消息，您這樣做很危險。」

「再怎麼說，塞特畜總是我的父親啊！」

「王子，我希望我是錯的，但我擔心權力之爭往往六親不認。如果您要在這個混亂的時期回到首府，您會面臨什麼樣的命運？您留在這裡，至少很安全。」

「這種安全令我感到窒息！難不成我注定要一輩子當底比斯的達官貴人，胖死在某個妓女的懷裡？」

「在我看來，您的前途一片光明，」莫希微笑著說道，「不過您得有耐心。」

「耐心！打從何時開始，我就已經被這個城市完全迷惑了？當我正在享受它的一切時，我父親也正在準備當上法老！」

「是有可能，但塞特畜很清楚他不能沒有底比斯。他也知道您在這個阿蒙神城已有相當的名氣，而且您也擁有底比斯著名的軍事力量。」

阿孟美斯的好奇心被引起。

「您的結論是什麼？總司令。」

「結論是令尊也許會嘗試與您協議分權；他最希望的，不就是避免內戰的發生嗎？」

莫希的說辭動搖了王子的決定，但仍然不是很令人信服。

「我父親的個性不會與人妥協……他會逼我服從他！」

「那麼，最後的決定權在您。」

* * *

黃昏時刻，費奈德手持一根長長的多節棍，帶領右隊的工匠來到行會所在地，緊臨著墓園、位於北邊的山腳下。

卡烏令每名工匠先報出自己的身份，然後進入一個露天的小中庭。中庭裡有一個淨身用的方形水池。帕伊用一個碗將水舀出來，倒在同事的手上。接著他們魚貫地進入有兩根立柱的議事堂。

首長首先在東邊的位子上坐下來，其他人才坐到四周靠牆的長條石板椅上。首長的背後，有幾面矮牆將議事堂與祭殿隔開，祭殿的正中央有一座神龕，裡面有瑪亞特女神的雕像。神龕的兩旁各有一個小房間，裡面放置一些祭祀用的物品。

這個神聖的地方只有首長一人可以進入。帕尼泊還記得自己曾經看見一道光芒自神龕內散發出來，光線強得甚至穿透了神龕的木門。

但這一晚，只有幾盞燈照亮著議事堂。

另一名工匠因為不見「光之石」而感到很失望，他就是那名背叛同事的工匠。他不斷地尋找這塊石頭，以換取在村外等著他享受的一筆財產。平日沒有聚會的時候，行會的大門是鎖上的，但尼菲還是很小心，他並未將「光之石」留在裡面。

「讓我們大家一起向祖先禱告，」他說道，「願祖先繼續照亮我們的路途，帶領我們走向正直之路，願我身旁的座位永存前任首長的創造力量，與我們長在。」

這個前任首長的位子永遠是空的，因為真理村首長的地位無可取代。

「我們始終不知道，未來統治上下埃及的人是塞特裔，或是其子阿孟美斯，」尼菲說道，「也不知道新法老對我們行會的未來做何種決定。因此，在沒有答案之前，我希望能徵詢各位的意見，以便做一些決定。」

「依我看，」雷努貝說道，「有些人是杞人憂天；若沒有真理村，一位法老根本不知道如何準備他的陵寢。等到新法老一即位，他馬上就會要我們開始工作。」

「一個人的想法不是一朝一夕能夠改變的，」卡烏反駁道，「如果這個新法老對我們存有敵意，後果會很難想像。」

「這是一定的！」奈克特加了一句，「而且我相信鐵匠不是為了打發時間才製造武器。我絕對誓死捍衛我們的自由到底！」

「我們是工匠，不是士兵，」伊普伊提醒他；「假使軍隊決定要解散村子，抵抗是沒有意義的。」

「不去抵抗才是一個不可原諒的懦夫！」帕尼泊生氣地說道，「如果我們放棄一切我們珍惜的事物，如果我們只會像個聽話的小綿羊，那活著還有什麼意義？」

「你自己才是小綿羊！」卡沙回嘴道。

「夠了，」首長打斷他們；「你們難道忘了說話比任何工作都來得困難，而且只有在能夠提出解決方案時才可以說話？。」

帕尼泊實在無法忍住積壓在心裡已久的問題。

「『光之石』是不是該藏在村外，以免落入可能的侵犯者手裡？」

「你擔心很快就會有外力入侵嗎？」狄弟亞憂心的問他。

「奪權之爭將會很殘酷……我們很有可能成為第一批受害者。」圖弟也加了一句。

「我們要採取所有必要的措施，來保衛我們最珍貴的財產。」帕伊這麼認為。

「除了村子裡，還有什麼地方比這裡更安全？」傑德反問道。「如果有人看見我們帶著這個珍貴的東西走出村子，難道不會被人窺探，甚至跟蹤?所以，我們應該是在這裡，而不是在別的地方，把『光之石』用一種方法藏好，讓小偷也無法找到。」

大家平靜地討論著，最後是傑德的主張受到大家一致的贊成。

「金玉良言更勝於珍石瑰寶，」首長以卜塔霍特普的一句格言作結論：「而珍石瑰寶有時在女僕工作的石磨裡都可以找到。各位不要忘了我們的日常工作，也要嚴守我們的生活紀律，並保衛我們的珍藏。」

10

肯伊正在做一個很美的夢：沙漠消失了，取而代之的是青翠的樹木，村子裡潔白的房子在溫柔的陽光下閃閃發亮，而且老書記也沒有什麼特別的事情要寫在陵寢日誌上。

「您醒醒吧，有人找您！」

這種命令而微帶尖酸的口氣……除了他的女僕牛妞，還會是誰？夢醒了，他的眼睛也睜開了。

「又是妳……現在是什麼時候了？」

「是您該起床到村子大門口的時候了，人家請您到那裡去。」

「我已經到了這把年紀，凡事應該慢慢來。」

「我只是把人家叫我告訴您的話告訴您；現在，我有家事要做。」

肯伊一想到她又要拿著掃把到處轉，他寧可現在起來。突然，他意識到一件事：如果有人要他到村子的大門口，表示一定發生了很糟糕的事情！

陵寢書記拖著痠痛的腰、僵直的腿，一拐一拐地走在村子的大街上。他一走出村子，迎面就撞上助理工隊長貝肯。

平日以狡猾出名的大鬍子貝肯，這下子也嚇得魂不附體。

「水又沒有送來嗎？」肯伊問他。

「不，不是……我們一直在等著蔬菜送來，結果一棵都沒有！聽驢伕說，軍方強徵西岸的所有園丁，包括那些為真理村工作的菜農。大家都在竊竊私語，說阿孟美斯王子已經決定要與他父親對抗。」

肯伊來到第五堡壘，索貝克正在對十幾名警衛下達命令。他的語氣剛硬，而且有點煩躁。

「全部到你們的崗位，馬上去！」索貝克命令道。

「內戰的謠言已經確實了嗎？」肯伊問他。

「我一無所知，但你們的菜農全被強徵去當兵，不是個好兆頭。這有點像是總動員。」

「你和你的部下或許不久後也會被……」

「我只聽陵寢書記和真理村首長的命令。」

「你這種舉動可能會給你帶來很大的麻煩。」

「無論發生什麼事，我都要完成我的任務。」

「假使阿孟美斯自封為法老，而且決定要占有村子，你是不是得繳械？」

「這個問題我已經想了很久，」索貝克承認道，「我做了一個決定：忠於我的諾言。他們給我薪餉是為了保護真理村不受敵人的侵犯，不管他們是誰，我會遵守我的合約。因此我可以向您保證，所有的部下都會聽我的。」

＊　＊　＊

為了符合西峰女神的意願，所有的居民都停止一天的日常工作，以便將自己完全投入神聖的祭典。他們不需要外界的幫助來進行儀典，因為就行會的地位而言，工匠也是祭司，由首長領導，村裡的婦女也是哈托爾的女祭司，智女是祭司總長。

＊　＊　＊

他們首先淨身、擦上沒藥、穿上最好的亞麻袍和白色涼鞋。男女祭司排成一列隊伍，手上捧著祭品，走向瑪亞特與哈托爾神廟。祭品有各種形狀的麵包、牛奶、啤酒和葡萄酒甕、銅鏡、香膏瓶，以及木雕的野牛腿、羚羊和鴛鴦。這些是世上最美的創造物和給予能源的食物，將要奉獻給上帝。而上帝是自生的，能夠以千萬種面貌出現而不失其本質，是祂每一刻在創造天上、人間、山河，並賦予人類生命。

供品放到祭壇上後，智女和首長以歷代統治埃及的法老之名，將瑪亞特的小神像高舉向天上的瑪亞特，代表祂的完整性，因為瑪亞特象徵萬物的始源，一切來自於祂，也歸向於祂。

尼菲開始頌禱：「只要四柱擎天，只要大地平穩，只要太陽日照，只要月亮夜明，只要獵戶星代表奧塞利斯，而天狼星象徵星星女神，只要尼羅河定時氾濫，只要大地讓植物生長，只要北風適時吹起，只要火焰淨化該淨化之物，只要十二宮完成其任務，而星星位於其位，這座神廟將永遠與天空一般穩定。」

「願這座象徵天庭的神廟迎接是金、是銀、是珍石的瑪亞特女神，讓祂保有我們的愛，讓我們面臨困難時團結在一起。」智女吟頌道。

* * *

在儀典的過程中，叛徒一心只想到「光之石」，而且重新假設首長可能存放的地方。尼菲要不是把它藏在村子的主神廟內，就是在行會的所在地。他計劃了很久，準備潛入這兩處，然而卻因那幾名敘利亞共犯，最後招致失敗。

可是他會不會弄錯了地方？尼菲和智女很清楚行會裡有人背叛了大家，而且在尋找「光之石」，所以一定會作誘餌。他們會不會故意讓叛徒以為「光之石」只有在這兩處聖地才會安全？

最聰明的做法無非是選擇一處最明顯的地方，明顯到根本沒有人會去注意。尼菲自己在引用格言時，是否不小心說溜了嘴，已說出了它的藏身之處：「珍石瑰寶有時在女僕工作的石磨裡都可以找到」？

石磨的滾輪是磨穀類時不可或缺的一樣工具。它不是普通的石頭，而是一種粗粒玄武岩，呈墨綠色，質地非常的堅硬。這種石頭也是取代木乃伊心臟的石頭，因為往生的人若帶著這塊無法摧毀的石心，便不用害怕冥間的法庭和所有的危險。

助理區有一台石磨，村子裡則有好幾台……會不會其中一台的滾輪就是「光之石」？這個玄武岩滾輪經過了儀式的作法之後，就含有特殊的神奇力量？

走了這麼多冤枉路，叛徒終於找對了方向。

* * *

「你們拿誰開玩笑？」娃貝特生氣地問道，「你們難道認為我們能接受這樣洗不乾淨、殘留斑點的衣服嗎？」

洗衣工低下了頭。其中一個試圖反抗氣憤的娃貝特。

「我們已盡了力……這種工作又累又難，而且待遇又這麼少！」

洗衣工都是男人來做的工作，由娃貝特負責檢查。她一向認為衛生是健康的基本條件，因此一點馬虎都無法容忍。

「您沒有權力這樣對待我們……大不了辭職不幹！」

「如果你們有意辭職，不要猶豫：你們馬上被炒魷魚，明天就會有人取代這個工作。我要找到好的洗衣工絕不是一件難事。」

娃貝特一轉身、故意裝作要回村子。

「請等一下，我們同意改進！」

「今天不給你們薪餉。而且不要再有下一次，否則我就不客氣了。」

兩名洗衣工的頭垂得更低了。他們走回農田的水渠邊，準備再洗一遍，因為娃貝特不是在開玩笑。這份工作雖然辛苦，但薪水讓很多人羨慕，為了保住飯碗，最好能夠討好她。

不管外面的謠傳如何，真理村仍繼續存在著，而且它的要求還是一樣高。

＊　＊　＊

「這個儀典讓我有很深刻的感受。」帕尼泊對首長坦白道，「我過去一直不知道祭祀的意義。突然間，它讓我覺得神廟充滿了生命，牆上的文字鮮活了起來，石塊也抹上了一層金色。」

「你生性聰明，早該發現的。」

「我並非一個人在場……當時大家聚集在一起，有共同的理念，不去想自己，而是去想我們身為使徒的神聖。」

尼菲不想澆他冷水，提醒他當時也有一名叛徒在場。他有更好的事情要告訴他。

「你工作得很辛勤，也學到了許多專業的祕密，同時也已經在皇室的陵寢內作畫……現在是你實現代表作的時候了，如果你想的話。」

帕尼泊興奮到了極點。

「我怎麼可能不想？快告訴我該怎麼做！」

「事情不是這麼簡單……首先你要花時間去思考，然後選擇你作品的主題，一旦開始進行，就不能有錯。」

「我已經有一百個主意了！」

「有九十九個是多餘的。保留最重要的一個就好。」

「你不要再對我賣關子了！」

「最重要的，就是它的材料。只要你還不知道用什麼材料，你的代表作就會離你的身心而去。」

「我該不該離開村子去尋找材料？」
「隨便你，帕尼泊。」
「你一點指示都不給我嗎？」
「這個考驗對我是很久以前的事了……我的記性不太好。」
如果尼菲不是首長的話，帕尼泊準會大力地把他的話搖出來。

＊　＊　＊

「那些洗衣工企圖混水摸魚。」娃貝特對剛上床的帕尼泊說道，「不過我已經解決了。」
帕尼泊沉默不語。
「你不舒服嗎？」
「妳有沒有聽說過原料這件事，娃貝特？」
她露出微笑。
「哇……首長要你準備你的代表作了。」
帕尼泊一把抓住她的肩膀。
「這麼說，妳是知道的！」
「我只不過是哈托爾的女祭司而已，不過，我希望你會成功。」

11

智女檢查了水質，費奈德正在檢查魚，而肯伊發現不但蔬菜沒有來，助理工的隊長也不見了。

「貝肯哪裡去了？」他問鐵匠。

「今早還沒看見他人……可能還在睡大頭覺。」

「這個傢伙，我會要他好看！總不能由我來代替他的工作吧。伊姆尼！」

小書記跑了過來。

「你給我準備一塊新的木板，我唸你寫，把貝肯的工作態度和我開除他的報告寫下來。」

伊姆尼正要動手寫，鐵匠這時看到前面的路上揚起了一陣風沙。

「有人帶著驢子往這兒來了。既然索貝克讓他們通過，表示沒有危險。」

陵寢書記和助理工馬上認出來者是陶匠貝肯，後面跟著一隊驢子，背上載滿了沉甸甸的籃子。

「你從哪裡來的？」肯伊驚訝地問貝肯。

「真理村一直待我不薄，而我也不想換工作。所以我就去跟那些小菜園的地主打商量，讓你們到情勢恢復正常之前都不會缺貨。」

籃子裡裝滿了沙拉葉、洋蔥、蒜苗、扁豆、茴香、大蒜、白菜、香芹和枯茗。

「嚴格說起來，你是助理工隊長，你只不過是做你的工作而已。」陵寢書記嘮叨著，「此外，你的運氣很好：我願意把你不服從紀律一事忘掉，所以我把開除你的報告作廢了。」

＊　＊　＊

碧玉是全村最性感的女人，然而她卻發誓一輩子不結婚，就連她的熱火情人帕尼泊，也未能說服她嫁給他。她是哈托爾女祭司，也是自由的女人，因此選擇了自己的生活方式，並由自己來決定她的命運。

與帕尼泊做愛至今仍是一件美妙無比的事，但他只回家與老婆娃貝特過夜，而娃貝特也成了碧玉的朋友。碧玉和帕尼泊之間只有熱情，沒有日常生活的瑣碎事情。每當他一進入她家裡，她總會感覺到全身的皮膚熱了起來。

「我給妳帶來了一個禮物。」

帕尼泊拿出一條用貝殼串成的腰帶，據說它們能激起情慾。

碧玉笑了起來。

「你認為我們還需要這個嗎？」

「我很想看妳戴這條腰帶……其他什麼都不穿。」

三十五歲的碧玉身材曼妙，她知道有許多人的眼光常常停留在她身上，但誰敢與帕尼泊競爭？

她一邊凝望著情人，一邊慢慢地、優雅地把身上的衣衫褪下，然後將貝殼腰帶圍在腰上。

她全裸地緩緩轉了一圈。

「我曾告訴過妳，歲月不會減少妳的美麗，反而讓妳的魔力更令人迷惑……我說的沒有錯。」

碧玉右手撐在七弦琴上，然後抬起左腿優雅地將腳尖放在帕尼泊的肩上。

「你打算繼續說下去嗎？」

＊　＊　＊

兩人心滿意足、併肩躺在床上休息。

「吃晚飯的時間到了……你的妻小在等你呢！」

「我想留下來。」

「這是不可能的事。如果你不盡到做一個丈夫和父親的角色，我就拒你於門外。」

帕尼泊不敢小看她的警告。

「妳在哈托爾女祭司的階級中，地位比娃貝特來得高。」

「關你什麼事？」

「她說她不知道什麼是原料。」

「這麼說，有人要你去完成你的代表作了……」

帕尼泊撐起一隻手臂，審視著他的情婦。

「妳也是，妳一定知道！」

「這是一個很艱難的考驗，很少有工匠能夠克服它的困難。你是否乾脆現在就放棄，而不用嚐到失敗的痛苦？」

帕尼泊將碧玉攬在懷裡。

「快告訴我有關原料的性質。」

「哈托爾女祭司的路與工匠的路是截然不同的。」

「妳拒絕回答我！」

「我怎麼去教你我不懂的事？」

＊　＊　＊

行會的議事堂內氣氛很凝重。首長向祖先祝禱後，把目前的情形做了一個說明。

「我們在未來的這幾天裡，應該不會缺乏一些基本的食物，也希望能撐到新法老即位。到時不管是那一位成為法老，他將是行會的最高主人，將會決定我們的未來。」

「假使這位法老可能對我們不利，我們是否仍該接受他？」卡洛反問道。

「你很清楚答案是接受！」卡沙冷冷地回他一句。

「萬一有兩位法老呢？」圖弟問道，「我們該服從哪一位？」

「我們是同一條船上的成員，船舵是瑪亞特女神，」卡烏提醒道，「如果外界亂成一團，那麼首長的角色就是維持真理村的和諧。」

「搞不好還來不及反應，村子就垮了。」烏奈士加了一句。

「我們先顧及眼前的問題。」尼菲要求道，「如果我們一直處於長久不確定的狀態，將會缺乏一些日用品。最好的做法是自己來製造，以便我們在必要的時候能獨立自主地生活下去。」

「我們可利用檉柳來製造日用品，」狄弟亞提議道，「這種樹木最理想了，再說，它以避邪聞名，何露斯神就是用檉柳棍將敵人打敗的。」

「我需要幾個人自願去砍樹，並帶回足夠的數量。」

「為什麼不把這苦差事交給助理工去做？」歐塞哈特訝異地問道。

「因為有些助理工和菜農一樣，被強徵去當兵了；為村子工作的樵夫大概不久也會被調去；況且，他們的動作也太慢了。」

「我去。」帕尼泊自告奮勇。

「我既然是個細木匠，也該前去。」狄弟亞附和道。

「兩個不嫌少，三個不嫌多。」雷努貝也自告奮勇。

「我很坦白告訴您，」索貝克對首長說道，三名自願者也陪同前來，「我一點也不贊成這種作法。我再次強調，在新命令未到前，任何一名工匠都不該離開村子，因為這是有關你們的安全問題。」

「我能理解你的看法。」尼菲說道，「但我認為有必要去進行這個工作。」

「這麼做可能招來危險。」

「你可以給我們武器。」帕尼泊建議道。

「那會更危險。」索貝克強調。

「我覺得你似乎不信任我們。」

「如果你們身上帶了武器，又剛好碰見不友善的巡邏士兵，情況會演變成什麼樣？」

「你乾脆派幾名部下護送我們！」雷努貝提議道。

「這樣做，無異是讓目標更明顯，」索貝克反對道，「假使你們堅持要去，最好是扮作一般的鄉下人。」

「我們走吧，」帕尼泊不耐煩地大聲說道，「我們已經浪費夠多的時間了，如果真的需要自衛，有我們的斧頭就夠了。」

「各位一定要非常小心。」索貝克交代他們。

* * *

狄弟亞知道離村子不遠的地方有一個檉柳林，腳程快的話，三刻鐘就能到。檉柳的樹皮為紅棕色，它的根可向下延伸五十公分，以尋找水源；在這種樹下乘涼是一件很愉快的事，而且可用它來當作防風林，檉柳因為生長得快，所以樹與樹之間密密地交錯在一起。

帕尼泊選了第一棵檉柳。

「眼光很好，」狄弟亞讚美道，「這一棵已經開始阻礙了別棵的生長。」

帕尼泊立刻展開了工作，兩個同伴完全跟不上他的速度。很快地，雷努貝把帶來的水拿出來喝，並要求休息一會兒，可是帕尼泊拒絕了。

「我們不要在這裡拖太久，雷努貝；趕快把需要的數量砍完，然後就回家。」

第二棵就比較難選了。然而狄弟亞卻很驚訝帕尼泊居然沒有選錯。雷努貝這時也加把勁工作，籃子很快就裝滿了。

「這些拿來做家用碗瓢已經夠了，」狄弟亞研判道，「不管要完成的工作是什麼，原料不才是最重要的嗎？」

帕尼泊一聽，便試著用另一種眼光去看這些木塊。

首長派他們到外面來，難不成是要他去發現這種平凡無奇的材料，事實上有無法估計的價值？

多問狄弟亞也沒有用，因為他已經指引了一條路；但身為一名彩繪匠，要如何去運用這塊原料？

「有人來了。」雷努貝警告大家。

進入檉柳林的那條小徑上，有十幾名士兵正往他們這兒走來，帶頭的軍官顯然不懷好意。

12

「你們在這裡幹什麼？」軍官問道。

雷努貝咧出一個大大的笑容。

「我們在砍樹……而且只砍那些防礙幼樹生長的老樹。」

「你們有繳稅嗎？」

「我們不知道有稅要繳……這樹林不是屬於大家的嗎？」

「你錯了，鄉巴佬。我自己規定了一條稅。現在時機這麼亂，我們一定得巡邏，但可不是免費的。」

帕尼泊推開雷努貝。

「西岸總督是否知道這件事？」

軍官臉色變得很難看。

「你想讓我以為你認識他？他才不會見你這種可憐蟲！」

「你最好還是小心一點……既然我有幸認識他，我大可以將軍官勒索老百姓這件事告訴他。」

軍官拔出了刀子。

「我們大家火氣不要這麼大！」雷努貝勸道，「不需要為了幾塊木頭動刀子！這個稅是多少？」

「多到你付不出來，鄉巴佬！所以你們要為我做一天的勞役來抵。」

「我警告你們，」帕尼泊用幾乎是嚴厲的口氣說道，「你們人既不夠多、勇氣也不夠大。如果我是你們，我會趕快走人。」

軍官冷笑著。

「一個人最好要有自知之明，沒有帶武器，說話就不要那麼大聲！」

「你們最好還是聽我朋友的話，」狄弟亞好意勸道，「他要是發起脾氣來，你們絕對無法全身而退。」

帕尼泊的個頭的確教人有些害怕，但他不相信他有辦法擺平所有的士兵。

「難不成有神在保護他？」

一隻龐然大花貓跳到帕尼泊和軍官兩人中間的一根樹枝上。牠背上的毛豎起、尖銳的牙齒發出嘶嘶聲、兇猛的眼神不斷地盯著軍官。

「你這個畜牲，看我不割斷你的喉嚨才怪！」

一名士兵這時插了一句話。

「千萬不可，隊長！這不是一隻普通的貓……可能是傳說中帶有短刀、將邪惡的蛇頭砍斷的那隻貓靈。」

「沒錯，是牠，」另一名士兵附和著，「這一定是太陽附身在牠體內的那隻貓靈！而且牠會保護這個小子……我們走吧，隊長，否則會有惡運纏身！」

士兵們不等命令，便擅自離開了。

* * *

阿孟美斯王子想到要宣佈總動員，不久後取消了念頭，接著又再度考慮總動員。

他的猶豫不決令莫希很憤怒，但莫希並未表現出來，反而鼓勵王子要三思而後行，畢竟它攸關著國家的前途。

就在阿孟美斯拿捏不定的同時，莫希寫了一封信給塞特裔，告訴塞特裔自己正全力勸阻一心戀戰的王子，並且希望能夠維持國家的安定。

一名秘書把底比斯城的農業生產報告帶來給莫希。

「一切都非常良好。」秘書說道，「不過我有一個壞消息要告訴您：底比斯市長過世了。」

「真令人遺憾。」莫希惋惜道，而內心卻高興不已。這個老賊知道太多他的事，不過他還算有自知之明，不敢擋住他的仕途。

「這個人已不需要我親愛的老婆動手了，」莫希心想。他馬上拿出一份官員名單，從中挑出一位最蠢也最聽話的人取代這個職位。新市長對於行政管理根本一竅不通，因此一切都靠莫希。莫希就這樣在暗處統治著底比斯市。

賽克塔這時扭著腰來到丈夫的辦公室，她走過之處，留下了濃郁的百合花香水味。

「我這件綠色的新裙子，配上它的流蘇，你覺得怎麼樣？」

「非常好看。」

「你不在身邊，我好無聊……」

她撒嬌地坐到他的大腿上。

「那個小王子決定與他父親對決了沒？」

「沒有。而且我收到的指示都是一些例行公事，就好像首府裡沒有人真正掌有權力。也許塞特裔不敢輕易拿下大權！」

「明天治喪期就結束了……新法老一定得出籠，我知道你已經準備好應付各種情況。」

* * *

「這是什麼東西？」索貝克看見一隻大貓伏在帕尼泊肩上，驚訝地問道。另外兩個同伴和帕尼泊一樣扛著沉重的籃子回到村子裡。

「聽人家說，這是一隻太陽貓。」

「牠，是一隻貓？我還以為是一隻猞猁呢！」

「因為牠保護我，所以我收養了牠。」

由於索貝克過於靠近帕尼泊，大貓嘶吼了一聲，並伸出兇猛的爪子。

「牠的個性還真迷人呢！你打算給牠取什麼名字？」

「何不乾脆叫牠『迷人』？」

索貝克聳聳肩，不置可否。

「一路上沒問題吧？」

「幸虧有迷人，所以沒有什麼問題。」

帕尼泊、狄弟亞和雷努貝來到陵寢書記面前，讓肯伊把木頭親自秤過重量後登記下來。之後肯伊將木頭交給狄弟亞，要他仔細完成工作，並指定兩名右隊的工匠幫助他。

「我要帕尼泊和雷努貝繼續幫我，」他決定道，「我們這就到工作室馬上開始。這個小差事可以讓我們活動一下筋骨。」

一出了肯伊的辦公室，帕尼泊立刻碰到一個障礙而停下了腳步。

小黑的尾巴豎得直直的，四隻腿準備隨時一躍而上，牠眼露兇光、呲牙裂嘴地望著大貓，以防牠可能進入村子。小黑是隻公狗，管村子裡所有的家畜，而且不會隨便親近其他人。

帕尼泊和小黑是好朋友，所以小黑沒有立刻撲向闖入者，但這個問題必須馬上解決。

「小黑，你聽著，這隻貓曾經保護我對付那些大壞蛋。牠算是救了他們一命，也為我們省掉了很大的麻煩。好嘛，我知道牠是一隻貓，牠會照料自己的，而且我保證不讓牠進入你的地盤，也不會挑戰你的權力。」

小黑豎起耳朵聽著，由牠發亮的眼神看來，證明牠已經了解了這番話。

「至於你，迷人，不要太驕傲，要試著讓自己被接受。在這個村子裡，大家都彼此尊重，也會察言觀色；在你的圈子裡，老闆是小黑。」

帕尼泊把貓放到地上，牠少說也有十二公斤重。

小黑發出低沉的吼聲，迷人的爪子則全露在外面。小黑身體弓得像一隻箭豬，雖然不習慣這種大怪物，但也沒有退步。

「不准打架！」帕尼泊命令道，「新來者要入境隨俗。」

帕尼泊兩眼盯著大貓，牠彷彿收到帕尼泊傳達的訊息，於是決定和平共處。

因此，迷人採取人面獅身像的姿勢，並收起了爪子。小黑保持距離，在牠四周繞了一圈，不斷地嗅著牠的味道，最後也接納了對方。

當迷人站起身、在帕尼泊的大腿上來回摩擦時，小黑有點疑心地跟著牠，但不再有敵意。

村子裡又多了一個居民。

* * *

終於有一個平靜的早晨……肯伊好不容易能有一次好好地作完他的夢，而不被女僕打擾。他慢吞吞的起床、梳洗，然後邊用早餐邊讀古詩。

突然，這個過於平靜的早晨失去了它的平靜。

「您的辦公室需要徹底地打掃一番，」牛妞宣佈道，並打算把陵寢書記趕出門外。

「不行。」他吼道。

「我有我的時間安排，」牛妞反駁道，「而且我不能接受屋子裡有任何一個角落沾了灰塵。」

「誰是這裡的主人？」

「真理才是這裡的主人！」牛妞回嘴道，「而真理就是保持屋子的整潔。」

肯伊被她的理論打敗了，只好匆匆收拾幾卷紙莎草紙和正在寫的陵寢日誌，以免被暴風掃到。

接著他就看見牛妞帶著各式各樣的掃把、刷子、抹布，進入了他的世界。

「您快來，」歐塞哈特急切的叫道，「郵差烏普弟要求見您！」

肯伊趕忙跑出家門，前往村子的大門，後面跟著許多工匠。

「你通知首長了沒有？」他對歐塞哈特問道。

「他在我們前面。」

郵差烏普弟當著尼菲的面，將一份首府來的王室詔書交給陵寢書記。他兩手發抖的遞給肯伊，並說道：「我希望它的內容不會造成你們的傷害。」

「大家到瑪亞特與哈托爾神廟前集合。」首長決定道。

當所有人都安靜下來時，尼菲請陵寢書記將詔書內容唸出來。

他宣讀塞特裔已經登基，成了上下埃及的國王，同時也是真理村至高無上的新主人。

13

五十五歲的塞特裔二世強壯且威嚴，他的強勢令軍隊與高官都服從他。塞特裔這個名字令人不禁聯想到猛烈而可怕的塞特神，從古至今，只有拉美西斯大帝的父親敢取名為塞特裔。他希望以塞特神之名，能像拉美西斯大帝一樣成功地統治國家。

塞特裔一世有個傑出的兒子拉美西斯，然而塞特裔二世的兒子阿孟美斯卻無法與之相提並論。阿孟美斯甚至不在他的身邊為他的加冕祝賀，並承認他是合法的法老。

生性奉承的百依是塞特裔二世的親信大臣，父親是敘利亞人，母親是埃及人。他來到法老面前行一鞠躬。

「你是否終於為朕帶來阿孟美斯的信了？」

「不是的，陛下，臣很遺憾，不過臣所收集到的情報倒是不錯。就臣所知，一些可靠的傳言說底比斯真正的強人是莫希將軍，而他的軍隊對他也很忠貞。」

百依又瘦又小，相當神經質，只見黑眼珠骨碌碌地打轉著，尖尖的下巴有一小撮山羊鬍。他成功地排除了其他大臣，成為新法老的親信大臣，而法老也很感謝他為自己排除異議份子、破解陰謀，進而消滅了那些危險派。

百依唯一的對手是美麗、棕髮、三十幾歲的第二任皇后桃賽特，她強烈的個性不下於她的丈夫，只要哪位大臣令她不高興，立刻就會被打入冷宮。因此百依從來不和她唱反調。

桃賽特皇后走進法老的辦公廳。

「朕知道莫希將軍竭力避免內戰的發生，」國王說道，「但阿孟美斯有可能會擺脫他，自己領導底比斯軍隊。」

「如果是這樣，」皇后說道，「他就等於是造反，並且該被剷除，容情不得。」

「阿孟美斯是我的兒子，不是妳的。」

「這不重要，塞特裔，沒有人能違抗國家的最高權力而不被懲罰，否則會天下大亂。」

「皇后的話怎能不令人同意呢？」百依巴結地說道，「陛下是埃及的一國之主，無論是上埃及或下埃及，而且陛下應該維持國家的統一。」

「如果底比斯自行分裂，」桃賽特接著說道，「就必須立刻嚴格地採取行動，法老需要有阿蒙神的保護，而且你要在國王谷地建造你的陵寢，在底比斯西岸建造你的百萬年神廟，當然還要將卡納克城修築得更漂亮。」

「你有沒有把關於真理村的報告做出來？」塞特裔向百依問道。

「當然做好了，陛下。真理村的首長尼菲寡言有很高的名望，他所完成的工程毫無缺失。沒有一名工匠抱怨過他，因此，臣想沒有理由換掉他。聽說這個行會有自己的一套規則，最好不要過於干涉。」

「法老難道不是它至高無上的主人嗎？」皇后不解地問道。

「當然是，當然是，不過有人也說這些工匠擁有很多的重要祕密，譬如說煉金術，因此身為國王，必須要贏得他們的信任，才會對自己有利。」

「他們之中沒有任何一位政府的代表在嗎？」

「有的，是陵寢書記。他叫肯伊，已經七十二歲了，聽說他的脾氣很壞。不過他在村子與工匠方面的管理確實沒有話說。」

「七十二歲……實在是太老了！這個老書記早就該退休了。你立刻去擬一份退休令。」

「陛下希望由誰取代？」

「何不由你取代，百依？」

百依霎時臉色發白。

「臣任憑陛下吩咐，但臣既不了解底比斯、也不清楚這個特殊的職位，再說……」

「我們需要有一位親信的大臣，」塞特裔反對道，「當時若沒有他，我也無法排除異己。」

「好吧，」桃賽特讓步了，「但叫他擬這封詔書，並提名一位忠心而且聽話的書記來管理真理村。接著要新書記準備在底比斯迎接我們的到來。啊，還有……千萬不要讓首長因為這個決定而感到憤怒，以致不讓他離開。照我的方法去做……」

* * *

阿孟美斯王子幾乎要崩潰了。

「這麼說，他居然敢……」

「我不想對您無禮，」莫希說道，「令尊的決定是預料中的事。」

「他敢不經過我的意見、不召我回比拉美西斯參與政權，而自封為法老，他敢排斥我、把我當作一個不重要的對手！我恨他……你聽到了嗎，莫希，我恨他！」

「我很了解您的失望，王子，但最好的方法不就是立刻有所反應嗎？」

「與法老對立，就等於是造反、喪失了個人的生命與靈魂……」

「您說得對。」

「那麼，我還有什麼未來？我父親永遠不會選擇我當繼位人……我只有一輩子留在這裡發霉腐爛。」

「您難道忘了您先前的計劃？」

阿孟美斯驚訝地望著莫希。

「您要說什麼？」

「您並沒有同意令尊即位，也不承認他是合法的法老。為了不被當作是一名造反者，同時實現您的慾望，您只有一個辦法：在卡納克祭司的同意下，您自封為法老。這麼一來，令尊反而會被控造反和篡奪王位。」

「他不會讓步的……到時候將會有一場內戰！」

「誰知道，王子？塞特裔不會想到您的意志如此堅決。面對既成的事實，也許他只好讓步。」

「這麼做太危險了，莫希！」

「您的勝利、您的光榮，就是這個代價。王子，最後的抉擇在於您。」

* * *

面對郵差烏普弟，首長表示了他的驚訝。

「一封來自皇宮的信，是給我的……所有的正式文件不都是由陵寢書記收件嗎？」

「我得到的指示很明確，而且必須做到：我一定得把這封信交給您本人，沒有別人。」

尼菲拿著蓋有泥封的紙莎草紙，若有所思地回到家裡。卡萊兒正準備到她的診所。

首長將泥封打開，閱讀了裡面的內容。

「真是無法想像……」

「不好的消息嗎？」智女擔心的問道。

「簡直是糟透了！」

尼菲將信的內容告訴妻子，她也認為用「糟透了」這個形容詞一點也不過份。塞特裔一世登上了王位，對於真理村的威脅似乎已遠去，但在其他方面，卻仍存在著威脅。

沒有一個工匠會想到是這種威脅。

「該做何反應？」卡萊兒問道。

「絕不能有絲毫的讓步。」

「我們這麼做，會不會不合法？」

「有可能……但如果我接受了這個命令，以後還會有更多不合理的命令接踵而至，行會將變成一群被控制的工人，最後黯淡地消失無蹤。」

尼菲和卡萊兒擁抱在一起。

「你說的對，我們要義無反顧地對抗這件事。」

* * *

肯伊如往常般每天早上洗頭。這是他最大的享受，在這個幸福的時刻，他忘卻了年齡、忘卻了沉重的工作。頭髮沖淨後，他用蓖麻油來按摩頭皮，頭腦因此而變得清醒，而且更有活力。

然而他的小瓶子裡只剩可憐的一小滴油。

「牛妞，幫我拿另外一瓶過來！」他心浮氣躁地喊道。

「沒有了。」她應道。

「這怎麼可能……妳沒有隨時檢查我的存貨嗎？」

「您是請我來做家事、做飯菜的，而不是當您的管家。」

「問題可大了！沒有蓖麻油，日子怎麼過下去？妳到村子裡給我找出來！」

「發生了那些事情之後，所有的庫存都用完了。必須等到物質恢復供應才有辦法。」

「我不能等，尤其是不知道要等到什麼時候！妳去找娃貝特，並且請她說服她的丈夫去採蓖麻籽。一定要告訴她這件事很急。」

「我得先把廚房清理完；不能讓廚房髒得像個豬窩。」肯伊不再堅持，只好先把頭髮擦乾。沒有蓖麻油，他覺得全身無力。而這個野丫頭如果沒把事情辦成，他的日子就很慘了。

陵寢書記一走出浴室，就發現尼菲站在那裡，手上拿著一張紙莎草紙。從他嚴肅的表情看來，一定沒有好事。

「我收到皇室的一封信。」尼菲說道。

「這個程序有點不尋常……所有的正式公文都應該是由我收件的！」

「以眼前的這種情況而言，是不可能的。」

「為什麼？」

「因為這封信是要我在您的退休令上簽名。」

14

肯伊愣了好一會兒，才回過神來。

「我今年七十二歲，但我根本沒有打算退休啊。」

「很明顯的，沒有人問您的意見。」

「這封信有塞特裔二世的簽名嗎？」

「沒有，是他的親信大臣百依。」首長回答道。

「那麼，這封信根本不具效力！我不受任何大臣指使，只有法老才能解除我的職位。」

「百依認為您年紀太大了，他知道這麼一個職位責任很大，會讓您的負擔過重，因此建議由比拉美西斯的一位年輕書記來取代您。」

「一個連出生地都不是底比斯的無能之人！我知道了：新的高權者試圖要干涉真理村的事物，並擴大其影響力。」

「百依只等我的同意，便可任命您的繼位者。如果我答應，他會給我五名僕人，讓我不用再煩惱物質問題，只需負責國王的陵寢就好了。」

肯伊咬牙切齒。

「你打算怎麼回覆這個百依？」

「說我接受他的五個僕人，讓他們在田裡工作，為我帶來一筆不小的財富。」

陵寢書記呆住了。

「我以為自己很了解你，尼菲……我錯得太離譜了！」

「接著，我再提醒他，陵寢書記這個職位沒有年齡的限制，還有，您的身子硬朗得很、您的能幹無人能及、行會非常滿意您的管理等等。」

肯伊臉上露出了尷尬的笑容。

「的確，我沒有看錯人！」

「最後，我再向他強調，我本人和左隊隊長都不希望您離去，如果他堅持，我們大家一起走，包括智女在內。到時候行會將無法準備皇室的陵寢和百萬年大神廟，因為沒有人會操作『光之石』，並且讓金坊運作。」

肯伊抹去臉上的一滴眼淚。

「尼菲……」

「新政權試圖分裂我們，認為不管在什麼團體裡，貪心、愛財、惡意競爭一定存在。百依大臣忘了一件事，那就是儘管我們有缺點，儘管我們有弱點，但我們生活在真理村，在瑪亞特的法則之下。」

兩人互相擁抱了一下。

「我一下子年輕了二十歲。」肯伊感動地說道。

＊　＊　＊

帕尼泊的手支著頭，對著一塊檉柳木已經發呆了幾個小時，但始終無法想像這塊木頭會是他代表作的原料。他對它一點創作的靈感都沒有，也絲毫不想在它上面作畫，或是畫檉柳木。

娃貝特悄悄地來到丈夫身邊。

「我可以打擾你一下嗎？」

帕尼泊將木頭扔得老遠。

「這根本不是原料。」

「當然不是，」她微笑地附和道，「你願不願意為陵寢書記去找蓖麻籽？他沒有蓖麻油了，牛妞又怕他如果不每天按摩頭，他的壞脾氣準沒完沒了。你可以在第一道水渠那邊找到，離百萬年大神廟不遠。」

「這是命令嗎？」

「不是，只是幫一個小忙。」

帕尼泊無法拒絕他那嬌小可愛的妻子。因此經過警衛檢查後，來到了一條通往水渠的小路。

蓖麻的高度和無花果樹差不多，長在沼澤邊或是河岸上；它深色的葉子很光滑。蓖麻的果實經過太陽的曝曬後，外殼會自動裂開剝落，接著再以滾輪研磨，不需加熱就可磨成經濟實惠的蓖麻油，對於生髮、治療偏頭痛、清腸等很有效，並可用來當燈油。

帕尼泊不斷地將採下的蓖麻果實塞入一個大袋子，突然，他嗅到一陣燃燒的味道，並感覺到身後有一股逼人的熱氣。

離他不遠處，有一群小孩邊笑邊跑開，他們剛剛放火燃燒乾枯的灌木叢。

帕尼泊望著能能燃燒的火焰，心裡想到火焰可以穿越空間，直升上天空。它將枯萎的生命摧毀，讓其他形式的新生命得以誕生，不正是生命力的最好代表？

剎那間，帕尼泊覺得海闊天空，這個世界彷彿指引他通向創作之火的路；如果不循著這條路，生命就會冰冷平淡的死去。

帕尼泊將枯枝撥開，並在四周撒上沙子，以免火焰繼續延伸而吞噬一整排的蓖麻。他把殘餘的火苗踩熄，然後才若有所思的離開。

莫非火就是原料？

＊　　＊　　＊

肯伊有了蓖麻油，彷彿獲得了重生。他腦子裡的血液循環良好許多，也覺得自己可以對伊姆尼口述有關他對真理村的管理，讓他寫成一份長長的報告。

伊姆尼對於他的文具有很大的潔癖，也從不借給人家，尤其是那個洋桐木做的色盤，因為它被視為托特神的手臂，有個象徵性的名字叫「看與聽」。他準備好文具，採書記坐姿，等待肯伊開始。

「你準備好了嗎，伊姆尼？我打算把我工作的方式鉅細靡遺地寫下來，所以我們會花不少時間！」

「您為何要這麼做？」

「因為首府當局打算把我換掉。」

「為什麼？」

「因為我太老了！可是，我卻一點也不想退休。」

伊姆尼表面上沒有什麼反應，但骨子裡卻突然有個想法：有誰會比他更適合取代肯伊？如果有必要，他可以向法老證實老書記的確有點不中用了，當然他會用不失尊敬的語氣來表達。

「光是份報告就可以令當局改變主意嗎？」

「當然不行，伊姆尼，不過它不是我唯一的武器。」

「我們不是得服從決定嗎？」

「真理村的法規不允許我們屈服於不公與專橫。」

肯伊開始口述。伊姆尼心想不宜太早露出自己的慾望，肯伊雖然年紀有一把了，但他也許還有料想不到的本事。

由於叛徒必須走近觀察村子裡的磨石，而不能引起村婦們的注意，因此花了不少時間。研究的結果，沒有一個玄武岩滾輪會發出任何一點光。

* * *

如今只剩助理工那邊所使用的大磨石有可能。通常，一天的工作結束後，大部份的助理工都會回自己家裡；這一天碰巧是助理工隊長貝肯的生日，連平日捨不得出門的鐵匠歐貝德都離開了他的鐵舖，因此是他行動的好時機，不過他還是得小心不被人發現；他決定等到黃昏，套上妻子特別偷偷為他新做的罩衫，刻意改變外表，以免讓人認出是他。

他從西邊的小門走出村子，沿著外牆繞道而走，以避開正門站哨的警衛。

整個助理區顯得空空蕩蕩的。一隻巨大的白鷺在橘色的天空中飛過，溫柔的北風徐徐吹著。叛徒腳上穿著一雙紙莎草涼鞋，一路走到大石磨後面，然後壓低身子觀察四周的動靜。

他一站起身子，立刻便感覺有人在窺視他。這個人在麵粉袋後面觀察他，而且對他有點害怕，而不敢與他面對面。

他是否該放棄而悄悄離開，還是把這個人做掉，然後做手腳讓人以為他死於意外？他猶豫了。

突然，一隻大貓跳出來，擦過他的肩膀抓了一下，接著便往村子的方向逃跑。

原來是帕尼泊的那隻大貓迷人！這隻怪物霸佔了一大塊地盤，其他的同類都不敢吭一聲。幸好這隻該死的野貓不會說話，也無法告訴別人牠看見叛徒接近助理工的磨石。而這個東西是如此的普通，以致於他過去經過它面前無數次，卻從來沒有注意過它。

他懷著緊張的心情慢慢接近它。磨石的滾輪尺寸相當大，如果它真的會發光，那麼他在黑暗中，立刻就可以看出來。

不，這個想法太愚蠢了。「光之石」不可能就這樣擺在光天化日之下。

叛徒拿出一隻尖銳的小刀去刮滾輪的表面，心裡希望能看到玄武岩的內層露出另一種會發光的材質。

但滾輪就是滾輪，只不過是多年來默默為大家服務的滾輪。

叛徒非常的失望，他只好承認自己錯了。首長並未將「光之石」藏在這種顯眼的地方，連偽裝都沒有。因此他不得不回到原點：行會最珍貴的寶物一定是藏在一個隱密且受到監視的地方。

15

百依一走進莫希的辦公室，莫希立刻就知道這個法老的親信大臣不是個省油的燈。

「您一路上旅途可順利，大人？」

「不瞞您說，我極為厭惡出遠門，但陛下與皇后堅持要我與真理村的首長親自見一面。您是否已向他告之我的到來？」

「當然，您明天就可在這兒見到他。」

「聽說這個人很有個性。」

「尼菲寡言的工作背景使得他變得很嚴峻，也從不輕易向行政當局低頭。」莫希解釋道。

「您是否有他的個人資料？」

「他在工作上完全沒有瑕疵。」

莫希也很想幫助他對付首長，但他仍摸不清楚百依的底細；等到他對百依的想法有進一步的了解之後，他再見機行事。

「這個尼菲真的是公正不阿的人嗎？」百依憂心地問道。

「真理村的工匠組成了一個很特殊的行會，它直屬法老管理，而且非常強調這點。」

「我知道，我知道……換句話說，您不能幫助我。」

「我的角色是要保護真理村，並且不讓它受到任何的干擾，我也盡力在做。然而我沒有權力進入真理村，對他們的領導人也產生不了影響。雖然如此，我仍然願意隨時為您服務。」

「國王非常欣賞您的忠貞，他知道由於您的威望及您的忠告，我們的國家得以免去一場嚴重的衝突。我想您已將阿孟美斯王子留置就近監視了？」

「當然。他生病了，而且很消沉沮喪，不過他終究會接受這個事實的。」

「事實上，他也別無選擇。」

＊　＊　＊

首長受到百依熱情的歡迎，兩人來到花園裡的涼亭內。涼亭的四周爬滿了長春藤，避免了酷熱的太陽照射，亭子裡的矮桌上擺滿了各式的水果與沁涼的啤酒。

「底比斯的生活應該很愉快，」百依說道，「不過我此行的目的不是來與您討論消遣活動的。法老已經收到您的信，也收到了肯伊厚厚的報告；這些文件令我們多少有些意外。我們不否認陵寢書記在工作上所做的傑出貢獻，可是他的年紀還能夠應付這累人的職務嗎？是肯伊退休的時候了，他也該享享清福了。」

「您把我的信從頭到尾都看完了嗎？」尼菲問道。

「信中充滿了可貴的友誼情份，但如果忘了它，是否來得好一點？塞特爾二世的陵寢將由您帶領完成，而我認為有必要提名一位新的陵寢書記，一位更年輕、也更有時代感的書記。時代在改變，尼菲，人們應該要順應它。您懂我的意思嗎？」

「您的話說得夠清楚了，閣下。」

「這麼說，問題解決了……我會派一名在首府受訓完畢的書記與您合作，屆時您在任命書上同意蓋章就可以了。」

百依滿意地嚼著一顆香甜多汁的蜜棗。

「我就知道真理村的首長必定是一個聰明而有分寸的人，我很高興自己沒有猜錯。」

「我恐怕會讓您失望，閣下。」

「不會的，我親愛的尼菲！您的才幹眾所皆知，而我也相信您會成功，國王的陵寢將會是一個傑作，我有信心。」

「行會將會盡其所能，這是一定的；但為了能做到這點，它需要有一位權威不受到挑戰的陵寢書記。」

「您放心，肯伊的繼位者將會具有這些特質。」

「我很懷疑。」

百依一時之間有點困惑，但很快便了解了。

「您有您自己的候選人，是吧？」

「是的。」尼菲承認道。

「的確，這再也自然不過了：您本人也知道肯伊已經不行了，所以早就預設他的繼位者。可否向我透露他的名字？」

「肯伊本人。」

百依眉頭立刻皺了起來。

「您這是在開我玩笑？」

「誠如我在信中所言，沒有一位書記會比肯伊來得更好。這也是行會的意願。」

「但卻不是我的意願！」

「是您閣下的，還是國王的？」

「這涉及到敏感的問題，尼菲，不過我可以告訴您桃賽特皇后要求這麼做，而且不容反對。」

「她對肯伊有什麼不滿？」

「沒……沒有什麼具體的不滿。」

「所以只是一種任性的行為。」

「請您說話要有分寸！」

「我們是一個工匠的行會，閣下，而且我們所進行的事物不能摻雜絲毫的任性與情緒。如果皇后打算找個書記取代肯伊，而這個書記又無法適應我們的習俗，請她最好放棄這個念頭。」

「我極力勸您最好服從，尼菲！」

「您真的沒有看懂我的信。失去了團結，行會將無法發揮它的極致；而這個團結需要肯伊留在他的職位上才能達成。」

「皇后的希望是……」

「她的希望會比國王所代表的瑪亞特精神來得重要嗎？請告訴她肯伊不是一般的書記，而我們需要他來管理我們的團體。萬一他的健康不行了，他和我再來改變我們的看法。」

「首長，您這是在為難我。」

「您要讓她知道我們大家必須同心協力，閣下，我相信您有能力解決這個問題。關於法老的陵寢，我靜待皇宮給我指示，以便開始進行。」

＊　＊　＊

「事情比我所作的惡夢還要來得糟，」百依向莫希說道，「這個尼菲根本不講理……皇后也是！如果陛下不管這件事，您認為首長真的會辭職，而且讓行會無法運作嗎？」

「尼菲是一個很固執的人，他說話算話；說得到也做得到。」

「我原先希望我的警告會讓他有所顧忌，然而他的意志卻未因此而動搖。現在可好了，我得盡快回到首府，向陛下夫婦報告這種情況。」

「萬一達不成協議，會有什麼樣的後果？」

「肯伊一定得退休，讓人到行會取代他。」

「這是最糟糕的辦法，」莫希說道，「我們任命的人將會受到工匠們的排斥，屆時工作將會雜亂無章。」

「我不敢想像會亂成什麼樣子。」

「您不用自己去想像，閣下。」

「您不了解桃賽特皇后！如果不順她意，她的怒火會像一座爆發的火山，足以摧毀一切。」

「國王是否也有這個意願呢？」

「塞特裔還沒有表明態度。」

「不要傷害真理村；若沒有它，任何一位法老都無法獲得永生。」

「法老本人也很清楚這一點，我相信他會做出必要的決定，以避免這麼一場可怕的災難。」

在不知道新法老的真正動向之前，莫希將保護真理村的角色扮演得很好。不久的將來，他會知道接下來怎麼做。

* * *

帕尼泊不斷地畫著所有形式的火焰。自從好幾天以來，為了全然掌握它所有的形態，他一直在觀察它們，雕刻它們的舞姿。他用自己製造的無數顏料，嘗試了十幾種不同的紅色與黃色，從火苗竄起到化為灰燼的各個階段，來表達火焰的變化。

成堆的紙莎草紙、成堆的石灰岩塊被拋在一邊；帕尼泊一點都不滿意這些不足掛齒的小作品。

「你可知道有人想把肯伊弄走？」娃貝特問他。

「我們會堅持到底。」

「你不希望有所改變？」

「肯伊就是肯伊，他不會改變的。這樣很好。」

娃貝特坐到丈夫身邊。

「你還在尋找原料嗎？」

「火在對我說話，但我始終不懂它的言語。要把它表現出來又令我不甚滿意。可是……可是，我總覺得自己已經離祕密不遠。」

「沒有錯。」

帕尼泊驚訝地望著妻子。

「妳是說……火的確是我作品中不可或缺的原料？」

「就某方面而言。」

「求求妳把話說清楚！」

「你必須要自己去找出你的路，帕尼泊。」

「為什麼光是畫火還不夠？」

「你每天早上要問帶給你創作靈感、開啟你視野的無形之火；從滿腔的熱情到實際創作，你要學習掌控心中的那把火，也不能忘記供奉它。你要往前走，就像一個探索者希望發現新大陸，同時要能主宰這個新大陸，那怕是一時的。」

「好奇怪的論調啊，娃貝特！」

「這不是我的論調，帕尼泊，是火之聲，而我就像其他的哈托爾女祭司一樣，是火之女。」

16

一切都不順利到極點：先是風向不對，使得旅程辛苦備至，接著是桅杆斷裂，使百依不得不換船，再來是他的秘書病倒了。現在，最糟糕的事才要開始。

塞特裔二世到東北邊境視察軍營，所以由桃賽特皇后來處理政務。由於新法老很信任他年輕妻子的能力，因此放心地把國家大事交給她掌管，自己寧可去處理軍務，以防和阿孟美斯有發生衝突的一天。

百依原本計劃先和國王談過，讓國王來應付桃賽特，但他的缺席使得百依的希望落空。直接挑戰桃賽特無異死路一條。

桃賽特在一間隱密的召見廳接見他，只有少數對國家有影響力的大臣才能在這裡被召見。百依一見到桃賽特，又再度折服於皇后的優雅與美麗。

皇后身上的淺綠色長袍將她的線條完美地襯托出來，而那細得幾乎不真實的項鍊和手鐲，更增添了她無可抗拒的魅力。桃賽特深深地迷惑了塞特裔和朝廷諸臣，而百依自己也為她的美貌與可怕的聰明所征服。

「你在底比斯過的日子可好，百依？」

「尚可，皇后。」

「我們先從好消息說起。」

「底比斯一帶很平靜，莫希將軍對您也很忠誠。」

「你有沒有與阿孟美斯談過？」

「沒有，他生病了，而且情緒很沮喪，他大概也知道自己無法和自己的父親相抗衡。」

「他也許是裝的。」

「的確有可能，不過底比斯看起來沒有要打仗的樣子。」

「現在說說壞消息吧。」皇后命令道。

百依嚥了一口口水。

「臣見到了真理村的首長尼菲寡言，也將您的想法轉達給他，而……」

「什麼我的想法？這是一道命令，他不得不服從！」

百依一反常態，選擇了開門見山的方法。

「首長拒絕了，皇后。」

美麗的桃賽特眼中幾乎要噴出火來。

「我有沒有聽錯，百依？」

「尼菲再度重申他在信裡所寫的，也就是說他希望肯伊仍留在陵寢書記的職位上。」

「這個首長記不記得他得服從法老？」

「當然，皇后，他終究得服從您的意願。但我的說辭似乎不足以說服他，而且他勸告我最好不要換掉身子仍然硬朗的肯伊。」

「你也在為這個尼菲說話嗎，百依？」

「絕對沒有，皇后，臣甚至對自己的無能感到難過！但這個人是如此的固執，要讓他屈服不是一件容易的事情。」

「通常，你都能夠將我們交代的事情辦成。」

這句話幾乎含有威脅的意味。

「就連莫希將軍也建議臣要三思。把肯伊撤掉會讓行會非常不悅，以致於有可能失去它平時的工作效率，甚至亂成一團。」

「行會敢造反不成？」

「這個說法是有點太過，但是，聽說這些工匠非常重視他們的團結。」

「也就是說，你認為我犯了一個錯誤，而且你希望我能夠改變我的決定。」

百依恨不得化作一塊地板，而不用回答這個問題。只要說錯一句話，他就可能失去目前辛苦得來的地位，甚至被貶到鄉下某個小村子當一個最低等的小書記。

「我在等你回話，百依。」

反正是死路一條，這一次，何不乾脆說出真心話？

「與首長談過之後，臣認為最好還是讓肯伊留任。這麼一來，真理村的行會就不會有問題，也能針對法老的要求，在最短的時間內達成任務。再說，這個陵寢書記已經很老了……」

「你很讓我意外，百依。」

「臣該死，皇后，但臣寧可說實話。許多人認為臣是一個投機份子，不惜利用謊言和甜言蜜語來達到目的，這些人並非全是錯的。然而臣今日成了國王夫婦的掌璽大臣，您們決定著國家的命運，而臣又是如此希望為國家效命。因此，臣認為有必要改變態度，不管付出什麼樣的代價。」

皇后原先兇狠的眼光變得幾乎可以說是溫柔。

「我看錯你了，百依，因為我原以為你和其他昏庸的大臣一樣，只會一味地裝飽私囊。你似乎選擇了老實一途。」

桃賽特相當吝嗇於讚美的話，這些看似友善的字眼並未讓百依感到安心；它們會不會是殺頭的前兆？

「多告訴我一些有關尼菲寡言的事情。」她要求道。

「他讓臣留下深刻的印象，皇后，他是一個平靜卻很強勢的人，不管他在那裡，人們立刻可以感覺到他的存在。面對他，會讓人感到自己很渺小，甚至是無力；他說話不提高聲調，也不試圖去說服，只是昂然向前行，彷佛任何的障礙也不會令他畏懼。請您對這個人要小心，皇后；尼菲不只是一名工匠，他擁有真正的領袖特質，也會努力不懈地捍衛他的行會。」

「甚至與法老作對都在所不惜？」

百依猶豫著該如何回答。

「應該是不至於，但請恕臣冒昧，臣不知您這種決定是否恰當。」

「把話說清楚。」

「光是命令這麼一個人物是不夠的。為了要讓他合作，而不是單純的順從，向他提出的計劃必須要有足夠的理由。由於阿孟美斯人在底比斯，目前還無法得知他的動向，塞特裔二世的統治初期會面臨很多困難，而在國王谷地建造他的陵寢就變得很重要。如果尼菲受到羞辱，也不得不與肯伊分開，我們從中能得到什麼好處？」

「那是對我們統治的一種尊敬，百依！」

「話是不錯，皇后，但稍做一點讓步是不是會更好呢？」

「你這等於是要我改變主意。」

「臣是請您為國家的利益著想。」

「讓我一個人清靜一會兒，百依；等到法老回來，我們再做最後的決定。」

* * *

迷人跳到肯伊的腿上與他一起享受落日的餘暉。老肯伊坐在自家的門前，回想著多年來的點點滴滴，與行會共度的歡樂與痛苦時光。他無怨無悔，就連工匠們日常生活中令人無法忍受的芝麻問題，也不曾令他有絲毫的遺憾。

大貓收起了爪子，以免抓傷老書記。牠不斷地舔著肯伊的手。

小黑站在幾公尺外，觀察著這個畫面。牠可以容忍迷人與陵寢書記建立友誼，但自己在完全接納牠之前，還是得留意牠。

「你比我機靈多了，」肯伊對迷人說道，「你知道要適時地收起爪子，而我不懂得外交手腕，只想把自己的工作盡力做好，卻忘了該取悅當政者……也許這樣子不夠聰明，可是我已經老得無法再改變自己。」

帕尼泊在陵寢書記的右邊坐了下來。

「這個大怪物很喜歡您……不過牠還是很有野性。」

「我們大概有相同的個性。」

「您不是工匠，肯伊，但您在行會待了這麼久，應該知道它的祕密。」

「不要去聽信謠言，小子。」

「尼菲要我去完成我的代表作。」

「這是一個決定性的階段，帕尼泊；雖然你很有才華，但並不表示你做得到。」

「您應該知道什麼是原料。」

「就是人性。沒有什麼比人性來得更邪惡、更微不足道了，然而它是諸神賜給我們的工具，我們需要適時運用它。不要排斥它，要把它當作是一種特殊而困難的材料來雕琢它。」

「我需要改變自己嗎？」

「最重要的是，不要對自己產生幻想！你生來如此，死後也是如此。我的經驗告訴我，人不會改變，能夠成為首長的人，是那些生來就有這種特質的人，不過必須琢磨石頭與木頭，才能顯出它們內在的形狀……你也要把層層的外殼除去，帕尼泊，去發掘你真正的心、你生命的中心，那麼，您就可以找到原料。」

大貓慵懶而信任地睜開眼睛，看著尼菲的接近。

「這個黃昏不是很美嗎？」肯伊彷彿在向夕陽問話，「我已經很多年沒有享受這麼慵懶的一刻了。」

「我剛收到皇室來的一封信，與您有關。」首長說道。

「在告訴我細節之前，先讓我享受一下這個落日餘暉，和我在村子裡的最後一天。我的行李已經準備好了，也把我的女僕打發走了，到時我就直接離開，也不需和什麼人說再見。明天起，我就會被忘記，沒有人會為我遺憾的。而生活就這樣繼續下去……」

「偶爾生活也有意外出現的時候。」

陵寢書記立即升起一股焦慮的情緒。

「國王對我做了什麼額外的懲處嗎？」

「這就要看您怎麼想了……塞特裔確認您繼續留任為陵寢書記。」

17

尼菲和肯伊兩人來到真理村的墓園，在帕尼泊的幫助下，尼菲在這裡建造了自己的陵墓。帕尼泊剛完成了一幅以赭黃色為主的圖案。

「我希望讓您看看我義子的最新作品，」尼菲向肯伊說道，「因為我覺得他畫得極為成功。」

陵墓的內牆只有略為整修過，外面的光線只能照到牆壁的下方，並未照耀到最鮮明的顏色。尼菲站在那裡不動，肯伊適應了裡面的昏暗後，才看出畫中的景象。

那是兩個人面對面：一位穿著首長的工作服，另一位則穿著一件禮袍，手上拿著書記所使用的文具。

「這……這是我嘛！」肯伊驚訝地喊道。

「我要您的畫也在這所陵寢內，以便我們往生後，能繼續討論事情，繼續為村子的幸福做努力。」

「這真是莫大的幸福。」肯伊結結巴巴的說道。

「它尤其代表了尊敬，向一位忘了自己年紀、病痛、只為行會著想的陵寢書記致上最高的敬意。」

「這是我第一次受到如此充滿感情的尊重，尼菲……我該如何謝謝你？」

「只需繼續下去，肯伊，無論有再大的困難，您都繼續下去。」

陵寢書記凝視壁畫良久，這幅畫充份表現了年紀的力量。

「帕尼泊畫出了我所沒有的高貴氣質……不過，這樣子去見諸神更好。」
「他有向您提起他的代表作嗎？」
「他四處尋找什麼是原料，在沒有找到之前是不會休息的。」
「他走對了路嗎？」
「我希望是……但是有多少人一開始以為自己走對了，到頭來卻仍遭到失敗？」
兩人走出了陵墓，村子就在他們的腳下。
「我們的運氣真的很好，肯伊：生活在這裡，將來也死在這裡，與祖先為伍，遠離外界的紛擾，永遠受到『光之石』的保護。有什麼比這些來得更幸運？」
「我想和你談一個有點教人意外的計劃，我打算……」
尼菲靜靜聽著。
的確，這個計劃教人很意外。

*　　*　　*

只要有好消息，就一定會有慶典，帕伊毫不遲疑地為肯伊的留任舉辦慶祝活動。儘管大夥兒對他的壞脾氣有所抱怨，但兩隊的工匠都承認肯伊的能幹和認真，也認為他是行會不可缺少的一員。
只有肯伊的助理伊姆尼很失望。肯伊雖然還沒老到手指僵硬不能動，但伊姆尼已經開始想像自己取代他的情形。雖然他現在只交代一些簡單的工作給伊姆尼，但後者安慰自己肯伊老得不久就會到奧塞利斯王國報到。
慶祝活動一結束，肯伊便立刻接見牛妞。
「您以為自己會離開村子，所以叫我走，」牛妞說道，「既然您現在留下來了，我是否繼續為您工作？」

「妳可知道自己有個壞脾氣？」

「為了能夠忍受您的壞脾氣，這是有必要的。重要的是我的工作：您滿不滿意我的工作表現？」

「除了我的辦公室打掃得太勤以外，我沒有不滿意的地方。至於妳的廚藝，我必須承認很好吃，雖然少了點肥肉。」

「肥肉對您的健康非常不好，我已經和智女談過了，她也贊成我這樣做。只要是我繼續為您做菜，我永遠都會避免太油的東西。」

「有一天妳對我說，妳不是負責管理我的房子，只不過是掃地做菜而已。」

牛妞露出笑容。

「您希望……賦予我更大的責任？」

「沒錯。對我而言，一個繁忙緊湊的工作階段就要開始，而我已不再有六十歲的體力，尤其是歷經了這麼一個事件。因此，我希望將全部的精力都放在我的工作上，由妳來管理這個家裡大大小小的家務事，當然不能忘了整理我的衣服和我的蓖麻油。」

「我的薪水……」

「這個我考慮過了，而且我想到了一個妳可能會不喜歡的辦法，不過卻有很多的好處。」

「您拒絕加我薪水？」

這回換肯伊露出了一個笑容。

「我生性不喜歡浪費，但也不至於小氣到這種程度！為了這些繁重的工作，妳必須住到這裡。因此我向妳提議嫁給我。」

牛妞驚訝得說不出話來。

「但是……」

「但是我是一個老朽，而妳是個年輕的小姑娘！妳想我會不清楚這點嗎？妳放心，我對妳沒有任何不良的企圖，我唯一的愛是一個祖父對小孫女的愛。我觀察妳很久了，牛妞，而我發現妳是一個誠實、肯吃苦且值得敬佩的人。如果我娶了妳，妳就可以繼承我的財產。等到我去世後，妳就成了一個有錢也有文化的人，因為我會找時間教妳讀書，讓妳發現智者文章中的美麗。到時妳再來感謝我，妳可以選擇一個妳喜歡的男人，為他生一打的小孩。當然啦，我們分睡在兩個不同的房間，妳會有自己的浴室。這樁婚事可以免去村子裡有時過份想像的謠言；我們會說明這是一樁合法的婚姻，以保障妳的未來，除此之外，沒有別的。就算有任何的誤會，我想妳的伶牙俐齒也可以應付得來。」

「您……您這些話當真？」

「再認真不過了。妳不是一般的女僕，牛妞；能夠令我滿意的人便值得嘉獎。如果妳成了我的妻子，會有許多的好處，甚至獲得其他婦女的尊敬。我已經向首長談過這個計劃了，他也和妳一樣驚訝，不過卻可以了解我的想法。考慮一下再做決定，小姑娘。」

「人家會不會認為是我勾引了您，所以把我當成妓女看待？」

「妳放心，說不定早就有謠言了！這個婚姻正好可以打破謠言，沒有人會對妳不尊重，否則會受到嚴重的警告。我會在行會的法庭面前說明我們婚姻的合法性質，別無其他目的。」

「這太教人意外了，如果……」

「我不勉強妳，牛妞；妳可以自由選擇妳要過的生活。」

「您真的沒有別的企圖？」

「我以法老及首長的性命向妳發誓。我從未對妳隱瞞我任何的想法，妳也可以相信我的正直。不過還是有一個風險……」

牛妞的喉嚨縮緊。

「什麼風險？」

「一旦妳成了這個家的女主人，妳便不會再像過去一般服侍我。而承擔這個最大的風險的人是我。」

「您太不了解我了！」

「我很了解人性，小姑娘。」

「我很嚴肅地保證，我管理這個家，就像是管理自己的家一樣。」

「但它將來一定會是妳的家啊，如果妳接受這樁婚姻的話。」

牛妞摸摸牆壁，彷彿想確定自己不是在作夢。

「既然是這樣，您怎麼敢認為我能忍受一點點的髒亂、不會繼續消滅灰塵？過去有一些小細節是我不喜歡的，可是我為了保住工作而不得不閉嘴……假使我有說話的自由，事情就會不一樣了！牆上的漆要重新塗過，有些家具根本配不上陵寢書記的地位，還有浴室也要馬上改善，至於其他的，我們以後再說。」

肯伊已經料到會有一場颶風，有那麼一刻，他心想自己是否能夠長久忍受下去。然而為了讓這個特殊的小姑娘有一個美好的未來，這是他得付出的代價。

「這是不是意謂著……妳接受了？」

「不，當然不……不是，我指的是……這太教人意外了！」

「妳還有其他我沒有想到的要求嗎？」

「沒有，我同意這個合約的內容，可是這的確是一個很大的衝擊……為什麼選擇了我？」

「因為我已經過了再婚的年齡，牛妞！命運安排我接受一個重大的打擊，讓我必須用餘生的精力去顧及最重要的事情。妳有妳的未來要建設，而我可以提供妳一個紮實的底子。我很了解我自己，我知道自己既不是一個大好人、也不是一個慷慨的人，在行會度過的這些年教我要有戒心，也不必去幻想；娶妳的出發點也是為了我個人的利益和幸福著想。千萬不要以為我是因為仁慈和具有高貴的靈魂才會這麼做。」

為了讓自己冷靜下來，牛妞拿起一個刷子，開始清掃一個木箱子。

「您對整理文件也許很在行，但您完全不懂摺疊衣服的藝術，也不懂要怎麼樣收拾衣服才會保存得更久。您這把年紀，要教您這種技巧也教不動了。至於您老是一件上衣穿好幾天的這個習慣……現在就把話說清楚，肯伊：持家需要有主動的精神，我不要有人不聽話。」

「連一點商量的餘地都沒有？」

「完全沒有。」

「我接受妳的條件，牛妞。」

18

在等待塞特裔二世的新指示這段期間，首長在左隊隊長的同意下，將一些工作分配給左右兩隊工匠：整修主廟與其他的小廟、重新舖過行會議事堂的地板、美化村民的房子，以及翻修他們的穀倉。

帕尼泊和傑德兩人把肯伊偌大陵寢的壁畫做最後的處理，而肯伊也在村子的法庭裡公證結婚；他在幾位證人的面前擬下遺囑，死後的財產將全數遺留給牛妞。

「我現在的心情很平和，」肯伊向首長說道，「因為我可以平靜地死去。」

「您對您的陵墓還感到滿意嗎？」

「它美得讓我配不上它……不過我絕不會讓給其他人！我並不急著住進這座宏偉的住所，但我會隨時小心的看緊它。死了也有某些好處，尼菲……多虧這些才華橫溢的彩繪匠，畫中的農夫不用出力就可以收成，那些稻麥永遠是成熟的，船帆被風吹得鼓起，也不會被撕破，而我永遠保持年輕！對行會還有什麼要求？如果我被逼離開這個村子，勢必會失去一切希望，而多虧有你，我才得以免去這種不幸。」

「留任是多虧您自己和您的工作表現，肯伊。」

「在這個永遠處於衝突的世界裡，兄弟之情已成了罕有的美德；我很高興活到這把年紀能夠嚐到這種感情。」

陽光普照，飲水和食物固定送到村子，祖先的供桌上擺滿了鮮花，整個村子洋溢著忙碌的快樂氣息；但首長卻感到幾許焦慮。

「我們進入了一個新朝代，」他對陵寢書記說道，「掌璽大臣百依是法老和行會的訊息傳達者，但我不確定他是否對我們有利。」

「一個大臣只會為自己的利益著想，同時避免觸怒他的上司；除非他認為真理村有利於他，要不，他會想辦法摧毀它。」

「這個人很聰明也很狡猾，我相信他是一個很可怕的人。既然他有辦法說服皇后改變主意，不就證明了他的影響力更為擴張了嗎？」

「你有沒有看出他真正的想法？」

「我當時只覺得他的想法未定，並想弄清我們的工作性質。」

「幸好莫希總司令是我們的官方保護者，不過阿孟美斯在底比斯一事，不知最後會不會害了他，而且對我們不利？如果內戰爆發，我們將會被捲入這場戰爭。」

「因此『光之石』一定得藏好，不能讓有心人搶去。」

「到目前為止，叛徒還未接近它，我相信他也找不到！」

「我們還是得謹慎，肯伊；他能藏身到現在不讓我們發現，不就證明了他的狡猾？」

「誠如索貝克所言，總有一天他會露出馬腳的！」

「我不敢這麼肯定，」尼菲說道，「我們從現在起得考慮到他的存在而行事。」

「還有皇后的態度……如果她找我開刀，並不只是因為我的年紀。桃賽特企圖想在真理村安置一個類似間諜的角色，好向她報告真理村的所有動向。新的當政者想要我們完全服從，且占有我們的祕密。」

「可是，皇后已放棄要人取代您了。」

「我在想她為何會有這種讓步的舉動，」肯伊說道，「而且我擔心她會有報復的行為在後頭，比逼我退休來得更殘酷的事情。」

「智女和哈托爾女祭司每天會祈求女神保護我們，我們也會繼續走在瑪亞特的道路上；您難道還能提出更有效率的方法嗎？」

有時肯伊真希望擁有一隊配備精良的士兵；而現在只能希望首長的想法沒錯了。

＊　＊　＊

卡沙和費奈德突然出現在帕尼泊的面前，擋住了他往墓園的去路。

「我們想和你說幾句話。」卡沙說道。

「說吧！」

「為什麼你在尼菲的陵墓裡獨自一人工作？我們可以幫你忙啊！」

「不需要。」

「你不尊重我們大家的習慣！」

「我要自己一個人完成我義父的陵墓。」

「你不覺得過於自大嗎？」

「這是由首長來評斷。如果他不滿意我的工作，我會叫別人來幫忙。」

「你是想在老闆面前賣弄本事，這才是事實！而我們被看作是無用之人，這非常教人不舒服，帕尼泊。」

「你，還有其他有這種想法的人只不過是多心了。讓我過去，我還有很多的工作要完成。」

「卡沙說的沒錯，」費奈德強調，「好嘛，就算首長選你當義子，你難道可以因此而不把我們放在眼裡嗎？」

「你以直覺靈敏出名，難不成你的直覺不靈了？我只希望用我自己的方式把工作做好，如此而已。」

「你沒有把全部的事實告訴我們，帕尼泊。」

「你們到底讓不讓路？」

卡沙和費奈德原想叫右隊的其他同事來與帕尼泊作對，但帕尼泊的冷靜令他們有點遲疑。要是平常，他早就表現出他的憤怒了；可是這一次他似乎顯得無動於衷。

費奈德寧可息事寧人。

「我們並不是要找你麻煩……給我們看你畫好的東西，我們就作罷。」

「我用一塊大石頭堵住了陵墓的入口，如果有人敢動它，我就讓他嚐嚐我的拳頭。」

「你沒有權力這樣對待我們！」卡沙不滿地叫道。

「你們不要這麼敏感，不就沒事了？」

「你實在有欠教訓，帕尼泊；一旦被修理過後，你的脾氣會收斂一點。」

「隨時奉陪。」

「大家冷靜一下！」費奈德說道，「事實上，我們之間沒有對立的理由……只要帕尼泊稍作讓步，就沒事了。」

「只要你們不擋路就沒事。」

帕尼泊的眼神變得很冷峻，費奈德和卡沙最後還是讓他通過，望著他一路走上尼菲的陵墓，並將入口處的大石塊推開。

＊　＊　＊

火不過是原料的其中一面，帕尼泊對此並不感到滿足。如果原料真的存在，那麼它一定是在岩石的中心才能找到，也就是他完成代表作的地方：他義父陵寢內的彩繪裝飾！他將無言的牆壁轉化成一首彩色的歌，他試圖將不同形式的生命融入在他的色盤中，為了能將它們獻給尼菲的靈魂。

屬於他的原料就是繪畫，他不該排除這點。

＊　＊　＊

連續兩天以來，叛徒不斷地發高燒，因為他肩上被那隻大貓所抓傷的地方已經嚴重地開始發炎起來。

多麼可笑！他成功地隱藏在行會之中而不被人發現，他在暗處中行動也未出差錯，而現在他準備竊取「光之石」卻這樣倒了下來，只是因為一隻貓！

他不可能去看智女，因為她會問他傷口的來源。叛徒擔心萬一自己的謊言前後矛盾，會因此引來懷疑，而導致他功虧一簣。

他的妻子讓他喝下一碗湯仍然無效，而且他燒得越來越厲害。

「去找卡萊兒看看吧！」她向他建議道。

「太危險了。」

「可是你這樣有可能會生重病！」

「只要將傷口消炎就好了。」

「我沒有適合的藥草，而索貝克為了安全的顧慮，不准婦女們離開村子。現在我們連市場都不能去。」

「有一個辦法……鐵匠歐貝德受傷的時候，他都用一種含銅成份的藥膏來治療。」

「你知道他放在哪裡嗎？」

「放在他的工具室裡，在一個架子上。」

「拿得到嗎？」

「可以，趁歐貝德忙的時候……剛好最近這一陣子，他忙著在製造武器。」

「如果我被逮到正在偷他的藥膏，我會被拉到村子的法庭上受審，到時我得說出一個正當的理由。就算有最好的下場，我們還是會被逐出村子。」

「是沒錯，但難道不該冒這個險？既然妳害怕，那我自己去好了。」

「你一直在發抖，兩手根本拿不穩東西，而且你太緊張了。」

「妳不是也很緊張嗎？」

她拿起一個陶罐將它打破，把碎片丟進一個籃子裡，然後頂在頭上。

「我到陶匠那兒換一個新的罐子，這麼一來，我就可以經過鐵匠的工具室。」

「我真該把那隻貓掐死！」叛徒憤怒地吼道。

「從現在起，你離那隻貓遠一點。」

她出了家門後，叛徒沮喪地坐在廚房裡，傷口似乎越來越疼痛。

萬一他的妻子失敗，他決定丟下她逃走。等到她被嚴厲審問時，她一定會堅持不下去而和盤托出，到時他早已遠離真理村了。財富就這樣與他擦身而過，多麼可惜！

他疲倦得睡著了，夢中的他在一棟大房子裡，有成群的僕人殷勤地侍候著，還有肥壯的乳牛和美味的大餐，當他伸手去拿一隻烤鵝腿時，首長一把抓住他的手腕，他叫了起來……

「你冷靜下來，」他妻子說道，「是我！」

叛徒從惡夢中清醒過來。

「妳……拿到了嗎？」

「拿到藥膏了。」

「沒有人看到妳偷它？」

「沒有。而且我帶回來一個新的陶罐，如果有人看到我出現在助理區，我可以用這個做解釋。現在，我來為你治療。」

藥膏在傷口上塗了好幾次，二十四小時後，叛徒的高燒開始減退，傷口看起來也好了許多。叛徒獲救了。

19

五名男子人背著包袱，慢慢往真理村的方向走來。他們到達船塢時向人問過路，一路上休息了好幾次，也不急著趕到目的地。

他們才剛出現在第一道堡壘，數名努比亞警衛便立刻將他們團團圍住，手上還拿著匕首威嚇著。

「趴下，快！」一名警衛吼道。

這五人嚇得立刻趴下。

「你們是什麼人？」

「我們是農夫。」最年輕的一個回答道。

「你們身上帶的是什麼東西？」

「只是一些換洗衣物。」

「我們來看看你們有沒有說謊！」

警衛們在袋子裡翻了半天，沒有找到武器，不過卻有一個類似官方的文件。

「站起來，不准亂動！」

「你們要把我們帶到哪裡？」

「去見索貝克隊長。你們去向他說明身份。」

五人被半推半拉到另一座堡壘，同時雙手被綁在背後。

他們一看到高大的索貝克，更加深了他們的恐懼。

「聽說，你們自稱是農夫？」索貝克問道。

「我們以前在托德神廟的土地上工作，」年輕人答道，「後來我們接到命令來這裡。」

「誰的命令？」

「法老本人的命令！」

「為了做什麼樣的工作？」

「在法老送給首長尼菲的田裡耕作。這是人家交給我們的木板，您請過目，聽說上面都寫得一清二楚。」

它用非常官式的文體寫成，內容與農夫所言不差。

「隊長，」索貝克的一名部下說道，「一名哨兵通知我們有一大隊人馬朝這裡過來！」

「這回是來真的……把這五個傢伙放到一邊去，不要鬆綁。他們這幾個故意偽裝，來試探我們的防禦措施。立刻通知其他堡壘和村子。」

索貝克受過嚴格的訓練，隨時都可以給敵人來個迎頭痛擊。

然而是誰發動的戰爭，是塞特裔二世或阿孟美斯？也許是剛即位的法老想要藉由最具象徵性的真理村來表示他的權力，或者是他的兒子採取的第一個行動藉以示威。不管是哪一種，勢必免不了有一場對立。

「至少有一百多人帶著驢子，隊長，可是很奇怪……帶頭的人好像是莫希將軍！」

索貝克皺了皺眉頭。如果莫希選了他最好的一百名部下，就算這些努比亞警察再勇敢，恐怕也打不過他們。

看來，總攻擊已經開始了。索貝克大可以帶領部下棄械投降，甚至與對方聯手；但他決定誓死抗戰到底，這是對他自己的忠誠，也是對他所愛的行會所表示的忠貞。

「越來越奇怪了……隊長，莫希的士兵好像沒有帶武器。」

「我們的哨兵有沒有看錯？」

「沒有，他們已經確認了。」

索貝克走出堡壘查明情況。莫希從馬車上下來，他的部隊全立在原地不動。

弓箭手怕自己看錯，因此箭在弦上，隨時準備發射。

「您有何貴幹，總司令？」

「我親自率領人馬，將法老塞特裔二世送給真理村的禮物帶來。這是清單，上面有皇室的蓋印。」

索貝克既驚訝又懷疑，因此仍舊保持警戒狀態。

「我必須搜查這些人，以確定他們沒有攜帶任何武器。」

* * *

一瓶瓶黑色及綠色的眼影墨、一罐罐的香膏、一甕又一甕的蓖麻油、芝麻油和橄欖油，一些用於頭髮及皮膚的保養油……法老送給了行會一批價值不斐的化妝品，助理書記伊姆尼幾乎跟不上肯伊的速度，手腕寫到痠痛無比。

皇室的信是寫給陵寢書記和首長兩人，信中表達了國王夫婦對行會的信心，同時要首長在國王谷地為法老選擇其陵寢所在地。由於國王有要事在身，因此短期內無法前來底比斯，但陵寢的建築可立即開始動工。

「一切都恢復了秩序。」尼菲說道。

「我不是這麼有把握。」智女不同意地說道。

「妳對法老的話有所懷疑嗎？」

「如果他不敢前來底比斯，表示他怕阿孟美斯王子會有強烈的反應。」

「塞特裔不是為了鞏固東北邊境的軍防，才無法前來的嗎？」

「你我都很清楚，一位新法老的首要工作之一就是到底比斯祭拜祖先。塞特裔裹足不前，證明了他的懦弱，人也不如其名。」

這是一種相當嚴厲的批評，可是首長找不出反駁的話。

「還有另外一件事情令我很擔心，」她說道，「而且要解決這個問題還不是那麼容易。」

「我可以幫妳忙嗎？」

「恐怕不行，」她露出笑容說道，「國王送的禮物有一大部份會放在廟裡，但剩餘的必須分配給哈托爾女祭司們，而她們每個人都有自己的品味，也很有自己的主張……因此，接下來的幾個小時有得瞧了。」

卡萊兒說的沒錯。女祭司們爭得面紅耳赤，每個人都有一個冠冕堂皇的理由，這個年資最久、那個皮膚過敏，大家都想多拿一點。

只有碧玉沒有爭著要，她的美宛如是女神對村子的一種保護，讓女祭司們無話可說，而自動讓給她。娃貝特的表現則相當有技巧，年輕的牛妞也拿到了大部份想要的東西，而且還不忘拿一大甕蓖麻油給她的老丈夫。

智女在村內試圖維持大家的秩序，而尼菲這時走出村外，來到第一座堡壘，裡面的五名農夫正在擔心自己是否能活著走出去。

尼菲把索貝克拿給他的官方文件看過後，明白了一件事：法老送給他一塊大麥田，位於百萬年大神廟附近，並支薪給這五名農夫，讓他們來耕作，而收成所得則歸尼菲所有。

「是不是該立刻為他們鬆綁，索貝克？」

「您得為我的立場著想，尼菲：我原把他們當作是危險份子，因為他們有可能扮演聲東擊西的角色，讓後面大隊的人馬來攻擊村子。」

「你的出發點是好的。我們絲毫懈怠不得。」

「您對法老所賞賜的這一切似乎不甚滿意……」

「智女認為只有法老親臨底比斯，內戰的危機才有可能解除。」

「莫希將軍也這麼認為，」索貝克同意道，「根據他的說法，阿孟美斯尚未正式承認他父親的政權，這不是一個好兆頭。」

* * *

「依我看，」卡洛對狄弟亞說道，「情況已經明朗化：塞特裔二世趁阿孟美斯還在底比斯醉生夢死的這段期間，先拿下北方和孟斐斯的政權。」

「這麼做有違法老一貫的政權，以及瑪亞特的精神。」狄弟亞邊做伊西斯守護結邊說道，「如果上、下埃及形成對立，造成國家南北分裂，我們會面臨很大的災難。塞特裔將無法忍受自己的王位動搖，而埃及也會進入無政府的混亂狀態。」

「時代改變了，」圖弟也加入了談話，「塞特裔也許先穩固自己所擁有的地盤，以避免情勢逆轉。」

「我比較悲觀，」烏奈士說道，「我的直覺告訴我，這是暴風雨前的寧靜。」

「那就讓我們及時行樂吧！」帕伊邊說邊把蛋糕分給同事，「這是我自己做的，既鬆軟又可口。」

「帕尼泊讓我有點擔心，」狄弟亞說道，「他平常是個情緒外露的人，可是我覺得他越來越陰鬱了。」

「我想我知道為什麼。」烏奈士說道。

「那就說呀！」

「你們難道猜不出來？」

狄弟亞搔搔頭。

「你總不會認為是……」

「正是。」

「你們認為他真的想當首長？」帕伊問道。

眾人的沉默無異是回答了帕伊的問題。他們的確有這種想法。

「以他的年紀要挑戰這個職位，不是有點太年輕了嗎？」

「帕尼泊一點機會都沒有，他自己可能也意識到這點，」烏奈士判斷道，「所以他才會越來越不快樂。等到他真正失敗的那一天，他的快樂也將永遠離他而去。」

「你好像很高興看到他失敗，烏奈士。」

「我最討厭那些自以為是的人了。看到他們不自量力而摔得鼻青臉腫，是我最大的享受。比帕尼泊有才華的工匠多得是，連他們都謹守本份，專注於自己的工作，不會狂妄到想要掌握原料。」

在村子西邊的山峰上，陵園裡傳出一陣沉悶的聲響。帕尼泊剛剛推動一塊巨石，將尼菲陵墓的入口堵住。他在這裡工作了一整天，完全無視於村子為了法老所送的禮物而舉辦的歡樂慶典。

20

溫柔的胴體、醉人的體香，美麗的碧玉帶領帕尼泊再創愉悅的顛峰。每一次兩人肉體的結合，總是能夠讓帕尼泊發現她新的一面，而給予他無限想像的空間。

他們自繾綣的愛慾中回到現實，兩人宛如再生般彼此凝視著。

「妳永遠都不會老，碧玉……妳有什麼秘方？」

「哈托爾女神的魔力。」

「妳難道不曾尋找過原料嗎？」

「我們的路與工匠的路完全不同。」

「可是妳們一定也在用它，我很肯定！」

「哈托爾本身不就是一個大愛，將所有的生命形式都結合在一起嗎？」

「如果原料指的就是這個愛……」

「人家說你一整天都悶在尼菲的陵墓裡，也不讓人看你的作品。」

「是真的……只有肯伊受到特別待遇，尼菲給他看過其中一幅壁畫。之後我便將入口用一塊巨石堵住，連尼菲也沒看過我代表作的全部。」

「你對原料一無所知，會不會有失敗的危險？」

「真正的失敗，是在樹林裡等著找到它，不管是火或是其他什麼東西之類的！一味地花時間想知道什麼是原料，等於是浪費生命。我要不就是有能力完成一個代表作，要不就是沒有能力；原料對我而言，就是我的心與手的結合，而且只有一件事是真實的，那就是實際去做。而我會做的，就是繪畫。」

一陣尖銳的叫聲引起了他們的注意。

「是大壞蛋！」碧玉圍了一件麻質的披肩去開門。

那隻黑黃相間的大鵝努力嘎嘎叫著，一副想要進去碧玉家的樣子。

「我覺得大壞蛋似乎想跟你說話，帕尼泊。」

「我？怎麼……喔，說得也是！我快遲到了。」

* * *

帕尼泊是最後一個來到行會議事堂報到的人。

「我正準備把門關上呢！」卡洛不滿地說道。

「重要的是門還沒關上。」

每個工匠在自己的位子上坐了下來，首長照慣例向祖先祈禱，請求他們繼續保護行會。一聽尼菲嚴肅的聲音，右隊的工匠馬上知道他要宣佈的事，一定不是什麼好消息。

「在新命令下來之前，法老沒有計劃前來底比斯。」他說道，「不過他仍然交代我們開始準備他的陵寢。因此，我們明天就出發到國王谷地，以便選定陵寢所在地。」

「萬一所選的位置令法老不滿意，該怎麼辦？」費奈德擔心地問道。

「我們到時再看著辦。」

「為什麼法老不來看我們？」奈克特問道。

「因為他的兒子阿孟美斯在底比斯。」

「他現在到底有沒有明確的動向？」

「還是不清楚，不過他既然沒有誓言效忠他父親，就等於是他在準備拿下阿蒙神城的政權。」

「南方對抗北方……我們根本是在暴風圈裡嘛！」

「眼前我們有皇室的陵墓要建造，沒有什麼比這個更好了。」帕尼泊說道。

「那左隊呢？」伊普伊憂心地問道。

「在海伊的帶領下，他們在皇后谷地工作。有一些岩石因為質地不好，所以有些舊的陵墓需要整修。」

「你是否已想好陵寢的藍圖了？」卡烏問道。

「我們到了現場再討論吧。」

首長的回答令工匠們吃了一驚，平常尼菲不會這樣含糊其詞的。

「明天拂曉時刻，肯伊會分發工具，我們接著便出發到國王谷地。」

*　*　*

牛妞天還沒亮就把肯伊叫起床。他胡亂地吞了一塊麵包後便來到保險室，將裡面的木槌、銅鑿、尖嘴鎬等各式工具拿出來分發給工匠們。伊姆尼仔細地把什麼人拿什麼工具都登記下來，接著一小隊人便開始朝山上的小路走去。他們儘可能放慢腳步，以免肯伊跟不上。

「這位老人家的脾氣實在有夠壞，」帕伊說道，「他越來越專制，也越來越煩人。」

「沒有人能夠改變他，」雷努貝說道，「再說，這種路程實在不適合他的年紀。」

「別傻了！」圖弟反駁道，「再過幾分鐘，你就可以看到他爬得比我們還快。他絕對不會錯過到國王谷地的任何機會。那裡與別的地方有所不同；就好像我們獲准活著進入陰間。」

許多人都同意圖弟的想法。當右隊到達山口的休息站時，大夥兒將草蓆、水甕和食物擱置在那裡，嘴邊同時討論著家人、健康等問題。然而當他們開始走向下坡，快要進入谷地時，亦即所謂的「大草原」時，眾人立刻沉默不語，這裡住著法老再生的靈魂。

他們並不是普通的工人，而是負責在一處聖地工作的小組成員，一般老百姓不得進入此一聖地。在進入國王谷地石門的那一剎那，連叛徒都升起了一股莫名的感動。可是他所做的一切，已經不容許他走回頭路，而且他也無法原諒行會。如果正義真的存在，那就應該由他來領導行會，而不是尼菲寡言。

一過了石門，大夥兒很驚訝地發現智女正站在那裡，身上穿著一件金色的長袍。

首長向她鞠躬致敬。

「基於法老不克前來，請帶我們到他陵寢的正確地點。」

卡萊兒將一件金色的罩衫圍在尼菲的腰部，授權他在原石開下第一鑿；他脖子上戴的伊西斯守護結，可以為他驅除邪惡的力量，而專注於所要完成的任務。

智女和首長走在隊伍前面，一行人經過了拉美西斯大帝的陵墓，走在一處石子地上，底下是少有人知的圖唐卡門法老陵墓，接著往西南邊的方向走，然後轉向西邊再往南走，過了圖特摩斯一世的陵墓後，他們在十五公尺遠的地方面對一處懸崖停了下來。

這個地方有點怪異，彷彿不屬於谷地。所有人都有種孤寂、卻不淒涼的感覺。

費奈德來到前面。他聞了聞岩石、擁抱它、觸摸它，並且重複同樣的動作，以便更能親近它、感覺它的脈動，知道它是否同意敞開心房。

「岩石同意了。」他下結論道。

工匠們排成一個半圓形，尼菲走向前。

尼菲查閱了國家最機密的文件之一，也就是所有皇室陵墓的藍圖，得知這個地方、這座懸崖仍是塊處女地。

他用木槌將金鑿往原石敲下去，讓它孕育出未來的陵寢。

大夥兒的心縮得緊緊的，行會將再度讓一座全新的陵寢誕生在這個世界上。木槌一敲下去，在山裡引起了輕微得幾乎感覺不到的震動，就好像整座山谷同意了他們的工作。

首長退開原地，接著帕尼泊用一把沉重的石鎬開始工作。這把石鎬當年被雷電擊中，神光在它的手柄上劃下了象徵塞特神的動物頭形。

而神光也進入岩石的體內。

* * *

鑿石、運輸碎石塊、清理工具、在山口上的休息站過夜、隔天回到谷地工作……在首長的帶領下，右隊的工匠團結一致，因此工地的工作安排沒有發生任何問題。

只有傑德沒有參與這個階段的工作。多虧智女開的藥方，他的視力問題沒有繼續惡化下去。他在離陵墓不遠的露天工作室裡，正在準備陵寢大門及第一道走廊的裝飾工作。

「這只不過是一種感覺，」他向尼菲說道，「我總覺得這次工作的進度特別快，讓人幾乎以為你很急，這和平常的你不太一樣。」

「的確，我們沒有時間可以浪費了。」

「你是不是得到什麼機密的消息、而不想說出來？」

「沒有，傑德；我試著去適應這個特殊的地點，並且珍惜我們所共度的時光。」

「我並非態度悲觀，可是這並不是一個好預兆。」

「我還不知道……帕尼泊有沒有向你提起他的代表作？」

「有提過一兩個想法……他拒絕任何人的幫忙。依我看，他並不是很樂意離開你的陵墓、暫時停掉那邊的工作；不過看他賣力揮動石鎬的樣子，對於能夠參與創造一個皇室的新陵墓，他可能比快樂還要來得更快樂。這個孩子有很不可思議的工作能力。」

「他這種能力是否足以讓他發現原料?」

「這很難說……成功所需要的長處有那麼多，而哪些才是能讓一個人成功的條件，沒有人知道。你何不交給上帝去決定?」

「你放心，傑德。」

狄弟亞為肯伊準備了一張堅固的三腳凳。在肯伊嚴厲的目光下，右隊始終保持良好的工作進度，尤其是奈克特不斷地與帕尼泊較量兩人的工作速度。

智女的選擇沒錯：這塊山岩完美無缺，並且與工具齊聲鳴唱。

21

自從塞特裔二世即位以來，一年的時間過去了，情勢也似乎沒有太大的變化。法老同意了真理村的工匠為他所選擇的墓地。右隊和左隊在國王谷地交替工作，同時皇后谷地的陵墓修築工作也持續進行中。

阿孟美斯王子始終沒有做出任何的決定，不過他倒是從渾渾噩噩的日子中清醒過來，並且接受一連串的嚴格軍事訓練，這個舉動博得了底比斯軍隊的好感。相對的，法老從未離開比拉美西斯到底比斯來視察軍營，令底比斯軍隊對法老感到很失望。

塞特裔與阿孟美斯之間從未有過聯繫，甚至連一封信都沒有來往；而阿孟美斯始終不承認父親的政權，因此緊張與憂慮的氣氛也一直存在，而且有一個問題不斷地困擾著大家：為何國王從不用某種形式來宣揚他的政權？

的確，他是該鞏固東北邊境的國防，以避免敘利亞——巴勒斯坦造反，然而由於梅仁達當年的鐵腕政策，外敵在短時間內沒有侵犯埃及的可能；法老也的確應該小心一些大臣隨時可能策動陰謀，可是大權在握的百依，似乎也在朝廷嚴密監控著這些大臣，而且有桃賽特皇后的幫助。桃賽特越來越成了一位女性主政者，難道她也能忍受阿孟美斯可能潛在的造反？

在這種似真似假的局勢中，莫希開始變得不耐煩。真理村的寶藏就近在眼前，而實際上卻遠在天邊，再加上叛徒仍未找出「光之石」的藏身之地，而他目前與其他的工匠正在從事塞特裔陵墓的挖掘工作，已經有好幾個月的時間無法與外界聯繫。

好幾次，莫希試圖告訴阿孟美斯有關真理村的特權問題，然而王子卻絲毫不感興趣，只是一味地學習武器的操作。

賽克塔為了增進有關毒藥的知識，把大部份的時間都耗在達克泰的實驗室裡。看著小老鼠在死亡的邊緣掙扎，帶給她莫大的快感。她很想用較大的動物來作實驗，可是達克泰擔心自己受到牽累，因此不贊成她這麼做。

倒是賽克塔的想像力令他非常佩服，有她的作伴，自己的憂鬱症也減輕了許多。達克泰已經不再相信埃及能變成一個現代化國家，也不再相信有朝一日科學及科技能取代埃及的古老信仰，然而看到賽克塔的信心堅定，有時也會帶給他一絲希望，不過這還得配合一個內戰的發生，讓新的力量產生出來。

莫希繼續給法老寫密函，向法老保證自己的忠誠，同時指出阿孟美斯從未放棄過他的野心；莫希當然是竭盡全力說服王子不可犯上。

莫希想了又想，始終不了解為何塞特裔二世毫無動靜。尤其他與猛烈的塞特神同名，照理說早該對這個叛逆的兒子採取激烈的行動！而桃賽特皇后對阿孟美斯一點感情都沒有，為何她不慫恿國王採取行動？

莫希買通了在比拉美西斯任職的一位軍官，趁他前來底比斯探望祖父母的同時，也為莫希帶來一些情報。莫希這回所獲得的消息，不久就會公開證實，因此他迫不及待地來到阿孟美斯的住處，想要第一個告訴他這個消息，並且想像他會產生的激烈反應。

莫希意外地看見兩名車騎軍官與王子在一起，心裡非常的不悅，因為他曾交代過這兩名軍官不准接近阿孟美斯。

「您快來我們這裡，將軍！我每天對底比斯所擁有的武器都有進一步的認識，」阿孟美斯說道，「我對您能夠將這些武器改造到這種地步，真是感到無比的欽佩……您的表情好奇怪！是不是有什麼壞消息？」

「我必須私下與您談談。」

那兩名車騎專家立刻趁機開溜。

「您的部下對您唯命是從，將軍……我也希望自己有一天能有同樣的成就。這需要一點時間，不過我已懂得什麼叫耐心。究竟什麼事這麼重要、這麼急著要告訴我？」

「我猜您一定不斷地在想，為何令尊一點動靜都沒有？」

「我找到了一個結論：光是統治北方，對他已心滿意足。」

「根據我剛得到的消息，事情完全不是這麼一回事。」

王子開始感到好奇。

「您說來聽聽，將軍！」

「桃賽特皇后已經懷孕了。」

「懷孕……如果她生下的是個男孩，我父親將會有另一個兒子！未來他會選這個兒子取代我，與他共同執政，而我將會失去所有的合法性。這就是他與可惡的桃賽特所擬定的計劃！」

阿孟美斯將一把匕首擲向牆上的埃及地圖。這把達克泰所改良的匕首穿破了比拉美西斯一字、深深地插入牆壁。

「皇后什麼時候分娩？」

「再兩個月左右。」莫希回答。

「如果我父親敢如此羞辱我，我絕對不會讓他在王位上坐太久！」

* * *

帕尼泊在國王谷地工作了八天，因此可以回到村子休息兩天。在回家的路上，他腦海裡出現了好幾個計劃。

首先是繼續他的代表作，接著是向尼菲提出一個有關塞特斎陵墓的建議，他想在陵墓的井室內進行一個前所未有的裝飾法。真理村的工匠不會滿足於抄襲，因此塞特斎的陵寢與梅仁達的有極大的差異，裡面的氣氛完全沒有相似之處。不過帕尼泊的這個主意的確很驚人，也許首長會無法接受。

帕尼泊期待著娃貝特已為他準備好一頓豐盛的飯菜等著他，然而他才一進門，娃貝特便迫不及待、哭哭啼啼地鑽進他懷裡。

「妳怎麼了？」

「你來廚房看。」她抽抽噎噎地說道。

廚房裡亂成一團。瓶瓶罐罐碎了一地、鍋子全被打翻、裝木炭的袋子也破了洞，蔬菜散落得到處都是……對於有潔癖的娃貝特而言，這簡直是一場大災難。

「是誰幹的好事？」

「你兒子，還有那隻綠猴子……他們不但沒有乖乖地等我從廟裡回來，反而把我的廚房當作遊戲的場所，結果就變成這樣了！當時阿沛弟急著去上學，連我責備都話都沒有聽進去。」

「妳沒有把他抓住？」

「我們的兒子雖然才只有十一歲，可是他的塊頭比一些成年人還要來得高大。」

帕尼泊安靜得教人害怕。

「我去找他。」

「不要太兇，我求求你！阿沛弟不過是個小孩子……就算他犯了很嚴重的錯，也只能做適當的處罰！」

帕尼泊在妻子的額頭上輕輕地吻了一下。

＊　＊　＊

阿沛弟沒有到學校去上左隊工匠老師的數學課，帕尼泊稍微查了一下，得知他跑到卡烏家裡去了。

「我兒子是不是在你們家？」他向卡烏的妻子問道。

「是的，他來問我丈夫有關數學除法的問題。」

「請把他叫來。」

「你不要進來嗎？」

「不了，娃貝特在等我們。」

阿沛弟出現了，一副滿不在乎的樣子。

「你為什麼沒有到學校？」

「我不喜歡那個老師……我比較喜歡卡烏。他教會我如何解決除法。」

「也就是說，你在投機取巧。」

卡烏清了清嗓子，試圖打圓場。

「事情沒有那麼嚴重，帕尼泊；現在，你兒子已經懂了除法的原理。這不是最重要的嗎？」

「我很高興他弄懂了，也非常謝謝你。來，阿沛弟。」

阿沛弟跑在父親的前面，一副想要溜走的樣子。然而就在離家幾步路的地方，一隻強而有力的大手把他從地面上提了起來，阿沛弟被迫面對帕尼泊憤怒的眼光。

「你為什麼把廚房弄得一團糟？」

「我當時跟小綠猴在玩耍。」

「你比一隻猴子還不如，阿沛弟，因為你不尊重你的母親。」

「我有權利……」

帕尼泊一聲清脆的耳光差點打斷兒子的頭。

「你什麼權利都沒有，只有責任，而第一個責任就是要對你母親尊重。是她把你生下來，有超過三年的時間，都是她用母奶餵你，連你的大便她都不嫌髒。是她教你說話、寫字、讀書，是她照顧你的健康。你到她面前跪下，而且再也不准犯同樣的錯，阿沛弟。否則我會打斷你的骨頭，並且把你丟到村子外面。」

22

為了在塞特裔的陵墓內工作，帕尼泊有兩樣必備的工具：一個是折尺，在他不確定的時候，可以用來檢視角度；另一個是含有一切測量單位的眼睛，這個檢尺是傑德送給他的禮物。

傑德設計了一些象徵性的圖案，裝飾於三個相連接的走道，一直通往井室。走道的牆上已經過平整、塗上了白色石膏，畫匠們在上面畫了一些從經文中節錄出來的象形文字，有「拉之頌詞」及「密室之書」；這些經文可以讓國王的靈魂得知光明和冥間每個地區的密名，而靈魂必須通過這些地方才能達到復生。

雕匠製作了一尊國王的美麗雕像，戴著與奧塞利斯同樣皇冠的國王看起來永遠年輕；他將活在陰間之神的復生過程中，並成為戰勝黑暗的太陽化身；同時，一幅壁畫中的塞特裔二世正在向拉神和瑪亞特奉獻供品。

一天的繁重工作已近尾聲，油燈漸暗，然而在巨岩內剛完成的這個小房間內仍然充滿了生命。

「我們何時開始鑿靈魂之井？」帕尼泊向首長問道。

「我們不鑿它。」

帕尼泊感到很意外。

「它有存在的必要！當木乃伊棺經過水井時，它將釋出能量，讓死亡消失。」

「這個能量叫什麼名字，帕尼泊？」

「它叫努，是自生之神、創作力之父，也是所有生命的來源。」

「你還記得你畫過的經文，但你是真正否了解了它的意義及重要性？不管有沒有鑿井都是其次；你要把努放在心靈中，與我們緬懷祖先的方式一樣，同時要知道那些象形文字和祭祀的畫面已賦予努真實的力量。重要的，是努本身。對於某些人，努就像是一種混沌、是一種無法想像的黑暗、是我們的頭腦永遠無法理解的巨大宇宙，甚至令人感到暈眩；但對於其他人就不同了，祂在萬無一物之前即存在，在萬物產生之後也繼續存在，祂是無形的生命本源。當你挖一道地基準備建築廟宇時，你已接觸了努；河水氾濫是祂的一面，微風吹過是祂的另一面，而當你睡著時，你是和祂在一起。太陽神舟是航行在努之中；所有的創造都是來自於祂。肉眼可見的世界並非是極限，一旦你能夠超越這種觀念，你便進入了努之中。」

「這是否意味著國王谷地是祂的面貌之一？」

「是的，帕尼泊，國王谷地位於努之中，我們的國家、偶然浮現的小島都在其中。這個無止盡的能源將我們包在裡面，不斷地滋潤我們的心靈與身體。陵寢表達了祂所有的力量，身為真理村工匠的我們，在建築一座陵寢時，有幸也有責任活在努之中。當原始物質被轉變成一種和諧時，原始的能源已在無形中表達了出來。若沒有它，我們挖的只不過是陵墓，而不是永生之所。」

「你是否正在告訴我，努就是……原料？」

「時候已不早了，帕尼泊，你不是要告訴我，你打算如何去裝飾這個房間嗎？」

*　　*　　*

「你確定？」帕伊對妻子問道。

「確定。」

「這一次真的是太過份了！我是個很好商量、也很有耐心的人，但可不要把我惹火了。」

「該怎麼辦？法庭不見得會認為我們有理，如果是肯伊主持法庭，那就更別提了。」

「這是我的權利！」

「那麼，你就直接了當告訴他吧！」

帕伊受到妻子的鼓勵，前去詢問他同事烏奈士和卡烏的看法，他們也認為他受到不公平的待遇，因此一同陪他來到肯伊的辦公室。

陵寢書記正在翻閱一些不甚重要的官方來函，他向這三個人瞄了一眼。

「又有什麼事了？」

「你一定要聽我說，肯伊！」帕伊氣鼓鼓地說道。

「你們有什麼事要說嗎？」

「這件事一定要說！為什麼你不把該我的啤酒分配給我？家裡連一瓶都沒有了，而我拒絕受到這種不公平的待遇！有苦差事的時候，你會毫不猶豫地叫我做；可是當你在分配好酒的時候，卻忘了叫我。」

「這是為了你好。」

「什麼，為了我好？」

「你已經有點太胖了，帕伊，喝啤酒對你的身體不好。」

「你根本不配當一個陵寢書記，我不需要你來教我怎麼做！」

「錯了，帕伊，如果你生病了，你的缺席會延誤到整隊的工作，而進度如果落後，大家都會受到影響。我們目前正在全力建造皇室的陵墓，所以我必須要注意你的健康問題。你的朋友也不准讓你偷偷地喝，一旦被我發現有這種情形，我只好採取必要的措施。」

三個人憤憤不平地離開了。他們彼此互看一眼，心想肯伊簡直比石頭還要來得頑固。

＊　＊　＊

陵寢書記坐在他的三腳凳上，雙手撐著枴杖。他等著右隊把塞特裔陵墓內的燈點上，準備和尼菲談談。

「你隊上的工匠情緒都很煩躁，尼菲，左隊也好不到哪裡去。這個禮拜，海伊甚至還責備了他們兩次。我限制工匠們烈啤酒的配給，以免喝了酒胡思亂想。」

「他們的憂心不是沒有道理，」尼菲為工匠們說話，「他們為法老準備他的陵墓，而法老卻不屑來參觀，所以很不高興。」

「如果大家賣力工作，就不會有時間去煩心！」

「每個人都知道桃賽特和塞特裔二世生了一個兒子，這件事將會引起阿孟美斯王子很大的反彈。」

「如果他夠聰明，就不會與他父親作對！塞特裔會帶他的小兒子來祭拜卡納克的阿蒙神，阿孟美斯到時在合法的國王面前行禮如儀，一切就沒事了。」

「我很高興您這麼樂觀，肯伊。」

「別以為我真的這麼樂觀，尼菲，這只不過是表面的！我聽說阿孟美斯和卡納克的總祭司見過幾次面，還有底比斯當局對於他態度的徹底改變，感到很驚訝。他經過了一段醉生夢死的生活後，現在已變成了一個真正的軍人，有能力到前線指揮作戰。這種強烈的作戰意志不是一個好兆頭。」

「有些人只會想、不會做；希望阿孟美斯是屬於這種人。此外，莫希將軍不是負責保護我們嗎？」

「只要皇室一個詔書下來，就可以除去我們的這個保護！」

「我們正在為他建造陵墓，他沒有理由對我們不利啊！」

「桃賽特皇后不是很討厭真理村嗎？她曾經試圖找她的心腹來取代我，正是希望能夠破壞真理村。」

「可是她失敗了，」尼菲提醒他，「這證明了國王夫婦認為我們的工作非常重要。」

「最近這段時間，」他低聲說道，「我不是很欣賞烏奈士的態度。他老是鼓動一些人來發動抗議，而且自己身居幕後，彷彿想要暗中破壞這個小團體。」

「您不妨有話直說，」首長說道，「您是否認為他就是背叛我們的人？」

「我沒有掌握任何烏奈士犯罪的證據，不過我建議你防著他一點。」

「沒有更具體的事實嗎？」

「什麼都沒有。為什麼把井室的周圍弄得這麼神秘？」

「帕尼泊向我做了一個頗為大膽的提議，而我接受了這個提議，他也開始在畫。」

肯伊皺起了眉頭。

「我不希望皇室的陵墓裡有什麼大膽的裝飾！」

「這是一個非常特殊的情況，因為我們必須在法老沒有參與的情況下做出決定，同時也不知道未來會如何發展。這些不確定的因素是不是有必要考慮進去？」

「如果帕尼泊的建議不合適，到時得全部塗掉並重新開始。」

「您來看一下。」

肯伊一肚子不高興的走進第一道走廊，同時仔細的檢查牆上的經文，深怕會發現有什麼離經叛道的內容。然而他不但沒有看到任何的瑕疵，甚至發現牆面的粉刷工作做得非常好。至於上面的祭獻圖案，也完全符合傳統的模式，不過還得看看井室內是什麼樣子。室內的十盞燈散發出強烈的光芒，將帕尼泊畫中的每一個細節都完全襯托出來。

沒有祭獻的畫面、沒有諸神的影像，取而代之的圖案，是那些陪葬的聖品：一隻隼、一條眼鏡蛇、一隻公牛、一隻豺、一隻朱鷺、一隻鱷魚，以及法老的各式面貌，有坐在神舟、握著權杖、腳下是豹的法老，也有法老變成裸體小孩玩叉鈴的模樣出現，還有捧著皇室祭品的法老。

「圖弟會用金子打造這些聖品，」首長強調道，「除非行會被捲入一場混亂。萬一不幸發生這種事，國王也不再缺任何東西，因為這些畫一經過儀式的洗禮，便成了真實的生命。」

肯伊驚嘆得說不出話來。帕尼泊用細細的紅色線條勾勒出某些圖案的輪廓，其餘全用金色作畫，雖然他運用的線條很簡單，但卻充滿了各種不同的力量，它們將永遠伴隨國王的靈魂在冥間旅行。

「您還滿意嗎，肯伊？」

「豈止是滿意而已。」

23

「桃賽特皇后剛生下了一個兒子。」莫希用沉重的語氣宣佈了這個消息。

阿孟美斯王子凝視著窗外的底比斯總軍營，身體背對著莫希。

「我父親做何打算？」

「他希望封這個孩子為太子，這也是皇后的意願。」

空氣中有一股令人窒息的沉默。

「您沒有告訴我，您的手下的專家已製造了新的戰車，不但比以前更輕，而且也比北方軍隊所使用的戰車來得更堅固。」

「我之所以沒有告訴您的原因很簡單：它還不夠完美。」

「您的兩位技術人員並不是這麼告訴我的。」

「他們太樂觀了。」

「我自會查明。」

「千萬不要做無謂的冒險，而且……」

「從今天起，底比斯到艾勒凡亭的軍隊都由我來指揮，包括監視努比亞邊境的部隊。我仍然讓您保留將軍的官階，不過您必須將我的命令徹底拿去執行。同時對我不能再有所隱瞞。只要稍微走錯一步，莫希，您就會被撤職。」

莫希立刻鞠躬聽命。

「您去把幾名書記找來，我要令他們寫一道詔書。」

「詔書……您是指……」

阿孟美斯轉過身來，莫希幾乎認不出是他。失去贅肉的臉龐、銳利的眼神、威嚴的表情，他完全變了一個人。

「朕說的還不夠清楚嗎？」

「臣立刻照辦，陛下。」

阿孟美斯露出了勝利的笑容。

「您仍是一個聰明人，將軍，這樣最好。等朕寫完詔書，我們就到卡納克。」

＊　＊　＊

「阿蒙神之子」阿孟美斯在卡納克總祭司的祝福下加冕成為國王。他娶了一名原籍非埃及人的底比斯女子，並住在底比斯的皇宮內。

底比斯的高官貴人都承認阿孟美斯為新法老，向他高呼萬歲，而他也要求大家對他忠貞不貳。

無數的信差立刻啟程到全國每一個省份，來散發這個消息：埃及又重回統治時代，很快就會恢復過去的繁榮。

阿孟美斯的朝臣們全參與了隆重的慶祝酒宴，大家勉強擠出快樂的笑容，裝作一副沒事的樣子。賽克塔則在宴會中不斷地對法老送秋波，故作嬌態。

她一回到家裡，馬上脫下了衣服，叫人為她按摩。精神恢復了以後，便來到莫希的辦公室。

「你還在工作呀！今天不是慶祝的日子嗎？」

「我必須立刻去信給塞特窩，告訴他我已沒有自主權，然而我還是效忠於他。」

賽克塔坐到莫希的大腿上。

「情勢越來越刺激了……兩個法老、一對彼此仇視的父子、一場即將要爆發的內戰……我們的運氣真的很好！」

「我們必須步步為營，親愛的，因為年輕的阿孟美斯變了很多。我原希望把他當傀儡來操縱，不過他已完全清醒，成了軍隊的領袖。」

「誰會先發動戰爭？」

「這就是問題所在。攻擊者將會被視為造反者，老百姓怕他會引來諸神的懲罰。」

「這些古老的迷信什麼時候才會消失啊？所以說，最好把阿孟美斯逼到死角，讓他失去耐心……我們的軍隊不是比塞特裔的軍隊來得優秀嗎？」

「這很難說。如果塞特裔把駐紮在邊境上的部隊都調過來，他就會擁有一群驍勇善戰的士兵。令人擔心的事情還在後頭：阿孟美斯已開始對我有戒心，他有可能會不徵詢我的意見而自作主張。」

「這就麻煩了，我的親親……希望我們所做的一切努力不至於化為烏有！」

「不，當然不會。」

* * *

帕尼泊花了一天一夜的時間看著天空，以便觀察太陽的金色、月亮的銀色，以及穹蒼的深藍色。首長在陵墓內的那番話讓他的心胸更開闊。

現在，帕尼泊已經能夠感覺到努的脈動，以及祂無所不在的能量。

這也就是為何他能走在於沙漠中、無懼於毒蛇猛獸的原因。然而帕尼泊仍感覺到自己必須跨越有形的觀念限制，讓無形的能量豐富他的作品，這個能量藏在井室內，藏在從天而降的雨水中、讓土地肥沃的氾濫河水裡，或是沙漠的熱氣之中。

帕尼泊翻越一座小山丘，立刻警覺到有一個低沉的呼吸聲。他慢慢轉過身來，發現一隻巨大的豺就在他面前，黑色的毛在銀色的月光下閃閃發亮。

帕尼泊馬上聯想到引領死者到冥間法庭的阿努比斯神，可是他絲毫不感到害怕。這隻動物是如此的美麗，既然牠出現在他面前，他不妨跟著牠走。

當豺開始移動時，帕尼泊毫不猶豫地跟著牠。他一路跟在後面，彷彿覺得已走了一段遙遠的路途，而實際上牠是帶領著他前往真理村附近的山丘上。

爬上了一面斜坡、越過了一座山脊、走進了一條小路，然後牠在尼菲陵墓的入口處停了下來。

是的，他想得沒錯！

這裡就是他要完成代表作的地方，他必須發揮自己的所有才能，加上宇宙與諸神的能量，將過去師傅所教的一切表達出來，才能無愧於天地。

帕尼泊向豺一磕頭，牠便消失在黑夜中。他移動入口處的大石塊，然後把自己關在陵墓裡面，繼續進行他的工作。

* * *

村子裡的婦女做完清晨女祭司的工作、將祖先的供桌上擺滿鮮花後，便來到村子的大門口領驢隊送來的水。她們很快就發現一向準時的娃貝特沒有出現。

「她應該是生病了。」帕伊的妻子猜測道。

「我去看看。」碧玉決定道。

前來開門的是阿沛弟。

「你母親是不是生病了？」

「她一直哭到現在。」

美麗的碧玉走進了屋裡。娃貝特躺在床上，把臉埋在枕頭裡。

「是我，碧玉。」

娃貝特猛然轉過身來，用憤怒的眼光盯著碧玉。

「妳……妳居然敢！為什麼妳如此殘忍？」

「我不懂，娃貝特。」

「妳對妳的勝利還不滿足……一定得跑到我家來羞辱我妳才甘心嗎！」

「妳到底在說什麼？」

「帕尼泊終究還是在妳家過夜了，不是嗎？」

「妳錯了，娃貝特。協議就是協議，我絕不會違背這個默契。」

「妳說的是事實，碧玉？」

「我曾對妳說過謊嗎？」

娃貝特一下子慌了起來。

「我原先以為帕尼泊留在妳家，因為他想離婚，然後再和妳結婚。」

碧玉坐到床邊。

「不要擔心，這不過是一個惡夢罷了。我一輩子都不會結婚的，不管是帕尼泊或是其他人，絕不會令我改變主意。」

「那麼……他到底跑到哪裡去了？」

「我不知道。」碧玉坦承道。

「一定是那些石匠！」娃貝特激動地說道，「他們一定是因為討厭帕尼泊，所以群起攻擊他，然後丟下受重傷的他一個人在村外。」

她們兩人一路跑到卡沙家裡，卡沙那嬌小、不友善的妻子正在門口掃地。

「我們想見卡沙。」娃貝特說道。

「我老公在睡覺，而且打算睡晚一點。以首長要求的這種工作速度，石匠們需要好好的休息。」

「他有沒有向妳提起和帕尼泊有爭執？」

「我們的老公是絕對處不來的！我們最好習以為常。」

她「碰」一聲把門關上。娃貝特和碧玉轉而來到奈克特家裡，他手上拿著一大塊塗有白乳酪的麵包，正狼吞虎嚥地嚼著。

「帕尼泊？昨晚就沒看見了。」

「你沒有跟他打架？」

「很可惜沒有……總有一天，我會打得他滿地找牙。」

卡洛和費奈德也沒辦法給她們任何的消息。於是她們準備去問村子的其他居民，並通知首長。這時，碧玉突然想到帕尼泊最近的重要心事。

「他一心只想原料和他的代表作……說不定他在尼菲的陵墓過了一整夜？」娃貝特質疑道。

當她們抵達尼菲的陵墓時，入口處的大石塊正好在移動，露出了帕尼泊的身子，他被陽光照得一時睜不開眼睛。

除此之外，他一點倦態都沒有。

「妳們在這裡做什麼？」他驚訝地問道。

她們還來不及回答，就聽見村子裡傳來一陣不尋常的喧嚷聲。

24

數名工匠跑到村子的大門口。

「我們去看看。」帕尼泊說道。

娃貝特和碧玉跟在他後頭，三個人很快地下了坡、來到村子與其他人夾雜在一起。

「發生了什麼事？」帕尼泊向擠在人群中的圖弟問道。

「聽說有一道皇室的詔書；大概是塞特裔宣佈要來村子吧。」

「要不就是他希望更改自己的陵寢所在地和裝飾。」帕尼泊憂心的問道。

肯伊將寄自底比斯皇宮的詔書交給首長，大家都圍在尼菲身邊。

「阿孟美斯已加冕成為法老。」他宣佈道，「而且他將住在阿蒙神城內。」

許多人聽了並非很驚訝，不過他們原先一直希望阿孟美斯會放棄爭取最高權力。

「他為什麼下了這個決定？」卡烏問道。

「因為阿孟美斯拒絕承認塞特裔和他小兒子的合法性。」

「莫希是否仍然負責保護我們？」卡洛擔心地問。

「我不知道。」尼菲坦言道。

「我們到底該認哪一位法老？」雷努貝問道。

首長變得沉默不語。

「我們不得不選擇最近的一個。」肯伊說道，「現在底比斯部隊由阿孟美斯來指揮，他絕對不會容許我們有任何的反抗。」

「萬一我們投向他，而他又被塞特裔打敗，塞特裔到時會將我們的村子夷為平地！」費奈德反對道。

「照肯伊的說法，我們沒有別的選擇。」伊普伊提醒他。

「而我們還有一個任務要完成，」尼菲堅定地說道，「那就是完成塞特裔二世的陵寢。因此我會帶領右隊到國王谷地繼續工作。」

* * *

工匠們非常熟悉通往「大草原」的路，但目前的局勢烏雲籠罩，這條小路可能變得很危險。因此首長要求索貝克和幾名警衛護送右隊。

「你對阿孟美斯的詔書有何看法？」尼菲問索貝克。

「很不以為然。他應該和他父親妥協，而不是與他對立。」

「面對他的士兵，你會做何反應？」

「我的責任是要保障你們的安全，不受任何的威脅。」

「萬一情勢惡化，放下武器，不要做無謂的犧牲。」

「我的部下不會畏懼任何的挑戰，而且他們服從我的命令。」

「與法老指揮的士兵做戰，將會有罪，索貝克。」

「真理村已成了我的生命。如果我不為了挽救它而奮戰到底，我會瞧不起我自己。」

右隊於中午以前抵達了國王谷地。那裡的哨兵沒有接到任何的新命令，所以讓他們過了。

陵寢書記吃力地在凳子上坐下，工匠們一如往常拿著工具來到他面前，讓他一一登記下來。大家都顯得很沒勁兒，只有帕尼泊仍積極地沿著三道走廊將燈點燃。

井室的裝飾工作已完成，工匠們在它之後繼續挖築另一個房間，裡面有四根立柱，牆面將會有「門經」的節錄經文。同樣地，帕尼泊對這個房間也有一個全新的建議：在每根立柱的每一面各畫一位神，然後讓祂們之間對話。卡烏、烏奈士和帕伊三人勾勒出紅色的輪廓之後，傑德再用黑色墨汁做了幾個修正，尤其是臉部的弧線；然後，帕尼泊用各種不同的顏色畫出了奧塞利斯、卜塔、阿努比斯、何露斯，以及其他諸神正在接受法老獻祭的畫面。

石匠們繼續往裡挖，細木匠和珠寶匠則準備塞特裔二世的陪葬品。大夥兒一恢復了工作步調後，便忘卻所有的煩憂，專心致力於工作上。

「尼菲，你快來！」肯伊在陵墓入口叫道。

尼菲立刻跑了出來。

陵寢書記的身邊，站著一名努比亞警衛。

「一些士兵往國王谷地這兒來了，索貝克隊長在等您的指示。」

「你做何決定？」肯伊焦燥地問道。

「國王谷地必須維持它的神聖性，並且不能侵犯它。」

「阿孟美斯身為法老，有權力進入國王谷地。」陵寢書記提醒他。

「您與所有的工匠都留在這裡。」尼菲命令道。

「我陪你一起去。」帕尼泊對他說。

索貝克兩臂交叉在胸前，和幾名努比亞警衛站在谷地入口處。他們兩眼盯著前方的一條路，並且有哨兵不時地前來報告。

「一共有多少人？」首長問道。

「百來個。」

「我們可以打敗他們。」帕尼泊盤算著。

帕尼泊第一個看到大批人馬的帶隊者竟是莫希本人。

座車在二十公尺外停了下來，莫希四面威風地下了車。他的身後有弓箭手架著弓、隨時準備射擊。

尼菲走向他。

「我寧願不是在這種場合下見到您，」首長說道，「然而命運總是為我們安排了一些意想不到的事情。」

「我想您已看了阿孟美斯法老的詔書？」

「真理村的所有居民都已知道這個消息。您是否還負責保護我們？」

「國王已解除了我這項任務，不過我不知道他真正的想法是什麼。我身為將軍，必須要服從他的命令，不管是什麼樣的命令。」

「包括您認為不合理的命令？」

「阿孟美斯是實際掌權者，我只不過是一個執行者。新國王要求服從，而我不認為他有很大的耐心。」

「我是否該提醒您，行會是為真理村的最高主人塞特裔二世工作？」

「最好避免這種主張。」

「阿孟美斯在他的詔書中，並沒有說明他打算承當這個角色。」

「我再向您重複一次，對於你們，我不知道他做何打算。」

「在沒有進一步消息之前，我仍視塞特裔二世為村子的主人。因此，我們會繼續完成他的陵寢。」

「您得放棄這個計劃，首長。」

「正好相反，我有責任將它完成。」

「阿孟美斯派我來這裡，是為了命令你們立刻停止陵墓的工程。不管我心裡怎麼想，我沒有別的選擇，您必須要同意。」

「假使我拒絕呢？」

「我會將您的答案轉告給陛下，但我以朋友的立場勸您不要有這種態度。我可以告訴您，阿孟美斯需要鞏固他的政權，所以他不會接受這種侮辱。」

「既然情況如此嚴重，我必須與行會成員商量。」

「我會向國王解釋真理村的傳統，試著先暫時安撫他，不過您別想藉此爭取時間，也不要輕視了阿孟美斯的決心。」

「您是站在哪一方，莫希？」

「我已經是進退兩難，但我仍然、也永遠會站在你們這邊，首長，因為你們代表自古以來的傳統道德，它的消失將會是一場災難。如果阿孟美斯做得太過火，我會試圖去阻止他；但請不要把事情複雜化。」

「您明天早上就會有我的答案。」

「在這之前，請幫我一個忙：停止塞特窩的陵墓建築工作，並離開國王谷地。這個善意的做法有助於撫平阿孟美斯的情緒。」

「我答應您，不過這些努比亞警衛必須留在這裡站哨，而且您也不能強行進入。」

「阿孟美斯沒有命令我這麼做，我也希望事情不會發展到這種地步。」

莫希轉身回到隊伍中，心裡暗自希望尼菲繼續固執下去；如果他拒絕服從新國王，勢必會令阿孟美斯遷怒到整個行會，而行會不久將會沒有防衛能力。他屆時再建議國王以軍事行動來嚴密控制真理村，並由他來負責監視，如此便能奪取它所藏的珍寶。

由於右隊比預定回程的時間提早了許多，因此謠言四散、令所有的村民驚慌失措：阿孟美斯是否即將要結束工匠們的工作，並且拆除真理村？

肯伊堅定的說詞稍微穩定了民心，但他不否認行會的確是面臨危險，而且必須很快做出決定，而這個決定關係著行會的未來。在智女的同意下，碧玉立刻帶著一群女祭司到一座廟裡，祈禱女神的保護。

連小綠猴也不再調皮搗蛋；巨鵝大壞蛋則守在村子的大門邊。

左右兩隊工匠聚集在瑪亞特及哈托爾神廟的院子裡，智女和陵寢書記也同時在場。大家臉上的表情都很凝重。

25

「阿孟美斯國王要求我們停止塞特裔二世的陵墓建築，」首長宣佈道，「如果我們拒絕，他會用武力干涉。無論莫希個人的意願如何，他都必須服從，而我也請索貝克隊長不要堅持，以避免一場流血戰爭。」

「阿孟美斯是否宣稱他是真理村的主人？」伊普伊問道。

「還沒有。」

「既然如此，我們只服從塞特裔二世。」

「這樣做等於是置我們於死地，」肯伊說道，「阿孟美斯拒絕看到他父親在他的領土上受到尊重。」

「國王谷地並不在這種權力範圍內。」左隊隊長海伊強調著。

「很不幸的，」智女說道，「塞特裔並未前來主持他陵寢建築的動工儀式。」

「我們要理性一點，」圖弟建議道，「莫希已經無法再保護我們，而首長又拒絕索貝克的部下作無謂的犧牲。總不能教我們去和法老的士兵作戰呀！」

「我們要想到家裡的妻小，」歐塞哈特說道，「萬一我們因為抗拒而被抓起來關到牢裡，家人該怎麼辦？」

「我們已經盡到了我們的責任，」卡洛附和道，「再說，我們也沒有能力對抗他們的力量。我找不出任何拒絕服從的理由。」

每個人都說出自己的看法，大家儘管有些憤怒，卻也不想與阿孟美斯對抗。

「不過我有一個條件，」尼菲說道，「由我來親自封上塞特啻的陵寢大門，而且軍隊不能進入谷地。」

「我同意首長的作法。」智女作結論道。

＊　＊　＊

莫希等得很不耐煩。為了放鬆自己的情緒，他已經射了一個多小時的箭，卻始終冷靜不下來。勝利就在眼前，唾手可得……等他一拿到真理村的寶物後，這個阿孟美斯將會被他擺平。塞特啻才是一個麻煩的障礙，不過莫希比他擁有更好的武器。

「陵寢書記求見。」副官向他報告。

「請他進來。」

肯伊拄著枴杖、吃力地走進來，然後重重地跌坐在一張扶手椅上。

「歲月的重量已經讓我這身老骨頭快吃不消了，將軍，而我們又活在一個艱難的時代裡。但願諸神保祐我們避免一場痛苦的衝突！」

「當然，當然……真理村的回答是什麼？」

「它決定服從國王，不過也希望陛下儘快宣佈成為行會的保護者，並確認您的責任。」

莫希掩飾住自己的失望。

「不過，有一個小小的條件。」肯伊說道。

莫希又重新燃起了希望。

「什麼條件？」

「首長要親自封住塞特啻二世的陵寢大門，並且沒有任何的外人可以進入國王谷地。」

＊　＊　＊

阿孟美斯逐一檢視了戰車，並且命令木匠將其中一些戰車加強其堅固性。他必須先擁有完善的武器，才能進攻北方。

「真理村接受停止其工程，陛下。」莫希告訴他。

「您原以為他們不會接受嗎，將軍？」

「尼菲寡言這個人很有個性，而且那些工匠也不是很容易掌控。」

「您看到的結果正好相反！現在您立刻到國王谷地，確定沒有任何工匠在工地上，並把塞特裔的陵墓封閉起來。」

「首長拒絕讓軍隊進入國王谷地。」

「您是指……他敢擅自拒絕？」

「而且他還開出一個條件，陛下：他要按照行會的禮俗，親自將陵墓封閉。」

「所以朕還得信任他，並尊重他的意願，是不是這樣？」

莫希無需再火上加油：阿孟美斯的憤怒已足以讓尼菲吃不完兜著走。

「您去向首長說，針對陵墓一事，朕改變主意了。」

莫希一陣緊張，真理村的法力真能強到讓阿孟美斯准許工程繼續進行？

「光是封閉這座陵墓還不夠：朕下令立刻摧毀它，包括所有的雕像、經文和壁畫。」

* * *

尼菲靜靜地走在村子的大街上，望著每一棟房子，心裡想著住在裡面的村民。經過了這些世紀和團體分工合作的方式，行會的成員超越了個人的短處與自私，形成了一股團結的精神和無形的力量。法老與首長世世代代下來，從未讓真理村失去過「光之石」。

這個偉大的歷史，即將要因為一個法老的驕傲、兇殘與仇恨，而成為過去，這一切證明了他毫無統治的能力。

在召集全體工匠之前，尼菲想多花一點時間看看這些美麗的白色房子，和這些村民的歡樂與痛苦、偉大與渺小，他們有幸經驗了團結與友愛的情操。

一個溼溼的鼻子來回磨擦著首長的小腿。

「小黑！你也在散步嗎？」

小黑豎起前腿，擱在主人的肩膀上，黑色的核桃眼中摻雜了不安與信任。

「你放心，我既然說了，就會做到。」

* * *

「明天一早，我們再度出發到國王谷地。」首長向工匠們說道。

「這麼說來，工地已重新開放嘍？」奈克特高興地說道。

「阿孟美斯命令我們摧毀塞特裔二世的陵墓。」

深深的恐懼佔據了每個人的心靈。

「毀壞……」帕伊愣愣地重複這個字眼，「這意味著什麼？」

「將雕像打破、塗去牆上的經文和繪畫，把我們的心血化為烏有。」

「但我們並不懂破壞呀！」雷努貝已失去了平日的幽默、激動地抗議道。

「阿孟美斯要你們大家服從他，並且讓我們了解只有他才能做決定。」肯伊表情沉重地解釋道。

「過去的法老從未表現得像一名暴君！」伊普伊憤慨地說道，「這個命令根本就不講道理，一點意義都沒有。」

「如果我們不照著去做，」圖弟說道，「到時被摧毀的會是我們。」

「我們難道要表現得像個懦夫嗎？」帕尼泊反駁道，「我們進入這個行會，為的是建築和創造！假使這個阿孟美斯恨他父親到這種地步，他大可以自己帶兵去打仗，但他別想教我們去摧毀國王谷地！」

「你有沒有為自己的妻小想想？」卡烏問道。

「若我真的做了破壞陵寢這種事，我才會無顏見他們。」

「而且一旦做了這種可怕的事之後，」烏奈士附和道，「我們怎能有辦法繼續使用那些工具？」

狄弟亞龐大的身驅站了起來。

「當我們獲准加入這個行會時，我們曾經鄭重的立下過誓言。假使違背了這個誓言，我們會遭到自我毀滅的下場。」

「我同意這個看法，」首長說道，「因此我拒絕執行阿孟美斯的命令。」

「你是否明白後果是什麼？」費奈德憂心地問道。

「最有可能的情形是阿孟美斯下令關閉村子，而我將會被冠上欺君犯上的罪名。你們之中，有人不同意我的做法嗎？」

沒有一位工匠發言。

「這是唯一的一條路，」智女說道，「如果我們屈服於阿孟美斯不講理的要求，真理村將失去它的靈魂。」

「不願意因為我而受到牽連的人，請在我答覆莫希將軍之前儘快離開村子。面臨今天這種情況，想要挽救自己前途、家庭和妻小，是人之常情，不是一件丟臉的事。」

卡萊兒站起來。

「首長和我會在廟裡一直待到太陽下山。每個人請自由做出抉擇。」

＊　＊　＊

平常，這個時間是一天中最溫和的時候，連小綠猴都暫時停止了調皮。

首長和智女將神廟所有的門關上，在這處聖地中，只剩瑪亞特金身雕像迎接黑暗，回到生命的根源，第二天再從海洋中浮現。

「我想這大概是我在村子裡的最後一個晚上，」尼菲向妻子說道，「一旦我向莫希說出我的決定，他勢必會叫人逮捕我。」

「他會拒絕去了解我們的理由嗎？」

「不管他接不接受，他主要在乎的是自己的事業；因此會盲目地服從阿孟美斯。我會為村子辯護，說是我強迫你們接受我的決定，所以我是唯一要對這件事情負責的人；但我不知道國王會不會相信。」

「我明天陪你去。」

「不，卡萊兒；真理村需要妳。只有妳能夠結合我們的力量，讓村子面對挑戰。」

「你對我要求太多了，尼菲，我生要與你在一起，死也要與你在一起。」

「妳是行會的母親。若沒有了妳的愛，它怎麼能夠堅持下去？」

他們既溫柔又熱情地擁抱在一起，彷彿命運將不會再賜給他們這一刻，而希望深深地將它留在彼此的身體裡。

26

莫希整整一夜未闔眼。為了發洩情緒，他一如以往般粗魯地和妻子做愛。
雖然經過了獸慾式的發洩，他仍然無法平靜下來。
賽克塔遞他一杯甜酒，他了無興致，最後索性拿出會計帳本，估算著底比斯所擁有的財富，想像自己不久後就要成為它的主人。
賽克塔按摩著他的肩膀。
「我們已非常接近目標，」她嬌聲嬌氣地說道，「但那個該死的首長是否又有什麼意外之舉？」
「我不斷在想這件事，不過尼菲已經沒有退路了。他怎麼能接受去毀壞一座國王的陵墓？阿孟美斯最後還是找出了除去他的最好辦法：不服從國王。沒有人會為一個造反者說情的。」
「誰會取代他的職位？」
「何不讓我們在村內的那位盟友來擔當？如果他能力夠好，他可以得到這個職位。」
「那也得經過阿孟美斯同意。」
「國王會聽我的建議的。」
「你聽了不要生氣，親愛的，我沒有把握他會聽你的……這個年輕的國王有點過於自負，搞不好他會聽信一些軍官的建議，而這些人表面上裝作是你的朋友，骨子裡卻想取代你的位子。」
莫希一點也不敢輕忽她的警告。
「妳放心，我會監控他們的。」

「如果他們走錯一步，」賽克塔舔舔嘴唇說道，「就交給我來處理。」

莫希不排斥這個提議。的確，有些高級軍官已經變得越來越有野心。他們最好是支持莫希，否則自己是怎麼死的都不知道。

「妳說得對，我的小親親，我最近確實不應該在我手下面前表現出軟弱的一面……不過我沒有想到新國王會拿下指揮大權。」

「他有沒有能力指揮底比斯軍隊？」

「若沒有我，那是不可能的事。不過讓他這麼認為也無妨……要攻擊塞特裔的軍隊需要有很精準的策略，而他沒有這個能力。再說，如果少了真理村的技術祕密，要大獲全勝也很難。」

* * *

這一天的開頭作息和往常沒有兩樣：到廟裡晨禱、祭拜祖先、分發驢隊送來的水。然而村裡的婦女不似往常般談心，就好像她們揹負了過重的擔子，以致失去了聊天的興致。

尼菲仔細地刮了鬍子，全身用摻有香精的水沐浴過，然後穿上他的儀式服。

「陵寢書記想見你。」卡萊兒告訴他。

肯伊臉上的皺紋變得比平常更深。

「我是個垂垂老朽，而且在這個村子內代表政府，」他說道，「所以該由我將我們的決定告訴莫希。」

「您很清楚這樣做，對他是不夠的，他還是會馬上召見我。」

「沒有錯……但試試又何妨？你所冒的險實在是太大了！」

「我需要靠您用您擅長的法律知識來為村子辯護。也許我的罪行不會連累到您。」

「我們是不是該派一個人去通知塞特裔？我已經寫好了一封給他的信。」

「這麼做太危險……只要有工匠離開村子，莫希的士兵一定會進行搜身。」

「然而，只有他能救我們！」

「阿孟美斯決定採取迅速的行動，塞特裔無法有足夠的時間趕來底比斯救我們。」

肯伊擁抱了一下尼菲。

「我不會拍馬屁，也不善於表達讚美的言詞……不過真理村可以因為有你這樣一位首長而驕傲。」

尼菲吻過卡萊兒後走出家門，心裡同時想著有多少工匠已經離開了村子，以試圖躲開阿孟美斯的憤怒。

大街上空無一人。除了陵寢書記，大家都選擇了離開一途。

這是一個相當令人難以承受的打擊，尼菲滿心孤寂地走向村子，準備最後一次開啟這扇大門。

就連帕尼泊，他的義子，也寧可帶著妻小去避難。其實，他的想法是可以理解的，而他也選擇了這種作法；尼菲不應該心懷失望，而是要去接受行會消失這個事實，面對當政者，他仍然要為行會辯護到底。

首長拉開門拴，將大門打開。

全部。

他們全體都在那裡等他：兩隊的工匠、哈托爾女祭司、孩童、小黑、迷人、大壞蛋、小綠猴，以及其他的寵物。

「沒有人離開村子。」海伊確認道。

「而我，」帕尼泊說道，「我護送你去。」

「既然大家選擇團結在一起，你有必要留在這裡。」

「我會將代表作完成……答應我回來看它！」

尼菲把手放在帕尼泊的肩上，用堅定的眼光望著他，令他感到一種強烈的震撼。

然後，首長彷彿走向一個平靜的旅程，不疾不徐，頭也不回。

＊　＊　＊

首長的儀表令莫希相形失色，儘管莫希身穿昂貴的褶紋服，極力想表現出高貴的氣質。

莫希雖然居於優勢，但他仍然非常嫉妒尼菲天生擁有的威嚴，就算他很快就要比一名奴隸還不如。他試圖從尼菲臉上的表情讀出他的想法，卻無法看透這個人。

「您的答案是什麼，首長？」

「我不會去毀壞塞特裔二世的陵墓，而且我一人承當這個責任。」

莫希極力忍住歡呼的衝動。尼菲已被困在陷阱裡，也沒有掙脫的可能！不過最好還是讓他和行會繼續相信他的友誼；他們的盲目對他一定還有繼續利用的價值。

「您審慎考慮過了嗎，尼菲？」

「行會根據和諧的法則負責去建造，塞特裔二世的陵寢才能因此而誕生。沒有任何一位首長會違背這條法則去摧毀已完成的作品。」

「這是一種高貴的情操，我可以了解……可是您應該知道阿孟美斯國王並不在乎。」

「我知道。」

「您拒絕服從他，會不會令真理村因此而消失？」

「假使它背叛了它的信念，從那一刻起就已不存在。」

莫希來回踱著方步。

「我不知道該如何幫助您，尼菲……阿孟美斯的指示很明確：除非我陪著您到國王谷地摧毀塞特裔二世的陵墓，否則我必須把您帶到皇宮受審。」

「我已遵守了我的誓言，真理村的祖先都是我的見證。與其為了存活而食言，倒不如拒絕服從一名暴君。」

「如果您採取這種語氣，您會被判最高的刑罰！您假使用理性的說詞去求情，也許還能打動阿孟美斯。」

「您自己也不認為有用。」

「的確，我比較悲觀，因為他還年輕，而且好戰。當初如果他父親封他為太子，我們也不會落到這種地步……然而塞特裔很防著極有野心的阿孟美斯。現在我們已走進了死胡同，兩位法老即將展開一場戰爭！北方與南方對立、埃及人殺埃及人……這真是一個不幸的時代，而我們又不知道該如何去化解！至於要我反抗國王，我已經沒有這個可能，因為他掌控了底比斯軍隊的指揮權，而且直接對他們下命令。我自己也很可能隨時會被撤職，如果我對法老的要求稍有遲疑，甚至有可能被逮捕。然而要把您當作罪犯帶到皇宮去接受荒唐的審判……這教我怎麼能做得出來？您也許可以躲過守衛而逃走，尼菲。國王雖然會派人捉拿您，而您也很難保留自由之身，可是這是避免最壞情況的唯一辦法。至少您得挽救自己的生命，將您所擁有的技術傳授下來。試著往北方去，讓塞特裔來保護您。」

萬一首長接受了這個念頭，莫希就可以立刻派人當場逮住他，把他當作一名忤逆而且危險的囚犯交給阿孟美斯。

尼菲仍立在那兒不動。

「您是一位勇氣可佳的人，首長；您要知道我對您有最崇高的敬意，並且會盡一切可能來幫助您。不過等我們一走出這個大門，我將無法對您有任何友誼的表示。」

「您直接執行您的任務吧，將軍。」

27

一大清早只有驢隊把水送來。之後，通往村子的道路便顯得空空蕩蕩的。村民們沒有收到蔬果，也沒有任何的魚。

索貝克隊長有點感到不知所措。

「等到阿孟美斯的軍隊來到第一堡壘時，我該怎麼做？」他對肯伊問道，「首長建議我放下武器，但……」

「他是對的，」肯伊說道，「試圖阻擋他們進入村子是沒有用的。」

「這是我的責任，肯伊！」

「我們沒有能力抵抗底比斯的軍隊。為何要做無謂的犧牲？如果你服從法老的命令，將會被視為一個忠誠的警長，並得到另一個職位。我很欣賞你的正直，但沒有必要犧牲你自己的生命。」

陵寢書記吃力地走到助理工人區，鐵匠歐貝德仍然在工作。其他人則不見蹤影，他們寧可在家等待法老的行動。在這個混亂的時期裡，最好還是不要太靠近村子。

「你為什麼留在這裡？」肯伊問道。

「我有一把鎬和其他的銅鑿要修理。」

「國王的士兵會把你扔進牢裡，歐貝德。」

「他們得先進得來我的鐵舖。」

「不要逞強了，你趕快走吧！」

鐵匠停下了手邊的工作。

「這麼說來，真的結束了？」

「走吧，忘了這個村子。」

「我可以帶走一些工具嗎？」

「你儘管拿吧。」

「我走了，肯伊，不過我不會忘記的。」

陵寢書記一走近村子大門，守門人立刻站了起來。

「我是不是也可以離開？」

「當然，順便通知你的同事：你們兩人到中央行政單位，讓他們安排一份新的工作。」

肯伊回到家裡，他年輕的妻子和平日一樣，已經準備了一頓豐盛的午餐。

「我不餓。」

「試著吃一點吧。」牛妞勸道。

「不要，我寧可去睡覺，而且希望永遠不要醒來。」

「您不要這麼沮喪！」

「難道還有什麼希望存在嗎？」

*　*　*

卡沙、費奈德和卡洛合力鑿一塊質地上好的大石灰岩，準備放在尼菲的陵寢前院。石匠奈克特正在完成前院的一座石碑底座，其他三名同事則全力完成剩餘的部份。歐塞哈特在伊普伊和雷努貝的幫助下，雕塑了一尊首長眼光微微朝向天空的宏偉雕像。

卡烏、烏奈士和帕伊等三名畫匠將前院的牆壁裝飾得美侖美奐，傑德細心地檢查了每一個小細節，以求盡善盡美。狄弟亞用相思樹刻了一尊尼菲「答話者」的雕像，讓他能在另一個世界繼續創作，而圖弟則用金泊裝飾另一小尊尼菲的塑像。

至於帕尼泊，他帶著畫筆、刷子及顏料，又再度將自己關在陵墓內工作。

海伊帶領著左隊進行瑪亞特神廟的整修工作，讓神廟盡可能呈現它的完美。

「首長一定會沒事的。」歐塞哈特預言道。

「你這是在作夢，」費奈德反駁道，「阿孟美斯會毫不遲疑地對他處以最重的刑罰。」

「我甚至不敢肯定他們是否會將屍體還給我們。」烏奈士用陰沉的聲音說道。

* * *

娃貝特和其他的婦女一樣，正在整理房子。

當那些士兵來臨時，迎接他們的會是整潔的房子。衣物都已經洗好、摺疊整齊、收拾在木箱裡；架子上擺了一些籃子，裡面有日常用品。所有的家具都一塵不染，草蓆已被捲起來收好，床鋪也鋪上了乾淨且帶有清香的床單。至於廚房，阿沛弟已經將它恢復了原狀，一樣東西也不缺。

等到真理村的居民被軍隊逐出大門時，留在他們身後、未遭蹂躪前的，是一個親切且舒適的村子，和一棟棟美麗的白色房屋。

碧玉將她的香膏、眼影等化妝瓶清洗乾淨，並且把所有的珠寶首飾都裝進它們的袋子裡，一樣也不帶走。她連妝也沒畫，打算只穿上一件最簡單的長裙離開，她在這裡體認了什麼是幸福，因此也知道未來的命運只有不快樂。沒有一個地方會像這裡，能夠將神聖與平凡做如此完美的結合。

卡萊兒沒有時間整理她的家，因為她有許多的病人要照顧，一個小孩得了重感冒，而他父親則牙疼得難以忍受；為了忘卻那些不斷啃噬著她的憂慮，卡萊兒把所有的心思都放在照顧病人上，為他們治癒了疾病與疼痛。當診所終於空無一人時，一陣孤獨感立刻向她襲來。

一天的工作結束後，她總是很高興看到尼菲，兩人充滿默契的感情也與日俱增。如今她不在丈夫的身邊，而他正冒著生命的危險，這種痛苦的折磨，幾乎快吞噬了她。

診所的門開了一道縫，冒出了小黑的鼻子。牠不被允許進入這個地方，因此不敢跨越門檻。

「來，小黑，來……」

小黑沒有想到女主人會准許牠進入診所，馬上高興地跑過來趴在她腳邊。

＊　＊　＊

「我把尼菲首長帶來見您。」莫希向阿孟美斯法老鞠躬說道，後者正在看一張三角洲的地圖。

「我方對吾父的軍隊到底有多少了解？」

「他有許多驍勇善戰的士兵，陛下，而且臣很擔心他還有北方邊境的部隊。」

「換句話說，您不會建議我莽撞地攻擊比拉美西斯？」

莫希一時之間答不上話來。他沒有想到阿孟美斯會提出如此直接的問題，也不知道這是不是一個陷阱。

「拉美西斯大帝建造了一個難以攻克的首府；如果這是您的想法，陛下，我認為有必要做充份的準備。」

「這正是朕的看法，將軍；朕發現您的確很有才能，同時也為您感到很高興。繼續好好發揮這些才能，您將一直會是朕的重要朝臣之一。」

「臣隨時聽命於陛下。」

莫希已注意到阿孟美斯喜歡羞辱他，並且表現出自己是一位擁有絕對權力的法老。曾經如此對待莫希的人，已為此付出慘痛的代價；而莫希不是一隻只會叫、不會咬人的狗。

「這個尼菲是否膽敢不從朕的決定？」

「他拒絕摧毀塞特畲的陵墓。」

「他有沒有給您十足的理由？」

「沒有，陛下；尼菲寡言始終效忠於陛下的父親，並視他為真理村的主人，及未來的勝利者。」

「他認為塞特畲會即時趕來救他？真是天真得可以！」

莫希只等阿孟美斯的決定。國王要不就是令他到臨時法庭受審而被判大逆不道之罪，否則就是把他流放到苦役犯監獄，可能一輩子無法活著出來。

「把這個叛逆份子帶來給朕看。」阿孟美斯命令道。

這是一個殘酷的遊戲，但莫希很樂意加入。於是他立刻去帶尼菲，而後者所表現的態度沉著無比。

「法老想要見您。」

尼菲進入了召見室，並且恭敬地向阿孟美斯行禮。

「您就是了……您身為真理村的首長，應該二話不說去執行朕的命令！」

「請容許在下提出一個問題：陛下是否自視為行會的最高領袖？」

「這……當然是！您難道還不了解塞特畲只不過是個篡位者，朕才擁有一切的君權？」

「既然如此，陛下不能命令吾等去摧毀一座陵寢。」

「朕掌有最高的權力，尼菲，一切都要聽命於朕，您懂嗎？您要是不服從，就會受到最嚴厲的處罰。」

莫希暗暗高興在心裡，但尼菲的沉默讓他有些擔心：他是否會因為害怕而在最後一刻改變主意？

「沒有任何一位首長會成為破壞者，陛下。我是唯一要對陛下負責的人，因此請陛下赦免真理村的工匠和國王谷地。陛下的祖先復生的遺體安息在在國王谷地，任何世俗之人都不能玷污它。所有貴為法老者絕不會打擾這塊神聖之地。」

尼菲的大膽讓莫希吃了一驚；光是從他口中說出這些話，就足以令他被判死刑。

「您可知這些話所帶來的嚴重性？」

「陛下有必要知道，而且在下希望陛下能保留祖先的傳統。」

「此乃朕的想法，尼菲。」

莫希以為自己聽錯了。

「朕需要親自向您求證，」阿孟美斯繼續說道，「因為朕不能將自己的陵寢交給一位接受摧毀朕父陵墓的懦夫去建造。您和朕所想像的一樣，尼菲，而朕也很為我們國家有您這麼一位首長而高興。朕將以真理村最高主人的身份造訪塞特裔的陵墓，如果諸神願意，也許他將長眠在那裡。之後我們再來談朕的陵寢所在地。」

莫希狠狠地咬著自己的嘴唇，讓自己從這場惡夢中清醒過來。然而嘴唇傳來的疼痛並未抹去他親眼看到的景像：阿孟美斯給了尼菲一個擁抱。

28

「有一批滿載貨物的驢子往這裡走來，隊長。」一名警衛向索貝克報告。

「士兵有多少個？」

「沒有士兵，只有驢子。」

「你說什麼？沒有一個人和驢隊一起前來？」

「哨兵很快會再度確認報告。」

只有一個人隻身不帶武器。這個人身上穿著真理村首長的儀式服。

「怎麼辦，隊長？」

「我去看看。」

「您要小心……這絕對是個圈套！」

「驢子有什麼好怕的？」

索貝克走出了第一道堡壘。

驢隊穩穩地向前行，幻覺逐漸消失，取而代之的是一絲燃起的希望。一隻經驗豐富的驢子走在最前端，筆直地向這條路走來。

那人越來越像是尼菲寡言。

* * *

「您對朕試探人心的方式有何看法，將軍？」阿孟美斯法老問道。

莫希強裝出欣賞的態度。

「很令人驚訝，但值得喝采，陛下。」

「身為一位國王，不是該持續令人驚訝嗎？朕聽了太多有關這位首長的正直與嚴謹，已到了無法置信的地步。朕始終認為他會像其他諂媚的大臣一樣，屈服於朕的決定，然而他卻令朕感到意外。如果不是因為他要建造朕的陵寢，朕會很願意召他加入朝廷。這不是一個很好的主意嗎？」

「他缺乏行政管理的經驗，會是一項缺點。」莫希無力的反對道。

「沒錯，將軍，朕應該要知人善用。您看起來似乎很疲倦……」

「不是的，陛下，只是有點憂心……」

「關於哪方面？」

「塞特裔的反應有可能會很激烈，我擔心底比斯尚未做好迎戰的準備。」

「這也是朕所擔心的一點，所以您即刻去努力加強我們的防禦系統，無論是地面或是河上的防衛能力。」

「陛下的父親因其名而受到塞特神的保護，」莫希提道，「他可能會如閃電般對底比斯採取出其不意且猛烈的攻擊。」

「不要忘了朕受到拉神與阿蒙神的雙重保護，塞特神面對這兩位神將無技可施，不過我們得知道如何及時制止他的攻擊。一定要讓吾父先攻擊，如此一來，百姓會認為他是侵略者，塞特裔最後非輸不可。因此，我要您負責讓底比斯變成一座無法攻克之城。」

「請陛下放心。」

「朕同時要您扮演真理村保護者的角色。真理村的任務對朕的統治非常重要，所以不能有一絲的問題去擾亂行會的安寧。」

莫希強忍住內心的失望，在國王面前鞠躬退下。

遠遠傳來村子歡樂的慶祝聲，卡萊兒和尼菲兩人彷彿被流放到一個遙遠的地方，彼此深深地愛著對方，希望永遠不要回到現實世界。

兩人熱情地相擁在一起，細細地品味著諸神恩賜的幸福，他們知道這種幸福要與行會一起分享。

＊　　＊　　＊

「我好像聽到帕尼泊唱得最大聲。」卡萊兒輕聲說道。

「不要懷疑……是他把皇室送的酒卸下，他當然馬上注意到瓶子上所標示的好酒。」

「阿孟美斯送的真是好禮！」

「禮物不止這一樣……還有許多來自卡納克的肉塊和糕餅。國王希望大家忘掉他對我們所做的考驗，不過他認為當時有必要這麼做。」

「你是否相信他是誠心的？」

「有誠心也有擔心……卡納克的總祭司承認他的王位，是希望藉此再度肯定阿蒙神的力量，將他徹頭徹尾改變成另一個人。而阿孟美斯也意識到自己突然肩負了重大的責任。其中最沉重的，要算是他與父親對立所引來的內戰。此外……妳難道不讓我在這個慶祝的夜晚能夠有所舒解嗎？」

她露出了燦爛的笑容，臉上的光澤令尼菲更加愛她。

「我願意滿足你的任何願望，但不要忘了我們還得主持村子的酒宴呢。」

「所以說，時間很寶貴！」

屋外，一陣陣大膽的情歌響徹雲霄，連最保守的婦女們也不禁跟著唱了起來。

「打從我進入行會以來，這是我經歷過最好的酒宴。」帕伊說道，同時又拿了一大塊烤牛排。

「這個阿孟美斯也許是一個不錯的國王。」

「我們要及時享受他的大方，」卡烏說道，「也許這個大方不會持久。」

「你為什麼有所懷疑？」費奈德問道。

「你真的相信我們的首長就這樣被釋放、而無任何的交換條件？在他對我們怎麼樣之前，趕快盡情吃喝吧！」

「我有信心！」雷努貝大聲說道，「喝過這等好酒之後，我們唯一的問題是如何去適應平日的啤酒。」

「大家安靜，尼菲要說話了！」奈克特宣佈道。

大夥兒停止了討論，首長站起身來。

「阿孟美斯國王已依照傳統、宣佈他是行會的最高領袖，所以我們要服從他。」

「這是否代表我們要摧毀塞特裔二世的陵墓？」帕尼泊擔心地問道。

「若要統治真理村，就要尊重它的精神與任務。我與法老長談了許久，一切都很清楚。我們是建造者兼工匠，永遠不會改變。沒有任何外人能進入村子的大門，索貝克也留在他的職位上，而莫希仍舊是我們的保護者。一切都沒有改變，我們也不會摧毀任何一座牆。只要塞特裔二世不親自前來主持他陵寢的神聖儀式，工程將不會繼續進行。我會在智女與陵寢書記的面前，親自封閉陵墓的大門。」

「那些士兵會進入國王谷地嗎？」卡洛問道。

「國王谷地將維持它的神聖性，只有工匠才能進入工作。」

「怎麼會這樣，」圖弟驚訝地說道，「阿孟美斯根本是全盤讓步嘛！」

「國王已聽見了祖先的聲音，也了解到我們行會的偉大任務。由於我們尊重瑪亞特的法則，所以他也會尊重它。當然啦，所有運送到村裡的物資也將繼續進行。」

「那助理工呢？」卡沙問道。

「他們明天一早就會回來工作，人數維持不變。如果有需要，陵寢書記可以為我們申請增加人數。」

「我們可以自由地慶祝村子的節慶嗎？」

「完全自由。」

「這麼說，的確都沒有改變。」歐塞哈特認同道。

「如果你少喝一點，而且仔細聽首長的話，你早就會發現了。」狄弟亞說道。

卡洛的頭靠在卡沙肩上睡著了，而左隊工匠爭先恐後地舉杯敬尼菲，神智也清醒不到哪裡。奈克特連架都不想找帕尼泊打，而烏奈士兩眼空洞、一個勁兒地傻笑。

「這些年輕人碰到老酒就不行了。」肯伊說道。儘管牛妞用生氣的眼光望著他，他仍然繼續大吃大喝。「有一個重點你沒有提到，尼菲：阿孟美斯是否有叫我們在國王谷地建造他的陵墓？」

「這是他交代給我們的第一個工作。」

陵寢書記終於放下了心上的一塊大石頭。

「我在這一刻之前，一直都不相信你真的成功了……再給我倒酒！」

「希望這不是一個陷阱。」頭腦完全清醒的傑德附上這麼一句。

「你在擔心什麼？」肯伊不高興地說道。

「對我而言，阿孟美斯的話值得令人懷疑。等到要封閉塞特裔的陵墓時，我們就知道他會不會讓軍隊介入，也看看他會不會接受首長建議他的陵墓所在地。」

「你錯了，傑德；忘了你的擔憂，好好享受這些送給我們的美食吧！」

「如果是陵寢書記本人准許，為何要拒絕？」

帕尼泊看到大家昏昏欲睡，於是帶頭唱起了一首快節奏的飲酒歌；就算傳到天上的怪異旋律不似傳統的神聖音樂，至少它為失而復得的幸福做了最好的見證。

* * *

尼菲寡言、智女和陵寢書記進入了國王谷地的大門，慢慢走向塞特裔二世的陵墓。努比亞警衛報告一切正常，沒有任何的士兵前來取代他們。

「傑德太悲觀了，」肯伊說道，「不過我們是否真的可以信任阿孟美斯？」

「只有讓事實證明一切。」尼菲答道。

國王谷地經過了烈日的照耀，變得非常炎熱。尼菲將塞特裔陵墓的金色木門鎖上，並由肯伊蓋上真理村的大印。

「我們會有打開它的一天嗎？」肯伊問道。

「我們只能為塞特裔二世祈禱了。」智女回答他；「唯有在這裡，他才能在冥間的旅行中復生。」

三人離開了原地，內心仍深深的為國王谷地的莊嚴而感動。

「無論未來如何，」卡萊兒說道，「沒有一名破壞者能夠摧毀這個地方的精神。」

他們出了谷地，努比亞警衛向他們揮別致意。

「這是重要的一大步，」陵寢書記下結論道，「傑德還是錯了，阿孟美斯遵守了他的諾言。」

29

掌璽大臣百依六神無主，不知如何是好。自從三天已來，他試圖要與塞特裔法老說話，卻始終見不到國王。阿孟美斯親下詔書宣佈自己成為上下埃及的法老，詔書雖然沒有越過位於中埃及的赫莫波利斯城，但消息不久後也會很快傳遍全國各地，這是一個可怕的內戰預兆，而且幾乎成為事實。

如果塞特裔二世想讓國家免於一場災難，他就必須儘快做出有效的反應，以證明其子阿孟美斯沒有這個能耐。但法老整天都待在皇后的後宮內，因為桃賽特所生的兒子不斷地發燒、呼吸困難，他的健康情形令人感到非常憂心，御醫們每天接踵而至，為他治療。

百依盡可能地處理好朝廷上的事情，但如果阿孟美斯發動政變，而塞特裔又始終保持沉默，是否會令整個埃及陷入一場流血戰爭？

百依也很擔心桃賽特皇后。雖然用了麻藥，她的生產過程仍然長而痛苦，復原的情形相當緩慢。她已失去了往日的活力，因此也無法給丈夫什麼建議。

在這個危機四伏的時期裡，只有百依一人獨挑大樑。他太愛這個國家，以致不願困坐愁城、撒手不管；於是他花費更多的心思與精力在國事上，以免犯下任何錯誤。不過有一件事百依甚為肯定：他絕不想成為一位法老！為埃及這麼一個重要的國家掌舵，已超出了正常人的負荷能力。很少有人能夠承擔如此一個重責大任，而百依不屬於這少數人之一；但他會對國王忠貞不貳。

百依整個白天就在與高官大臣會晤中度過；到了晚上，他繼續研究資料，甚至和西普塔相處一分鐘的時間都沒有。西卜塔是一個年紀很輕的孤兒，一隻腳微跛；他原是一名卜塔神祭司的兒子，在書記學校的求學過程中已展現出過人的聰明，因此百依把他帶在自己身邊，想訓練他成為日後國家可用的人才。未來的路仍然很長，不過西卜塔從不與年紀相仿的男孩玩在一起，鎮日埋在圖書館研究天文與數學。他非常喜歡學習，似乎一點都不因為他的殘障而自卑。

國王帶著疲倦的眼神、微駝地走進百依的辦公室。後者立刻站起來。

「陛下！皇太子情況可好？」

「稍微好一點……他現在睡得很沉，皇后也是。」

「您真是累壞了，陛下，您是否希望休息一會兒？」

「你不是想要見朕嗎，百依？」

「事態很嚴重，令郎已在卡納克加冕成為法老，並統治著南方。」

「他有下詔書嗎？」

「是的，而且還試圖分發到整個國家，不過我們的安全人員將那些差使抓了起來。」

「這些人被作何處置？」

「他們被關在牢裡，將會被冠上背叛罪。」

「把他們放了。」

「陛下……」

「這是一個命令，百依，你去準備這封信，朕會在上面蓋章。這些可憐的人不得不服從他們的上司，實際上並沒有犯什麼錯。」

「陛下的寬宏大量會獲得他們的感激，但令郎敢公然與您對立，這種寬宏大量適用於他身上嗎？」

「朕當初應該要讓他協助佐政……現在為時已晚。阿孟美斯已嚐到了權力的滋味，也會要求朕讓位。戰爭、流血、死亡……這就是我們要面對的未來。多麼可悲的統治啊，百依！阿孟美斯犯了一個錯，就是沒有把我排除；他原應繼承梅仁達的王位，國家也不致於面臨分裂的命運。」

「我們正在經歷一個痛苦的階段，陛下，但唯一要想到的是埃及的前途！阿孟美斯雖然是您的兒子，但他應該被視為造反者，並予以弭平。」

「阿孟美斯，我的兒子……很多人認為他已不是，但朕不這麼想。事實上，他的野心又有什麼不對？」

百依幾乎要昏倒了。

「就算這是個痛苦的決定，對立的情勢已無法避免，我們應該要有所反應，陛下，不要讓阿孟美斯佔上風！」

「這些有什麼意義，百依？如果他比較強，他就會是勝利者。只有命運才能做決定。」

「陛下的統治不能沒有底比斯！而且不要忘記您的陵寢在國王谷地。」

「大草原……從今以後無法進入了。」

「我們一定要收復它，陛下，並且要在底比斯西岸建造您的百萬年大神廟；它會帶給您必要的力量來獲得勝利。」

「勝利……這個字眼已空洞而毫無意義，百依。」

「陛下……您總不會在阿孟美斯面前低頭吧？」

「朕已想過。」

「臣可否懇求您尊重您的名字，陛下？」

「塞特裔，塞特神之人……朕是該表現得像閃電一般，帶領朕的軍隊去收復南方！然而朕太愛皇后、太愛這個脆弱的小兒子，和希望活在和平之中的埃及人民。朕選錯了名字，百依，因為朕不配這個名字。朕的心靈深受其苦。」

「您是指……您不會進行干預？」

「朕的確不想打仗；凡是鼓吹暴力的人，不就是與瑪亞特宣佈對立嗎？因此朕的策略是耐心的等待。」

「我們至少要護衛赫莫波利斯和中埃及吧？」

「有何不可？」

「陛下，臣並非如其他滿嘴甜言蜜語的大臣。就算您將臣撤職，臣也不能否認臣不同意這個策略。」

「也許你是對的，百依，但掌權的是朕，這個策略一定要去執行。不過朕並不想將你撤職，因為你是一個誠實、有能力和忠貞的人。我相信在這個朝廷裡沒有另外一個人會像你一樣。」

「陛下是否允許臣將部隊集中在赫莫波利斯，以防阿孟美斯的軍隊來犯？」

「可以，但他們的總指揮官不能主動發起戰爭。」

百依的秘書進來告知有一位御醫想見國王。

「照朕的話去做，百依，不要自做主張、做出有違朕意的事。」

「我們不能對底比斯所發生的情況一無所知，陛下，因此臣打算安排間諜來獲得情報。」

「隨你便，但不要忘記讓我兒子阿孟美斯採取主動。把國事處理好，百依；朕要回到朕至愛的人身邊了。」

百依千頭萬緒，不知如何是好。他必須執行一個他不同意的命令，因而幾乎想放下筆、撕掉紙莎草紙、走出這個辦公室。但這種逃避的行為會不會使得情勢更惡劣？國王的心情很沮喪，不能在這個混亂的時刻棄他而不顧。

既然塞特裔二世自己不面對軍隊的將領，只好由他來完成這個敏感的任務，而他卻尚未做好心理準備。百依是一位優秀的書記，非常喜愛古文，他從未與軍人打交道，與他們也沒有任何的共通之處。

＊　＊　＊

四名將領帶著輕視的眼光望著這位原籍外國人的文官。平常都是法老召見他們，直接對他們下命令，而今天卻是百依召集他們到皇宮。他們決定由阿蒙軍團的將軍當發言人，並且要讓百依很快地聽從他的話。

「法老在哪裡，大人？」

「法老與他的妻兒在一起。」

「有些大臣認為國王身體欠安……是不是真的？」

「陛下近來很累，因此針對阿孟美斯造反所帶來的危機，他要我來決定我們的策略。」

「策略只有一個，那就是盡快發動攻擊。」

「底比斯的軍隊是否能小看它？」

這個問題難倒了將軍。

「小看，當然不能……」

「您的同事莫希將軍，他不是進行了部隊的徹底改革、讓他們變得更加有效率嗎？誰又知道他的部隊是不是擁有比我們更精良的武器？」

「這只不過是傳言罷了，我們認為不可靠。」

「如果能夠確認，是不是來得更好？」

「這麼做會浪費寶貴的時間！」

「國王不這麼認為，將軍。」

對方一時之間愣住了。

「您這是在開我們玩笑……塞特裔非攻擊阿孟美斯不可！一定要立刻挫他的銳氣。」

「國王的態度很謹慎，我也同意他的謹慎。根據我們在底比斯的伏底所提供的情報，我們相信對手很強，絕不能小看他。」

「但是……」

「最好的策略是將我們大部份的部隊集中在赫莫波利斯，並加強所有的堡壘。萬一發生戰爭，這些部隊應該有能力擊退來犯者，並且很快就會有強力的支援部隊趕到。阿孟美斯如果先發動攻擊，就等於是犯了一個無法補救的錯誤。」

四名將領彼此交換了一個眼光。

「我們感到很意外，」他們的發言人坦承道，「然而，如果這是法老的意思……」

「各位不用懷疑，請做好必要的措施，立刻去進行；這涉及到我們的安全問題。此外，我想對各位提出一個主意，相信各位不會反對。」

結果，四位將領完全贊成百依的主意，並且改變了對他的看法；事實上，國王的確可以信任他。

至於百依，他很高興能夠成功地為法老的立場辯護，也希望他的主意一樣行得通。

30

首長和陵寢書記被帶進皇宮的召見廳內，皇宮位於卡納克大神廟不遠處，阿孟美斯正在那裡做晨祭。召見廳牆上和立柱上的圖案色彩鮮豔，令人感覺很愉快；然而尼菲和肯伊沒有心情欣賞畫中飛舞的小鳥，因為他們很懷疑阿孟美斯召見的目的，同時心裡也惦記著傑德所提出的警告。

他們答應了法老的要求，帶來了一份最高機密的資料，也就是國王谷地內所有陵寢所在地的地圖。直到目前為止，年輕的法老始終遵守他的諾言；但這是不是一個高明的策略，為的是奪取這個寶物？

阿孟美斯身邊圍了一些大臣，他們前來向國王表明他們的忠貞，並且要求維持既得的權利；這些大臣需要有所保障，因此法老並未取消他們現有的福利。當他的政權穩固之後，也許會有所改變。

「啊，尼菲！」他喊道，「過來……這位老者想必就是大名鼎鼎的肯伊，屹立不搖的陵寢書記？」

「正是在下，陛下。」

「您在行會裡是國家的代表，朕對於您在村子的管理感到很滿意。朕已仔細的看過您寫給朕的報告，也很感謝這份報告寫得如此詳細和清楚。您這邊對於送去村裡的物資，在品質及數量上是否還滿意？」

「我們找不出可以挑剔的地方，陛下。」

「您覺得助理工的工作表現可以嗎？」

「我們沒有可以抱怨的地方。」

「您是否希望朕增加人數？」

「目前沒有這個必要，陛下。」

「兩位是否帶來了朕想參考的文件？」

「我們必須私下討論，陛下。」首長要求道。

「您是要求朕命令朝臣離去？」

「請陛下見諒。」

「您不會在他們面前討論，是吧？」

「這是真理村的絕對要求。」

「您一點都沒有改變，首長，這樣最好！諸位請留下我們單獨相處。」

所有的部長和大臣們一一離開了召見室，同時把門關上。

「文件呢？」

肯伊從一個皮套內拿出一卷楮黃色的紙莎草紙，並將它放在矮桌子上。

「這就是行會與埃及最珍貴的祕密之一，陛下。」

阿孟美斯難以掩飾自己迫不及待的心情，可是肯伊卻非常緩慢地將它攤開。

地圖上有先人將國王谷地的輪廓描出來，再來是歷任的首長標出自己所挖掘的陵墓位置。

「圖特摩斯、阿孟霍特普、拉美西斯大帝……」國王輕聲說道，「他們都在這裡、聚集在另一個世界。而我將與他們住得很近、和他們在一起、在這個大草原上……您建議朕在哪個位置？」

尼菲用食指點出一個很明確的地點，大概在拉美西斯一世和荷倫赫布法老的中間距離，位於拉美西斯二世的南邊。

「這是國王谷地裡一個新的地方。」阿孟美斯發現道，「而且離吾父的陵寢有一段距離。」

首長和陵寢書記兩人都沒有反應，心裡知道事實馬上就要揭曉：阿孟美斯如果不是交給行會挖築他的陵墓，就是奪走文件，以搜刮他祖先在那裡的財富。

「您是如何選定這塊地方的？」

「憑經驗和感覺，」尼菲答道。「要對岩石有所了解，並獲得智女的認同。」

「萬一朕比較喜歡另一處，比方說較為偏僻或較接近某位偉大的法老，怎麼辦？」

「陛下不妨說說看，我們會證明您是錯的。」

肯伊屏住呼吸。

「各位可以開始進行朕的陵寢建造工程，」阿孟美斯下令道，「而且讓它什麼都不缺。」

＊ ＊ ＊

為了忘卻近來的挫折感，莫希埋頭苦幹、全力投入工作。由於在底比斯四周蓋高牆會過於花時間；因此他採取了另一個更有效率防禦系統，也就是沿著尼羅河岸增加崗哨，以載重的船隻形成一道堵牆，防止敵軍進入南方，並可隨時箝制對方的部隊運送。

弓箭手、步兵和戰車駕駛接受了特別訓練，每一個兵種都盡可能地利用地緣來反制攻擊。當一切都準備就緒時，即使塞特裔的軍隊人數較多，也無法入侵底比斯。況且底比斯的精良武器也會令對手大吃一驚。

就算阿孟美斯擔任軍隊總指揮，也沒有任何一位軍官會在意；因為他們的真正戰地將領是給過他們無數好處與保障的莫希。有幾名高軍官曾經試圖拍國王的馬屁，以增加自己的影響力，但他們很快就發現自己的錯誤。

實際的行動讓莫希稍微好過一點，但他永遠不會原諒阿孟美斯對他的羞辱。很明顯的，這個年輕的阿孟美斯根本不是當國王的料，充其量不過是一個自以為比任何人都來得聰明的野心家。

莫希會向他證明事實正好相反。

眼前，莫希希望得到一些對手的情報，例如塞特裔二世的計劃和他的軍隊動向。他並未向阿孟美斯提及他所安排的間諜，有了這些情報人員，他會比國王知道得更多，進行必要的準備，讓父子兩人在交戰的過程中兩敗俱傷。到時只剩一個人有能力統一國家：莫希將軍。為此，他不能讓全數的部隊投入戰場，而必須留一支只為自己效忠的精英部隊。

「將軍，」他的副官前來報告，「有一位來自北方的差使求見您。」

「請他進來。」

莫希在他的帳篷裡接見這名間諜。他與這名軍官很熟，並且已利用過他所提供的情報。

「這是我最後一次在敵區所獲得的情報，將軍，因為我無法再穿越赫莫波利斯的防衛線，回到首府。」

「防衛線……什麼樣的防衛線？」

「是為數龐大的士兵集中形成的防衛線。」

「奇怪……塞特裔難道無意進攻底比斯？」

「國王可能生病了。現在是百依在治理。」

「一個文官……居然是一個怕死的文官！那皇后呢？」

「她由於生產不順利，因此復元得很慢。一旦她兒子好一點兒，情況可能會大大的改變。」

「赫莫波利斯的防衛線也許只是一個圈套。」

「不會的，將軍，百依認為主動攻擊者將會成為失敗者；他希望底比斯軍隊受到挫敗，並要它為內戰負責。此外，赫莫波利斯一旦遭到攻擊，他們會調來強力的支援部隊。」

「是不是東北邊境的部隊？」

「完全正確。」

「這個百依沒有他外表看起來那麼愚蠢……但塞特裔難道忘了他有塞特神的保護，應該要忠於他的名字、像閃電般採取突擊？」

「您把他軍隊的內心話說出來了。沒有人能夠了解國王的態度。幸好百依有足夠的智慧給予了充份的理由，否則早就出現了嚴重的間隙。」

讓塞特裔二世的部隊在比拉美西斯生鏽發霉，然後輕而易舉地採收勝利的果實……很不幸的，在這種情況下，唯一的勝利者會是阿孟美斯！

為了奪取權力，莫希需要兩個國王有一場戰爭。既然真理村的寶物又再度遠離，他只好運用自己的手段，逼父子兩人不得不做殊死戰，最後同歸於盡。當這一天來臨時，莫希會昂然走在部隊前方，索貝克的警衛將沒有權力阻止他進入真理村。到時大門為他而開，尼菲寡言在新主子的面前磕頭，他先故作仁慈玩弄他們，再摧毀一切，取得「光之石」。

「要得到可靠的消息已經越來越難了，將軍，但不是不可能……有些軍官無意效忠塞特裔。您可以拉攏這些軍官，讓他們向您提供重要的情報。」

「你先到底比斯的總營部好好休息一陣子。之後我會給你一個車騎部隊的高級官階。」

「謝謝您，將軍。」

莫希如往常般大吃一頓午餐；他不但大吃大喝，而且速度很快，因為他急著趕回去指揮工作。

「來了一封很特別的信，將軍。」副官向他通報。

「從哪裡來的?」

「比拉美西斯。」

莫希差點噎著。

「再說一次!」

「比拉美西斯……上面有塞特裔二世的印章。信差沒帶武器、隻身前來,然後把信交給了我們在底比斯北部的前線部隊。」

莫希迫不及待地拆了信。印章看來像真的,信紙也是上等的品質,信上的筆跡細緻而優雅。

很顯然的,這不是一封作假的信。

當莫希一看內容時,他首先以為這是一個玩笑。

然而,信上的確有掌璽大臣百依以法老之名所簽的字,他才意識到這並不是一個玩笑。

莫希立刻跳上馬車,直奔向皇宮。

31

阿孟美斯法老看了莫希帶來的信。

「這不是很不可思議嗎，陛下？」

「掌璽大臣百依以塞特裔二世之名，召您到比拉美西斯，要聽您親口報告底比斯軍隊的狀況……這有什麼奇怪的，將軍？塞特裔與朕本人尚未正式宣戰。他要忽視朕已登基為王，而朕也沒有承認他是法老，但國家還是處於和平狀態，我們南北各自為政。至於您，親愛的莫希，您不是曾經獲得塞特裔的同意而晉升官位的嗎？」

「是沒錯，陛下，但情況……」

「百依要知道您為哪方而戰。」

「答案很明顯呀！」

「誰知道，將軍？也許您的服從不過是一個假象。您對朕裝作忠心耿耿，可是心裡卻認為吾父會贏得勝利。」

莫希臉色剎那間變得慘白。

「在奪權的過程中，背叛不也是一種武器嗎？」

「對在下而言不是，陛下！」

阿孟美斯露出了一個怪異的笑容。

「朕對您沒有什麼不滿意，莫希，不過朕認為應該善加利用這個機會。」

「臣看不出如何利用。」

「您到比拉美西斯去見百依，也許還有吾父，同時您回答他們的問題，讓他們以為朕只不過是一個壓榨百姓的傀儡，一心只想搜刮南方的財富。朕的軍隊隨時都會起來反抗朕，塞特裔只要一攻擊，朕立刻就會被打倒。」

「沒有人會相信臣的。」

「您可以裝得很像，將軍。如果您的任務成功，我們就可以打贏這場仗。」

「假使臣真的讓他們相信了，他們會讓臣離開嗎？」

「朕認為會，因為您成了他們在底比斯的特別聯絡人，不但是提供情報者，同時也是接收情報者。您能想像我們所擁有的優勢嗎？這種處境對您是比較危險，朕承認這點，不過值得一試。您立刻出發，將軍。」

* * *

費奈德確認過石灰岩的質地後，尼菲身穿金色罩衫，用木槌象徵性地在銅鑿上敲第一下，接著便由帕尼泊接手開鑿岩石。奈克特也立即跟上，而且習慣不改、總是喜歡與帕尼泊暗中較勁，其他的石匠節奏則不如前兩者快。

「我們採用何種藍圖？」傑德問道。

「那張給國王看過的藍圖，他也接受了：四個接續的走廊，再來是其他傳統象徵性的房間。」

「這麼說，他的陵寢將和其父的沒有太大的差別。」

「的確，阿孟美斯不希望與傳統的陵墓差別太大。」

「有關裝飾這部份，他有沒有特別的要求？」

「他希望有其母向諸神獻祭的畫面。至於其他的，他信任我們的決定。」

「很教人意外……我沒有想到會是這麼傳統。這個國王似乎有心統治國家，如果他能夠了解國王谷地的重要性，也許會成功。我這就和我的小組來選擇經文和圖案。」

尼菲要求雕匠開始準備國王的雕像，並在牆上用浮雕的方式來表現阿孟美斯；細木匠狄弟亞和珠寶匠圖弟已經著手進行陪葬用品，從「答話者」的小雕像到各式木製的模型廟，應有盡有。他們勢必得請左隊工匠來幫忙，雖然左隊本身也很忙。在情勢尚未明朗的那段期間，所有的高官貴人由於怕得罪新國王，因此停止向工匠們訂製家具，而現在又開始向他們訂貨。

鑿石聲此起彼落、草圖一張接一張出籠、模型的研究工作……經過了那段晦暗期，所有的幸福又失而復得，因此工匠們再度充滿了工作熱忱。大家齊力建造國王的陵墓，也比以前更加團結。

對叛徒而言，這種團結無異於一種痛苦……雖然他暗中盡了最大的努力，仍然無法在村子裡製造分歧，所有人都服從首長。他也嘗試了各種方法，卻還是找不到「光之石」。

不過，他並未因此而氣餒。目前正處於一個令人憂心的時代，免不了會有一場內戰發生，他或許有機會潛入平常不易進入的地方搜索；等到衝突一爆發，真理村勢必會亂成一團，他再好好利用這種情勢。

* * *

從赫莫波利斯到比拉美西斯，莫希和他的隨從人員一路上受到嚴密的監視，不過他利用百依的信函當作通行證，因此一關一關地通過了軍隊的崗哨。

莫希因為內心擔憂不已，左大腿起了許多的小紅疹，令他疼痛難當。他一天擦好幾回的藥膏，才能稍微止住痛癢。

他根本無法抗拒阿孟美斯將他送入虎口……除非塞特裔看在他過去所寄的密碼函份上，知道他的忠心，而讓他留下來共同對抗阿孟美斯。不過，再怎麼說，國王絕不可能給一名投誠者太高的職位。

再度見到美麗的首府，並未令莫希滿心雀躍。他一點也不喜歡那些吸引人的水道、花園和珍奇異草。當他的護衛隊被留下、獨自一人被請到皇宮內的小候見廳等待時，他覺得自己毫無防衛的能力。終於，一名老書記將他帶到百依偌大的辦公室內，裡面有一尊塞特裔二世的花崗岩雕像。

「謝謝您答應了我的邀請前來首府，將軍；不知您一路上是否還順利？」

「沿途的控管很嚴格，不過我所乘坐的船很舒適。」

「您請坐……埃及正處於一個非常敏感的時期，我相信所有的人都努力去避免發生最壞的情形，您說是嗎？」

「那當然，然而我只不過是一名軍人，只懂服從命令。而目前……」

「千萬不要低估了您的角色，將軍！塞特裔國王和我本人都知道您將底比斯的軍隊改造了一番。我們心想，不知它的軍備如何？」

「我希望您們有收到我的密函。」

「您放心，它們都有安全寄達，我們也很高興您對合法國王的忠貞態度，國王會好好的犒賞您。阿孟美斯沒有為難您、就讓您離開？」

「我將您的信函拿給他看，他並沒有反對我前來一趟，因為他視埃及仍處於和平的狀態。」

「這是就現實而言、一個樂觀的看法，將軍；不過您尚未回答有關底比斯軍備的問題。」

「由於我並未預計國家可能會發生分裂的悲劇，因此我盡自己的本份，讓軍隊擁有堅固的武器和狀況良好的戰車。」

百依做了一些筆記。

「阿孟美斯是否有調度在努比亞的邊防部隊？」

「還沒有。」

「他打算何時發動攻擊？」

「他還在猶豫。」

「為什麼？」

「阿孟美斯沒有把握一定會贏，而且擔心一旦成為攻擊者，會遭到百姓的討伐。」

「他真的想統治整個埃及嗎？」

「依我看，他很快就會發現不可能，而且他的地位也會越來越不穩固。不過，他已命令真理村的首長在國王谷地開始建造他的陵墓。」

「塞特裔的陵墓現在是什麼樣的命運？」

「所有的工程已經停止，尼菲寡言已封上了大門。」

「我原以為阿孟美斯會要人摧毀他父親的陵墓……這種轉變很令我驚訝。它會不會是懦弱的表現？」

「阿孟美斯真的只有統治底比斯，而且是多虧卡納克總祭司認為阿孟美斯對阿蒙神很虔誠，因此同意他加冕成為國王，但這個基礎很脆弱，只要塞特裔強力介入，他的統治便結束了。」

「也就是說，您建議法老對其子發動猛烈的攻擊？」

「如果他希望國家恢復統一，難道還有別的辦法嗎？這是很可悲的一件事，同時也會有士兵失去他們寶貴的性命，但這是無可避免的痛苦。」

「可以避免的，將軍。」

「怎麼做？」

「一旦我們開始進攻，你們的軍隊立刻變節，讓我軍前進直達底比斯中心，將造反者逮捕起來。」

面對他可怕的對手，莫希不能多說一個字。而百依向他提出的方案是最壞的情況，因為這麼一來，就避免了衝突。

「您有所遲疑，將軍？」

「一點都不……您想出的這個策略很好，只是存在一個問題：我的部下會不會全然服從我？」

「您懷疑嗎？」

「有幾名高級軍官偏向於阿孟美斯，認為他有未來。」

「您有沒有辦法讓他們了解到這麼想是錯的？」

「我盡量，但這需要很有技巧。」

「我可以給您更好的建議：您可以向他們保證塞特裔不是個薄情的人，只要他們忠於合法的國王，將來會獲得厚賞。」

「有了這麼一個保證，我要說服他們便不再困難。現在剩下一個最重要的問題：你們何時發動攻擊？」

「只要陛下一經說服，就會馬上行動。您會收到我們的密函，裡面會詳細說明一切的行動。」

32

阿孟美斯在上朝聽取眾臣的報告中，從其中一名大臣的口中得知莫希將軍剛自比拉美西斯回到底比斯。他立即在皇宮的一間密室內召見莫希。

「吾父並未將您留在他身邊……您的運氣很好，將軍！」

「這與運氣無關，而是對手所想出的一個計劃，同時臣在其中是主要的一部份。」

「您說說看。」

莫希知道自己在玩火，但他必須贏得這兩個敵人的信任，同時又要能夠讓雙方打起來，這中間不能出任何一點差錯。

「塞特裔在赫莫波利斯聚集了大量的士兵，他視赫莫波利斯為其王國的新邊境。」

「我們有辦法突破它嗎？」

「應該可以，不過得非常拚命；此外，我們可能還要對付北方來的支援，尤其是來自東北方的勇猛部隊。」

「換句話說，這麼做就等於是符合了吾父的願望。」

「完全正確，陛下；他希望您成為侵略者，並且在赫莫波利斯受到重創。」

「告訴朕，將軍……您在敵方受到何種對待？」

莫希感覺到阿孟美斯國王懷疑他扮演兩種角色；看到他自比拉美西斯歸來當然令阿孟美斯很驚訝，他務必要消除國王的疑慮。

「臣受到很冷淡的對待，陛下，幸虧有百依的信函，他們仍然尊重臣的官階，也沒有對臣無禮。不過他們原來期待臣會投靠到塞特裔那邊。」

阿孟美斯的眼光變得很銳利。

「而您卻沒有這樣做，將軍？」

「沒有，陛下，因為臣相信您會勝利；甚至，相信這個措辭還不夠強烈。」

「為什麼？」

「因為臣知道如何打敗對手。」

莫希的堅強信念令國王感到困惑。

「您有沒有見到塞特裔？」

「沒有，只見到百依；而且臣沒有任何關於令尊健康問題的消息。據說皇后生產不順利，其子的狀況也不好，不過這也有可能是一種謊言，故意讓我們認為塞特裔和桃賽特有別的事要操心，而不想打仗。」

「說不定這是事實？」

「臣已從百依的口中獲得事實。」

「就是那個計劃！它是什麼樣的計劃？」

「這個主意看起來雖然簡單，實際上卻會有驚人的效果。百依視我為塞特裔的忠臣，卻被迫服從您，可是心裡一味地想背叛您。當北方的軍隊來襲時，我將命令我的部下不要作戰，兩邊的士兵握手言和，而您將孤立無援。」

「這……這太可惡了！您接受了嗎？」

「如果當時臣拒絕，就沒有辦法活著走出百依的辦公室。還有，他要臣收買那些不贊成的軍官，同時也會通知臣攻擊的日子，以避免有任何的差錯。」

阿孟美斯彷彿受到挫敗。

「這個百依是個魔鬼！」

「不，陛下，應該說是一個戰略家，他想出了一個最好的方法、在最短的時間內贏得最後的勝利。」

「您將他的計劃全盤告訴了朕，」國王用不甚肯定的語氣說道，「這表示……您不會背叛朕？」

「當然不會，陛下！」莫希露出一個誠懇的笑容，好讓他放心。「我們要將計就計，反過來對付他們：等到塞特畜的軍隊前來底比斯時，會以為我們正張開雙臂迎接他們，而事實上我們卻趁機將他們一網打盡。這個出奇不意的做法會使我們佔上風，臣再繼續發動一波又一波的攻擊。如果敵人不想被殺死，這時只好棄械投降。到那時，帶領軍隊的您，將獲得一場漂亮的勝仗。」

莫希當然沒有提到他不會讓最好的菁英部隊投入父子倆的殊死戰。等到這一刻來臨時，他才是真正的勝利者。沒錯，這是一個冒險的舉動，但他有辦法控制局面。

「有一個問題一直困擾著朕，將軍，朕為何要相信您？」

「如果臣只會告訴陛下，您會比塞特畜更有治理國家的能力，這個理由並不足以說服人。真正的理由很簡單，陛下，但對臣卻有絕對的意義：臣是底比斯人，臣永遠無法接受這個阿蒙神城比位於三角洲上的首府低一級。您已在此定居，也知道去愛這個城市，而令尊對它只有看不起。唯有底比斯能讓您勝利，也唯有您能讓它得到應有的地位。唯有您能實現臣和我方大部份軍官的這個夢想；這就是為何臣要消滅敵人的原因。」

阿孟美斯的眼光轉為平靜，莫希知道這番話打動了他的心。當然，他還準備了其他的理由，不過這套說辭既然已經打動了感性而天真的國王，就不需要再加油添醋了。

百依仔細地查閱了莫希的檔案；裡面的資料從他的經歷、到部下的傳言，全都在內。百依和他談過以後，作出這樣的看法：莫希正是他所需要的人。

他有才幹、肯努力、精力充沛、部下都信任他，他也知道如何令人聽命於他。他頭腦夠清楚，知道阿孟美斯沒有任何的未來，他若幫塞特裔，並不是因為他喜歡塞特裔，而是為了自己的利益，但他卻可以讓塞特裔再度統治整個國家。

* * *

那四名將領走進百依的辦公室，神情非常緊張。他們的發言人直接了當地進入主題。

「結果呢？您得到了什麼樣的消息？」

「一些有關底比斯軍隊的動向。」

「他們是否如您想像中的配備精良？」

「很不幸，是的，我想我沒聽錯莫希將軍的話。」

「他是否答應合作？」

「他和各位一樣，一心希望國家能夠再度統一強盛起來。」

「然而他還是在對方那邊。」阿蒙軍團的將軍說道。

「情況比想像中要來得複雜，我們也無法怪他。」

「阿孟美斯會願意承認錯誤嗎？」

「在我獲得陛下同意這個策略之前，我無法向各位多透露些什麼，而這個策略在我看來是最有效的策略。各位還是讓軍隊保持備戰狀態，同時艦隊要隨時可以出發。」

將領們聽了非常高興：百依的話表示了一場總攻擊就要開始。

「我必須立刻見到國王。」百依向朝廷總管說道。

「這是不可能的，大人；陛下去探視其子，並吩咐任何人都不准打擾，甚至是您。」

「皇后有可能會見我嗎？」

「我去問問看。」

百依有辦法讓整個埃及重歸於塞特裔，而他居然連見法老一面都沒有辦法！如果沒有法老允許出兵，他是不可能擅自做出這種決定的。

一位御醫向他走過來。

「皇后還是不聽我的勸告、答應要見您。我認為她的身體過於虛弱，不適合為國事傷神。因此，請您盡可能的簡短，不要讓她累著了。」

「您放心，大夫。」

一名侍女領著百依進入一個光線明亮的房間，淺藍色的牆上有蓮花條狀的裝飾。桃賽特躺在一張烏木床上，並用繡花枕墊著頭部。

百依在相當的距離之外向她行鞠躬禮。

「皇后，您的身體……」他哽咽地說著。

「我好多了，百依；您到我身旁坐下。」

「不，我還是站著好了。」

他稍微走近，發現桃賽特皇后仍是如此的美麗與迷人。她上了妝，也梳了頭髮，看起來非常有氣質，而她直視的眼光也不失過去的力量。

「請原諒臣如此打擾您，皇后，不過臣認為已找到了突破僵局的方法，但必須要獲得法老的同意。」

百依向桃賽特說明他的計劃。

「如果成功了，百依，你等於是挽救了埃及。」

「我們越早發動攻擊、勝算就越大，皇后。如果遲遲未作決定，莫希將軍可能會失去信心。您不能向國王說說看嗎？」

「塞特裔只在意他兒子的健康問題。他把所有的希望都放在這個孩子身上，就好像他覺得這個孩子有能力做到他無能為力的事情。」

「臣仍要強調必須緊急的作出決定，皇后；我們的軍隊已準備好發動攻勢，我甚至都還沒讓那些將領知道他們真正的任務只是逮捕阿孟美斯，並慶祝和平的到來。」

皇后露出欣賞的眼神。

「你真是國家的好臣子，百依，也是唯一的朋友……埃及將會永遠記得你的忠心。扶我起來，我試著去說服國王讓你採取行動。」

房門這時打開了。

塞特裔二世雙手無力垂著、兩眼空洞地出現在門口。

「我兒子死了。」他喃喃地說道。

33

幸虧有卡烏的特別教導，阿沛弟的數學才不致於太糟，然而他還是班上的最後一名。肯伊和他的助理書記伊姆尼一心只想把他開除。

由於肯伊年紀已大，只教授古文學。通常好學生都要學習智者卜塔霍特普涵意很深的經文，或是瑪亞特的教義及對抗不公。生性不耐煩的伊姆尼取代肯伊，教村子裡的小孩讀書、寫字、計算，以及其他的基本課程；這些男孩女孩長大後，有的留在行會裡，有的離開村子到外面發展。

「你兒子常在我的課堂上搗蛋，」伊姆尼向帕尼泊抱怨，「他老愛說話，讓其他的同學不專心，而且還無禮地頂撞我。」

「為什麼你沒有好好地處罰他？」

「我威脅過他……可是他對我嗤之以鼻。」

「你怕他，是不是？」

「不是，當然不是……但他的高大強壯已超過他的年齡，而我……」

「聽著，伊姆尼，你我彼此合不來，這是一回事，但我兒子應該要尊重他的老師，和應有的學習態度。我親自來把他導入正途，但如果他犯了任何一點錯，我要你立刻通知我；否則我要你負責。我說得夠清楚嗎？」

「很清楚。」伊姆尼小聲的回答。

十來個孩子在一起玩前進方格的遊戲。他們在地上畫了螺旋狀的圓圈，裡面格了許多方塊，猜贏的孩子可以前進，猜輸的小孩立在原地，或倒退幾格。

「你作弊，阿沛弟！」伊普伊的小孩叫道。他是個學習認真且謹慎的男孩。

「你呢，你只會拍老師的馬屁！」

「你剛剛作弊，所以不能繼續玩下去。」

其他人都贊成。

「你們都是一些只會告狀的混蛋……我本來又要贏的，所以你們才不高興！」

「對，我們不高興你作弊。」

阿沛弟故意裝作走開，然後突然跑回來，用手上的楊柳枝朝伊普伊兒子的背打過去。

阿沛弟比對手整整高了一個頭、多了二十公斤，他輕易地就把對手壓倒在地上，準備用樹枝打他的背。就在這時阿沛弟被一腳狠狠地踢開，力道大得使他撞向一面牆。

他怒氣沖沖地轉過身來，準備好好修理攻擊他的人。

「你打算要揍你父親嗎？」帕尼泊平靜地問他。

阿沛弟沒有地方可退，只有挨兩個耳光的份，他的臉頰立刻腫了起來。

「我曾經是個壞小孩，」帕尼泊承認道，「可是我一直很想學習，也從不作弊。你要是不給我改變態度，我就馬上把你趕出村子，讓你和那些助理工到田裡工作，還來得有用一點。」

「不要這樣對我。」

「那好，給我讓你留在這裡的理由。能夠生活在真理村是一種無上的運氣，你在這裡可以受到比其他學校還來得高等的教育。如果你笨到無法了解這點，乾脆到其他地方去尋找你的前途。」

「我不喜歡伊姆尼，我比較喜歡卡烏……他雖然很醜很嚴格，可是我聽得懂他在說什麼。」

「我不管你喜不喜歡，小子；重要的是服從與學習。」

＊　＊　＊

「阿孟美斯的運氣很好，」奈克特說道，「他將會在谷地裡最美的一塊地方長眠永生。」

「我比較喜歡塞特裔二世的陵墓位置。」卡洛放下鑿子說道。

「那個偏僻的地方沒有給他一個好下場。」費奈德說道。他自從離婚之後，精神萎靡了很長一段時間，好不容易才開始恢復一點體重。

「你認為這個地方會讓阿孟美斯成功嗎？他不但沒有採取攻擊，反而是靜待對手到來！這不是一個領袖應有的態度。」

「你以為自己很懂兵法？」卡沙諷刺道。

「我們挖了不了多久的，我告訴你們，這座陵墓蓋不成的！」

「以首長要求的速度來看，我不相信蓋不成。」

這回輪到帕尼泊停下手邊的工作。

「你有什麼要抱怨的，卡沙？」

「我不知道為什麼尼菲要叫我們不停地工作，甚至取消了上個月的兩天假。」

「那只是沒有必要性的節日，」帕尼泊提醒他，「在工作太多的情況下，首長有權使用這些假日。」

「工作太多，說得好！」

「其實這並不難了解，」卡洛一邊揉著手臂的肌肉一邊附和道，「首長認為阿孟美斯統治不了多久，而他打算為他蓋一座真正的陵寢。」

奈克特喝了一大口水，然後把水袋傳給其他人。

「希望他是錯的……如果塞特裔以勝利者的身份進駐底比斯，我們就完蛋了。」

「你不應該這麼悲觀，」費奈德反對道，「你忘了他是如何為行會辯護而救了它嗎？」

「我並沒有什麼好怪他的，但他是否有本事面對一個急欲復仇的法老軍隊？」

「第一，事情還沒發展到這個地步；第二，休息時間已過了，幹活兒吧！」

*　*　*

整個比拉美西斯都在服喪。皇宮內，大臣和男僕不再刮鬍子，女人則不戴假髮，並且披頭散髮。

木乃伊化的工作已交由最好的專家開始進行。

百依一步都沒有離開他的辦公室，為前來不斷的高官加強信心，他們很擔心國家是否有人繼續治理；儘管他盡了最大的努力，還是無法令他們信服，因此首府籠罩在沉重的氣氛中。

當百依獨自一人奮力對抗這種愁雲慘霧的情勢時，奇蹟出現了：桃賽特皇后召見所有朝臣。頹喪立刻被好奇取代，朝臣們爭先恐後進入了召見大廳。

皇后身穿一件淺綠色的長袍、頭上戴了一頂金色皇冠、配上一條碧玉項鍊和細細的金手鐲，坐在法老的王位上。由於塞特裔不在，因此由皇后來治理國家。

一些與皇后較為親近的大臣在她臉上找不到一絲滄桑的痕跡，她一如以往的雍容高雅。這是桃賽特第一次單獨上朝，因此有許多人等著看她出錯。

「國王身體欠安，」她說道，「其子的去世帶給他很大的打擊，御醫們認為他需要休息很長的一段時間和密集的治療，才能再度料理國事，因此由我來代理。各位可以信賴我和百依的堅定，大家也有目共睹掌璽大臣百依處理國事的能力。」

「我們的軍隊何時攻打底比斯？」一名大臣帶有攻擊性地問道。

「法老決定要我們不能成為侵犯者，不過在我們統治的地區必須做好安全的措施。當然，如果阿孟美斯王子採取攻勢，我們會全力予以反擊。」

「這是否意味著我們將底比斯和南部讓給他？」

「這意謂著我們不會主動做出讓成千上萬埃及軍人血流成河的事情。目前法老寧可維持現狀，而不願意發生一場大屠殺。然而我們很清楚上下埃及必須統一，才能繼續生存下去。因此我們會採取別的方式來達成統一。」

「什麼方式，皇后？」

「一個地位低微、而尖嘴利舌的臣子不配知道這等重大的國家機密。」皇后平靜地說道。「身為朝臣，只管去服從、為國家服務就好，如果還有這個能力的話。」

桃賽特從王位上站起來，表示結束召見。

百依讚嘆得說不出話來，彷彿打了一劑強心針。他隨即發現所有的大臣都愣在原地，目瞪口呆。

* * *

「請容許臣向您讚美您的表現，皇后，」百依說道，「臣相信您那一番話會讓好事者閉嘴、讓憂心者放心。不過，真的不可能說服國王照臣的計劃進攻底比斯嗎？」

「塞特裔將所有的希望都放在我們的兒子身上，百依；他的死幾乎讓他不想活下去，同時他也害怕受到塞特神的影響。這就是為什麼他避免與阿孟美斯起衝突的原因，而且不管任何情況都不願發動戰爭。」

「但您很清楚戰爭是無可避免的，皇后！」

「無可避免的事情還很多，百依。」

皇后嚴肅的口吻令百依開始擔心起來。

「塞特裔要這個原本應該繼承他的小兒子埋葬在國王谷地的一座陵寢內。」

「他難道忘了底比斯地區已被阿孟美斯所控制?」

「由於國王不能完成這件事，所以由我來完成。」

「臣求求您可千萬別冒這個險，皇后!阿孟美斯王子痛恨您，一定會拒絕您的要求，並且把您當作人質!國家太需要您了，因此您不能羊入虎口。」

「叫人去準備一條船，百依。我明天早上就出發。」

「只有一條船?您一定要有大隊的人馬護送您，還有……」

「只有一條船和一具靈柩台，不要有任何的士兵。」

34

「還是什麼都沒有？」莫希惱怒地向副官問道。

「今天一封信都沒有，將軍。」

莫希只好回去指揮部隊的演練。經過了一連串的工作與訓練，整體上部隊已配備了精良的武器，弓箭手有了新的箭以後，可以在極短的時間內除去對手，所有的士兵一刻都不遲疑地執行莫希的命令。

他可以為自己感到驕傲。多年來暗中不斷地努力與辛勤終於讓他建立了一個所向無敵的武裝力量，通往最高權力的大門將為他而開，不過他得善加利用這個力量才能成功。一個獨裁軍人在古老的埃及是不可能維持長久的；因為這有違瑪亞特的法則，既不會受到書記、祭司的贊同，更不會獲得人民的認可。因此莫希必須以拯救者的姿態出現，而他的成功將建立在塞特裔二世與其子阿孟美斯的殊死鬥之上。

當他正在調整戰車的韁繩時，腦海裡突然閃過一個有趣的念頭：他之所以能夠晉升，不是多虧於真理村嗎？也許不全然，但至少有一部份是。打從行會拒絕他的加入以來，仇恨使他日益壯大，讓他找到許多對抗的方法，自己的勢力因而一天比一天強大。一旦他奪取真理村的寶物後再將之夷為平地，其中帶給他的快樂更甚於登基為王。

不過，百依為何遲遲沒有來信？莫希很確信他已被自己表現出來的真誠所說服，況且百依認為他的計劃會成功，也似乎很急著要收復南方。

一定是塞特裔仍在遲疑，但百依的策略是如此的完美，沒有犧牲者、勝利易如反掌，國王應該會欣然答應才對。

副官向他跑過來。

「將軍，前方通報出現了一條可疑的船！」

「你要說的是……戰艦？」

「根據哨兵的說法，那只是一條船。」

莫希感到很好奇，但不想冒任何的危險。

「派兵把它攔下，讓它停靠在西岸的主碼頭。如果船上的士兵拒絕投降，那就格殺勿論，只留下一兩個活口來審問。」

* * *

整個村子幾乎籠罩在一片香氣四溢的濃霧中。這一天是薰香的日子，所有的住家和其他場所都要用藍丹煙薰過。每一名家庭主婦忙著將香料放進方形小香爐的火炭上，這是一個殺死病菌的衛生措施。村子裡的小孩快樂地四處亂跑，他們都很喜歡這個集體活動。

叛徒慢慢走近右隊的議事堂。經過了深思熟慮後，他相信「光之石」一定是藏在這個地方，可能在神龕底下。他至少可以利用大家都忙成一團的這個機會，來肯定光之石是不是就在那裡。

他運氣不夠好，因為首長已指派卡洛到議事堂進行煙薰的工作，他求之不得的工作，卡洛卻視之為苦差事。下一回他會試著取代卡洛，可是不能表現得過於自告奮勇，以免引起別人的注意。

一隻手突然搭在他肩膀上，他的血液瞬間凝結住了。

「你也是啊，」帕尼泊向他說道，「你也被薰得從家裡逃出來？」

「的確是……這種氣味薰得我頭發暈。」

「我也不喜歡！可是娃貝特甚至還加重份量，想要連看不見的小蟲子都被除去，結果讓人根本無法呼吸。」

當帕尼泊離去時，叛徒已經滿身是汗。他腦袋空空、兩腿發抖地往家裡的方向走回去。

好幾名婦女正在和他妻子熱烈的討論著。

「索貝克隊長要求見肯伊。我們應該到村子大門口看看。」

煙霧漸漸散去，村子已被淨化，但沒有人去想淨化後伴隨而來的慶祝活動，因為大家都聚集在一起，準備聽陵寢書記的宣佈。

「北方的船隻已前來攻擊底比斯。」他說道。

「是戰爭，」帕伊的老婆驚慌地高聲叫道，「戰爭已經開始了！」

「所有人都不要離開村子。」首長下令道，「索貝克會通知我們進一步的消息。」

＊　＊　＊

敵方的船慢慢地停靠在西岸的主碼頭，三百名弓箭手在一旁虎視眈眈，只等莫希舉起手下令射擊。可是莫希和他的部下一樣，驚訝地觀察著它怪異的靠岸情形。

這不是一艘戰艦，而是一條大船。它的正中央擺了一個靈柩台，兩旁各有一座伊西斯和奈夫蒂斯神的雕像，祂們採跪姿，雙手伸向靈柩台，在冥冥中用神力保護它。

二十名槳手並未配備任何武器，船長也沒有。

當身穿一襲白色長袍、頭戴北方紅色皇冠的桃賽特出現在走道上時，眾人皆屏住氣息。

莫希在皇后面前行一鞠躬。

「您是莫希將軍？」

「是的，皇后。」

「這條船上載了我兒子的木乃伊，法老和我本人希望將他葬在國王谷地。」

莫希懷疑自己的耳朵有問題。

「您……您沒有讓護衛隊送您前來？」

「我是單獨前來的，將軍，這些船伕都不是士兵。」

「皇后，這該怎麼說……」

「您不是底比斯西岸的總督嗎？」

「是沒錯，皇后，但……」

「但我們幾乎是處於戰爭狀態，而您必須聽從阿孟美斯的命令，是嗎？」

「王子已成為法老，而……」

「法老只有一位，將軍，而我是以法老之名行事。」

莫希沒有想到會有這種單刀直入的對話，不過他也許可以利用皇后的不理性行為，讓情勢轉而對自己有利。

「您一定能夠了解，皇后，我必須向阿孟美斯國王請示。可否請您隨我到百萬年神廟的皇宮內？您將暫時住在那裡。」

「您做了正確的選擇，將軍。」

* * *

「這不是一場戰爭。」陵寢書記對村民宣佈道。

「從北方來的不是一艘戰艦？」伊普伊問道。

「不是，是一條載送桃賽特皇后和其子木乃伊的船。」

「桃賽特皇后！」奈克特大感驚訝；「她是不是瘋了？」

「根據傳聞，她要求把她兒子埋葬在國王谷地。」

「阿孟美斯絕不可能答應的，」狄弟亞說道，「他會把桃賽特關起來，而塞特裔就會出兵攻打底比斯。」

「他不敢，」卡洛反駁道，「他怕阿孟美斯會處決皇后。」

「反正，」雷努貝下了一個結論，「這件事跟我們沒有關係。」

「你就那麼肯定？」帕尼泊反問他，「除了我們的行會，誰會來挖掘這個陵墓？」

「阿孟美斯國王一定有別的計劃，命運真是送給了他一個無價的禮物。」

「不要再把皇后當成瘋子，」傑德勸大家，「她很清楚自己在做什麼。她把自己送到塞特裔的對手手中，無異是阻止了父子之間的一場激烈戰爭。」

「但她還是冒著很大的危險啊！」

「埃及的皇后一般而言都有過人的勇氣；就算這個舉動最後失敗，她仍不失為一名偉大的皇后。這種偉大證明了埃及沒有淪落到滅亡的地步。」

首長彷彿見到了另一種真理，沉默的不發一語。

*　　*　　*

「桃賽特根本是拿您開玩笑，將軍！」阿孟美斯憤怒地說道。

「不，陛下；在靈柩台裡，的確放了她兒子的棺材。」

「這不過是一種挑釁的行為！」

「也許，但目的是什麼？」

「叫她說，將軍。」

「陛下……桃賽特是皇后！」

「您胡說，莫希，埃及只有一位皇后，那就是我的妻子！」

「陛下請原諒臣，臣無法把桃賽特當作一名粗魯的囚犯對待。」

阿孟美斯激動地握緊拳頭、狠狠地捶向一根立柱。

「我恨這個玩心機的陰謀家……她搶走了我母親的位子、蠱惑了我父親的心靈。」

「臣想她應該知道您的心情？」

「那還用說！」

「所以，陛下，她出現在底比斯更令人感到訝異了。」

「她有沒有交給您塞特裔的信？」

「沒有，陛下。」

「她真的只談到她兒子的葬禮？」

「是的。」

「這是一個陷阱，將軍，除了陷阱，沒有其他的可能！」

「臣也作出同樣的結論，陛下，但臣無法了解這是什麼樣的陷阱。」

「桃賽特是一個很有野心、也很有心機的人，她做得出利用她兒子來除掉我的這種事情。您千萬不要被她騙過去！這個女人最會演戲，而且會企圖勾引您。哨兵難道沒有發現任何戰艦的蹤影？」

「一切都很平靜，陛下。」

「您對她問話幾次了？」

「三次，桃賽特都是同樣的回答、同樣的平靜、和同樣的要求。」

「這個女巫到底要讓我們跳入什麼樣的陷阱？最好的辦法就是讓特別法庭判她死刑。」

「您這麼做會點燃令尊的怒火。」莫希勸道，不過心裡卻暗暗希望它成為事實。

阿孟美斯靠在立柱上，兩眼望著天花板上的葡萄藤畫。
「把桃賽特皇后帶來見我，將軍。」

35

「桃賽特皇后……桃賽特夫人到了，陛下。」皇宮總管說道。

「請她進來。」

阿孟美斯決定在卡納克的皇宮王室內接見敵人。他坐在梅仁達曾經坐過的王位上，頭上戴了一頂藍色的皇冠。

沒有人先打開話題。

她一出現，國王就已慌了神。桃賽特穿了一件紅色的長袍，與金色的首飾非常相襯，看起來像是一尊女神，而非凡間的人。阿孟美斯口乾舌燥，無法數落這個女人的不是。

「您不給我拿一張椅子來嗎，阿孟美斯？」

阿孟美斯大可令她向法老鞠躬行禮，但他就是不敢這樣做。

「我不是您的僕人。」

「如果真的有本事，一位國王知道要如何對待一位皇后。」

阿孟美斯站起身。

「跟我來。」

他把桃賽特帶到一間國王的小休息室。兩人同時在鋪滿墊枕的長石椅上坐下來。

「您想做什麼，桃賽特皇后？」

「莫希將軍難道沒有將我的話轉達給您嗎？」

「那些話根本沒有意義！」

「不管您的野心是什麼，阿孟美斯，您難不成會殘忍到將一名母親的痛苦踩在腳下，並且拒絕實現她合法的願望？」

「您根本不知道感情為何物！您之所以嫁給我父親，不是因為愛，而是為了實現您的權慾。」

「我為塞特裔生了一個兒子，一個他希望封為太子的兒子，但命運卻奪走了他。他的死去讓您父親陷入絕望的深淵，而他只有一個願望：讓這個原本應該成為法老的孩子埋在國王谷地，與他的祖先在一起。這就是我此行的唯一目的，其他人的想像沒有絲毫的意義。」

桃賽特的莊嚴震撼了阿孟美斯的心。他原以為她要責怪他拒絕承認塞特裔的政權，而自行登基成為法老，接著兩人的談話很快就會惡化，然而皇后平靜而不帶敵意的表達了她此行的目的。他甚至在她的眼神中彷彿看到了深深的痛楚。

「我不相信您，桃賽特……您前來底比斯，難道不是為了要我放棄王位、承認我父親是唯一的法老？」

桃賽特微微一笑。

「您會同意嗎？」

「絕不！」

「所以根本不用向您做這種要求。您已經做得太過火了，阿孟美斯，您也不可能走回頭路。不過您要知道塞特裔不希望有內戰發生、看到埃及士兵血流成河、讓國家遭受到這種不幸，甚至削弱了國家的力量，乃至成為侵略者的獵物。」

阿孟美斯比桃賽特多了一項利器：莫希的計劃。但他眼前突然出現橫屍遍野、血染尼羅河的畫面，這個惡夢似的景象令他感到驚恐。統治，並不是散播死亡。

「您似乎有點失神，阿孟美斯。」

「您何時才會告訴我您此行的真正目的？」

「我已經全告訴您了。」

「您在事情的背後都有一個明確的目標。我怎能相信您的話？」

「我和您父親彼此相愛，也深愛著我們的孩子。他的過世已改變了我們的生活，而我將會很高興能夠實現我丈夫的願望。我再說一遍，這是我此行的唯一理由，我希望您會了解。」

「是您阻止我父親讓我與他共同治國，不是嗎？」

「沒錯，是我。」

「您為什麼討厭我？」

「我認為您沒有能力掌政，阿孟美斯。」

「您錯了，我已經向您證明！今天，我應該讓您被判大逆不道之罪。」

「就照您的意願去做吧！不過先完成您父親的要求。」

阿孟美斯猶豫不決。

桃賽特看起來很真誠，雖然她處於劣勢，卻沒有尋找任何藉口，就好像她只重視亡兒的未來命運。

這個外表看來毫無防衛的皇后到底向他設了什麼樣的陷阱？

「對一個死去的孩子寬宏大量，不會有損於您的權威。」桃賽特加了一句。

「我沒有摧毀塞特裔的陵墓，已經是寬宏大量了。」

「做兒子的難道可以摧毀他父親的陵寢、污染法老靈魂所長眠的大草原嗎？」

阿孟美斯被擊中要害，眼神黯淡了下來。他所痛恨的女人被困在他的皇宮內，居然還敢挑戰他！

「您的孩子不是一位國王，所以他的木乃伊不能長眠於國王谷地。」

「有些非皇室人物不也例外地被接受了嗎?您可去問真理村的首長，他會告訴您的。」

＊　＊　＊

「您希望我陪您到皇宮嗎？」索貝克向尼菲問道。

「我想沒有必要。」

「可是這麼做比較保險……雖然找您的人不過是一般文官，但他們並未向您說明為何阿孟美斯召見您。」

「我有什麼好怕的，索貝克？」

索貝克很不贊成首長和那五名皇室書記及助理一起離開。他們之前來到村子的第一堡壘，要求要見尼菲，並且告訴他阿孟美斯法老強調這件事很重要。因此一接到尼菲後，馬車伕策馬奔向碼頭，再由一條快船載他們橫渡尼羅河。

一到皇宮大門口，一名總管立刻帶尼菲到一間廳堂，尼菲見到阿孟美斯與一位氣質非凡的女子在裡面，而後者用一種好奇的眼光打量著他。

「您終於來了！」阿孟美斯大聲說道。

「我們一分鐘都沒有浪費，陛下。」

「您向桃賽特皇后解釋不可能將她的孩子埋葬在國王谷地裡，因為他沒有被加冕，不是一位國王。」

國王在說這話時，已經很明顯地暗示尼菲如何作答。可是阿孟美斯所說的與事實不符合，首長既不能、也不想說謊。

「實際上，陛下，有例外的情形發生過。」

阿孟美斯氣得滿臉通紅。

「哪些例外情形？」

「例如，拉美西斯命人為他的忠臣們合建了一座巨大的陵寢，這些忠臣被封為『皇室之子』。」

「只有偉大的拉美西斯才能允許有這種例外！再說，這些皇室之子在當時至少有象徵性的協助他治理國家！桃賽特的兒子卻不是這種情形。所以問題已經解決了。」

「在下不認為，陛下，因為您的前輩曾經賜給一些非皇室的傑出人物無上的榮耀，讓他們埋在國王谷地裡。比方說有哈特謝普蘇特女王的奶媽（In 陵墓 KV 60）、阿孟霍特普二世的首相（Amen-en-Opet 陵墓 KV 48）、圖特摩斯三世的搧扇者（Maiherpri 陵墓 KV 36），還有緹宜皇后的雙親、阿孟霍特普三世的大夫人（Youia et Tjouiou 陵墓 KV 46），且尚未包括那些忠心的伙伴、那些狗兒、貓兒、猴子和朱鷺等。」

皇后掩藏住內心的高興。她用涵意深遠的眼光望著阿孟美斯，首長剛剛向他表示，如果他願意，他可以賜給一個人特殊的頭銜，並讓這個人埋葬在國王谷地裡。

但這個人是一個原來準備取代他的孩子，是一個他所痛恨的孩子，程度不下於桃賽特！

阿孟美斯需有一個充份的理由，令首長無法反駁。

「真理村目前忙著建造我本人的陵寢，」國王說道，「它已沒有足夠的時間、也沒有足夠的人力來建造和裝飾這麼一座陵墓。因此，不可能答應桃賽特皇后的要求。」

「事情並非完全如此，陛下，」尼菲更正道，「非皇室人員的陵墓只是一種簡單的墓穴，也沒有任何裝飾。只有法老才有雕像、壁畫、經文等。如果您決定了，在下可以調兩名石匠挖掘一間井室和一間木乃伊棺室。」

「但還少了陪葬品！」

「我已帶來了一些必要的東西。」皇后說道。

阿孟美斯怎麼能對他的囚犯讓步？而這個令人無法忍受的首長不但不幫他、反而給了桃賽特最好的武器！

皇后站起來。

「我以您父親和我本人之名，向您致謝。」她聲音中的莊嚴，令阿孟美斯起了一陣寒顫，「由於您，這個小生命、也是您的半個弟弟，終於能體驗到快樂的永恆。」

36

「朕非常的不高興，尼菲，」阿孟美斯恨恨地說道，「您難道不了解朕希望您怎麼做嗎？」
「在下知道。」
「既然如此，為何在桃賽特皇后面前把什麼都說出來？」
「因為您不會要我說謊，陛下。」
阿孟美斯實在應該把這個出言不遜的首長撤職掉，但他是否能再找到像他這等有足夠勇氣在國王面前說出心裡話的人？
「您的建議是否當真？」
「當然，陛下。」
「朕要一個普通的墓穴，像您所提的那種，而且沒有任何裝飾。」
「既然如此，這就是規定，我們會遵守它。」
「您打算在哪個地方挖掘？」
「您是否有紙筆？」
尼菲畫了一個國王谷地的草圖。
「在這裡，陛下，離荷倫赫布法老的陵墓不遠。」
「可是……它就在朕的陵寢旁邊！」
「一來，我們不用來回兩地跑，可以節省精力，方便工作；二來，您一定會拒絕墓穴在塞特裔二世的旁邊。況且，陛下如此不就成了這個孩子的正式保護者嗎？」

右隊工匠或坐或站，專注地聽尼菲說話。

「盡快挖掘一個墓穴，」卡洛重複首長的話，「這代表什麼意思？」

「表示要放棄我們的休假，直到工作完成。」費奈德回答他。

「這是不是一個不好笑的笑話？」

尼菲不發一語。

「這麼說來，這是真的？我們已經為了阿孟美斯的陵墓累得半死，現在又要花費更多的力氣來建造一座新的陵墓！」

「首長剛剛說的是一個簡單的墓穴。」卡沙提醒他。

「我們這樣在為桃賽特的孩子工作，不會惹來麻煩嗎？」伊普伊擔心地問道。

「我已說服阿孟美斯答應皇后的要求，」尼菲解釋道，「但如果我們拖延太久的話，他有可能會改變主意。因此我需要兩名石匠用最短的時間來做好這個工作。」

「我運氣好，幫不上什麼忙，」傑德諷刺道，「因為這種墓穴用不到任何的裝飾。」

「既然石匠們只會想到他們的休假，我自願負責這個工作，」帕尼泊說道，「有了我那把石鎬，我不需要任何人的幫忙。」

「兩個人會快得多！」奈克特插了一句話，「而且我才是一個真正的專家。」

奈克特在乎的不是休假，而是與帕尼泊一比高下，他當然不願意錯過這麼好的一個機會來證明他比較強。

「等到其他人都回到村子時，我們在山口過夜，然後我和你們兩個一起在谷地工作。」首長宣佈道。

＊　＊　＊

莫希躺在爬滿葡萄藤的涼亭底下小憩，賽克塔好玩地將葡萄捏碎，任汁液從指縫中流到他的胸膛上。莫希近來失眠得很嚴重，而且越來越無法忍受酷熱的天氣。

「你不想愛撫我嗎，我的親親？」

甜甜的汁液黏在莫希的胸毛上，使得被吵醒的莫希脾氣更加惡劣。

「夠了，賽克塔！我至少需要一個小時的睡眠。」

「我有更舒適方法讓你放輕鬆，」她邊用身體摩擦他、邊呢噥道，「而且我看你似乎已經醒了……」

她雖然完全沒有感覺，但莫希的粗暴仍舊管用，也許哪一天他能真正的滿足她。

賽克塔一邊整理凌亂的頭髮，一邊喚來僕人為他們送上白酒。

「你為什麼不再密集訓練你的部隊了？」

「因為塞特裔二世不會進攻底比斯。」

「你確定？」

「他兒子的死令他很沮喪，而且他也不想被視為進犯者。」

「照這麼說來，他沒有聽百依的話囉？」

「對，沒有！」

「情況也許會有改變。」

「我不認為……塞特裔要避免內戰的發生，而阿孟美斯也開始怕自己成為煽動者。父子兩人就像兩頭對峙的野獸，等待對方先露出弱點。也許一輩子也找不到弱點。」

「我們可以挑起這個弱點。」賽克塔的食指滑過杯緣建議道。

「妳想到什麼點子了？」

「在真理村的工匠挖掘墓穴的這段時間，桃賽特皇后暫住在底比斯……如果她發生了不幸的事情，而阿孟美斯被視為要對她的死負責，塞特斎便不得不有所反應，因而發動戰爭。」

莫希坐了起來，一把抓住賽克塔的肩膀。

「我不准妳除掉她，賽克塔！桃賽特現在被軟禁在百萬年神廟的皇宮裡面，而百萬年神廟屬於我的責任範圍，如果桃賽特發生不幸，是我要負責！」

「真是可惜……我在毒藥的知識上面大有進展，真希望能拿一位皇后做試驗！」

「我們不要失望，小親親；妳可以和我們的朋友達克泰繼續研究，但千萬不要因為沒有耐心而輕舉妄動。」

「不可能把桃賽特換到東岸嗎？」

「阿孟美斯會起疑心，而且要用什麼理由？他一定在不停地想，要如何處置皇后，我希望他會做出錯誤的決定。」

「你可以誘導他。」

「如果我太堅持處決桃賽特，國王反而會做出相反的決定……阿孟美斯的邏輯很奇怪，有時候意志堅決、有時候又猶豫不決。我壓根兒沒想到桃賽特會達到她的目的，可是她的確成功地迷惑了她最可怕的敵人！」

「聽你這麼說，她是一個很厲害的女人……」

「如果沒有人阻撓，桃賽特終有一天會拿下政權。」

她已經猜到了莫希的想法，高興得跳了起來。

「你希望她能安然回到比拉美西斯，讓她擺脫她的老丈夫，自己對阿孟美斯發動戰爭！」

莫希用百合花精油抹在他的黑髮上。

「假使桃賽特聽百依的建議，她就會派兵進攻，並認為我的士兵不會反抗，也可以輕易地捉拿阿孟美斯。」

賽克塔伏在莫希的腳下。

「你真有遠見，而且是我的大猛獅，我要和你一起吞噬未來！」

* * *

帕尼泊用石鎬刨土，奈克特將土掃開，兩人輪流交替著，尼菲則把牆壁粗略地刨光。由於帕尼泊和奈克特很努力的工作，很快地便挖好了一個不小的井室。他們又一鼓作氣鑿出了一個六公尺寬、九公尺長、帶有凹處的房間；它比一般非皇室成員的墓穴都還來得大。

「阿孟美斯會不會不高興？」奈克特問道。

「他大概不會出席葬禮，所以不會知道。」尼菲安慰他。

「總而言之，」帕尼泊說道，「我比你多鑿了兩下；你後繼無力，奈克特。如果這樣繼續下去，你恐怕要換行業了。」

「才沒有，我的速度和你一樣快！首長可以作證。」

「重要的是工作的成果。」尼菲結論道，同時準備將最後一批裝滿碎石泥土的籃子運出墓穴。

「讓我來就好；」帕尼泊說道，「這不是你該做的。」

「我們三人不已形成一個團隊嗎？我希望桃賽特皇后會感到滿意。」

「她是不是一直被軟禁在百萬年大神廟裡？」奈克特問道。

「聽肯伊得到的消息，她獲得廟裡所有人的同情，甚至包括那些看守她的士兵。」

「桃賽特是逃不了一劫的，」奈克特研判道，「阿孟美斯對這個已不具威脅的孩子網開一面，現在他一定會對他的敵人作出嚴重的懲罰。到時戰爭的悲慘都會落到我們頭上來。」

帕尼泊放下石鑿，坐到尼菲旁邊，與他一起凝望著環繞谷地的峭壁頂峰，這些峭壁將國王谷地隔離了外界。

「我們能夠在這裡工作，去感覺岩石的脈動、去了解它的語言，是何其幸運啊！」首長低語道，「我們以為自己改變了它，實際上卻是它操縱著我們。在這個寸土不生的大草原裡，諸神用石頭的語言向我們說話，我們有責任要把它畫出來、雕刻成形。這是我們唯一能夠對抗戰爭和人類瘋狂的方法。」

37

帕尼泊和奈克特將小木乃伊棺下到墓穴裡，然後首長把桃賽特皇后從比拉美西斯帶來的陪葬品放進去，裡面有戒指、手環和項鍊，還有涼鞋及銀手套（在陵墓 KV 56 被找到的寶藏，又名「金陵墓」）。

尼菲頌禱著「星內萬物經」裡面的章節，祈求精氣之井不會被石頭堵塞，陵墓不會被沙子埋沒。

「國王終於可以放心了，」桃賽特說道，「我們的兒子安息在此，遠離未來幾年塵世混亂。謝謝您的幫忙，首長，我必須承認我先前對真理村完全沒有好感，而且曾經要你們的陵寢書記肯伊離開，由比拉美西斯的一名書記取代。是您的堅定改變了這個計劃。」

「肯伊的經驗對我們非常的重要，我仍會繼續對抗所有的不公正。」

「塞特裔的陵墓真的沒有被破壞？」

「阿孟美斯沒有做出這種事情，皇后。我們建了三道走廊、一間井室和一間有四根立柱的大廳。是我親手封上塞特裔法老的陵寢大門。」

「您的任務還沒有完成，當合法的政權再度統治底比斯時，您也將再度打開這扇大門。您要懂得選擇正確的一方，首長。」

「正確的一方對我而言只有一個：真理村。」

「難道它不直屬於法老嗎？」

「是沒錯，皇后，但面對兩個國王、挖掘兩座陵寢，行會又該怎麼做？」

「要您服從不是一件容易的事。」

「我們難道不該服從瑪亞特的法則嗎？它也正是統治真理村的法則。只要我們一遠離它，災難立刻跟隨而來。」

「您是否在暗示我一個政治的理念，首長？」

「在這個谷地裡，只有永生，沒有現實。」

桃賽特皇后發現他是一個有能力治理國家的人才。任何的幸與不幸，都不會影響他的意志力，也不會讓他偏離諸神為他安排的路。其實，工匠的村子不就是一個小型國家，其主要的任務就是為了埃及的生存？

「傳言說真理村擁有無盡的寶藏……這會不會是由於說書人過於誇張的說法？」

「既然您貴為一國之后，相信您知道金坊的角色及責任。若沒有『光之石』，所有的復生陵寢就變成了普通的墳墓。」

「阿孟美斯也知道嗎？」

「我不清楚。真理村尚未有此榮幸迎接他的大駕。」

「他和塞特裔一樣，也沒有來……這也就是為什麼您兩者都不承認他們是法老。」

「我沒有這個權力，陛下；我唯一有的權利就是保護行會，將任務完成，讓真理村繼續生存下去。」

「您會有勇氣不服從一位國王嗎？」

「當阿孟美斯命令我去做有違瑪亞特法則的事情，我已拒絕去執行它。」

「他可因此而將您撤職！」

「的確，皇后，但若是一個國王只知摧毀，難道他不會招來被毀的命運嗎？」

「我建議您在塞特裔的面前不要說這種話。」

「如果為了怕國王不悅而隱藏我的想法，將會是一個不可原諒的錯誤。」

桃賽特已給予尼菲足夠的考驗。他的確是個和岩石同樣堅實的人。

「我想在谷地裡走一走。」皇后說道。

桃賽特享受著這一刻的平靜與孤寂，同時希望能夠感受到這個地方的偉大力量，所有塵世的權力爭奪在此都變成了多餘，甚至可笑。這裡容不下野心與虛榮心，唯一有的，是死亡的極限與轉變成永恆的生命。而這種轉變，只有真理村和它的首長擁有其中的祕密。他們受到這種偉大力量的浸潤，將有足夠的耐力通過任何艱苦的考驗。

當太陽西下，將岩石染成一片金色，桃賽特才意識到自己在這個世外桃源徘徊了數個小時，甚至忘了阿孟美斯的叛離；兒子的靈魂將在此升向遙遠的天堂，她懷著依依不捨的心情走向首長。

「我已忘了時間的存在。」

「谷地並不是活人的世界，皇后，因為它含有太多死亡的意味；有時候當我走進這裡，不禁懷疑它是否接受工匠們的出入。」

「願諸神保護您，首長。」

「您有沒有想到自己的安全問題，皇后？」

「在谷地散步的時候沒有去想……不幸的是現實問題仍然存在。我必須回到我在百萬年大神廟的金籠子裡，等著被送到東岸，讓阿孟美斯令我在那裡消失。」

「您相信他會這麼殘忍嗎？」

「我兒子已被埋葬，寬宏大量的時候已過去，阿孟美斯知道我們之間不可能有任何的妥協。以對外的說法而言，我將死於一場疾病或一個意外。」

「假使您真的認為對方會向您下這種毒手，為何您還來底比斯？」

「因為我深愛著塞特裔，也希望能實現他的願望。我不但沒有後悔，反而感謝命運安排我認識了永生的谷地。」

「您不像是會放棄奮鬥的人，皇后。」

「我在阿孟美斯的手中，對他的打算不存有任何的幻想。」

「也許還有一個辦法。」

「逃走？那是不可能的。」

「我想到另外一個可能。」

* * *

所有針對莫希的機密報告都如出一轍：莫希是個很有能力的將軍，深受所有高級軍官的愛戴，而且不但把軍隊整頓得很好，同時加強了他們的配備。

阿孟美斯疑心很重，雖然他已把底比斯軍隊總司令的工作交給了莫希，但他始終懷疑他的忠誠度。因此他派了幾名大臣暗中調查莫希，想知道他是否心口如一。

調查的結果很清楚：莫希致力於訓練他的士兵，同時也努力作好西岸的管理工作，以維持它的繁榮。他沒有為人詬病之處，所表現出來的態度也沒有可以懷疑的地方。

阿孟美斯因而決定要信賴這個當初邀請他來底比斯的人，也許莫希也沒有想到自己就這麼為他打開了王國的大門。而且將來也要靠他的建議讓自己成為埃及唯一的主人。

「莫希將軍到了。」總管說道。

「請他進來。」

阿孟美斯正在研究一張中埃及的地圖，上面很清楚的顯示了赫莫波利斯是一道重要的關口，必須攻克它才能繼續前進北方。

莫希一發現阿孟美斯正在研究地圖，內心很怕年輕的國王已做了進攻的決定，而破壞了他的整個計劃。

「赫莫波利斯的邊防……它會花我們很多的時間攻克嗎，將軍？」

「我們需要有周全的情報才能攻破這個陣容堅強的城市；過於急躁反而會有危險。」

「您說的有道理，我們還有更急的事要辦：解決桃賽特皇后的問題。」

「您對其子的寬大為懷很令人欣賞，陛下。」

「但朕的寬大並非沒有限度，再說皇后也不是一個小孩子！我們最大的敵人就是她；她兒子的死，對塞特裔似乎是一個很大的打擊，只有這個女人能夠再度給他勇氣。然而，桃賽特卻在我們的手上！假使我們除掉她，對吾父不正是致命的一擊嗎？當他跌入失望的深淵時，會認為這一切都是天意，因而讓位給朕。您看法如何，將軍？」

國王對莫希提出如此重大的一個問題，表示國王把他當成他的心腹；因此他不能令阿孟美斯失望。

「您說的當然有理，陛下，但臣是否能向您建議一個較為溫和的方式？」

「什麼方式？」

「如果您不希望揹這個罪名，就不能讓皇后在底比斯的土地上消失。」

「但如果朕讓桃賽特回到比拉美西斯，就不能對她怎麼樣了！」

「在她的船上就可以。」

阿孟美斯一時無法會意。

「我們讓一個信得過的人加入船隊，由他來除掉皇后，然後立刻逃走。表面上看來，是桃賽特自己的一個水手犯下了這個可怕的罪行。」

「太好了，將軍……我不想多知道細節，也已經忘了我剛剛聽到的話。」

莫希一走出國王的辦公室，就撞上一名看守桃賽特的軍官。

「你在這裡幹什麼？」

「有一個麻煩，將軍，而且麻煩可大了……」

「說！」

「桃賽特皇后不見了。」

「你在開我玩笑是不是？」

「她趁我們不注意的時候逃跑了，將軍，我沒有想到她會做出這種事。」

「如果你不馬上把她找出來，你的事業也會跟著完蛋。」

「我已經初步問過目擊者，而且大概知道桃賽特皇后躲在哪裡，那就是工匠所在的真理村。」

38

「隊長，這一次來的是軍隊！」一名驚慌的努比亞警衛跌跌撞撞地衝進索貝克的辦公室喊道。

「有多少人？」

「至少有一百多個人。」

索貝克一路衝到第一堡壘，看見一隊人馬正在靠近。

「大家立刻就位。」他命令道。

莫希領軍在堡壘五十公尺外停了下來，索貝克朝他走過去。

「我來找桃賽特皇后。」莫希宣稱道。

「您的要求超過我了我的能力範圍，將軍。」

「我要立刻見首長一面。」

「我去通知他。」

莫希很驚訝出來解釋的不是尼菲，而是智女。她穿了一件款式簡單的白色長袍、頭上戴著一頂黑色的短假髮，整體上是金字塔時代的風格。

「尼菲是否害怕出來見我？」

「我以真理村哈托爾女祭司長的身份，答應讓桃賽特皇后在女神的廟裡受到庇護。」

「阿孟美斯法老命令我將她帶回皇宮。」莫希不再如此氣勢凌人地說道。

「您不是村子的合法保護者嗎？」

「我同時也是一名軍人，所以必須遵從國王的命令。」

「您很清楚真理村的領地是不准任何外人進入的，不管他是不是軍人。」

「但桃賽特也不屬於你們行會的啊！」

「她身為皇后，以及全國哈托爾女祭司的總長，當然完全屬於行會。誰敢反對一所神廟所同意的庇護權？」

智女說的沒有錯。如果莫希犯了這種錯，阿孟美斯一定會責備他的，看來他只有一個辦法。

「您是否願意跟我走，並向國王說明這種情況？」

「那當然。」

尼菲並不知道他妻子決定冒這麼大的危險，否則他一定會反對；但卡萊兒知道阿孟美斯不會接受人家如此向他的權力挑戰，因此必須與他溝通協商。

智女上了莫希的馬車。為了行車的安全，他用一條韁繩縛住她一隻手腕，請她小心站穩，同時震懾於她的從容。他將車速放緩，卡萊兒只是靜靜地望著前方。

莫希一向蔑視女人，可是他對她有一種奇怪的感覺，她身上所散發出來的溫柔氣質甚至令他感到不自在。一路上，他一句話都沒有對她說，彷彿兩個陌生人，彼此有不同的語言。他知道智女永遠不會信任他，而他也應該把她視為一個頑強的對手。

*　　*　　*

阿孟美斯國王避開智女的目光。

「神廟同意給予庇護是一件很神聖的事，沒有人會反對！」他生氣的說道，「可是這關係到國家大事，真理村也沒有權力反對它的最高主人，也就是埃及的法老！」

「問題不是來自於首長和真理村，陛下，」卡萊兒冷靜地說道，「他們也不想反對您。桃賽特皇后有這個神聖的權力。」

「朕應該要令人把您以背叛罪抓起來！」

「您是國王。」

阿孟美斯仍然避開這個女人毫無畏懼的眼神。

「桃賽特有沒有說明她的動機？」

「皇后懷疑自己無法安全地回到比拉美西斯。」

「她以為朕會暗算她嗎？」

「我如何能知道，陛下？」

「桃賽特最好一輩子待在你們的廟裡直到老死，但朕相信吾父會認為朕要對這件事情負責，於是便發動一場戰爭來解救她！被稱之為『智女』的您，換作是朕，您會怎麼做？」

「為了要避免一場血腥衝突，我會讓皇后回到首府。」

「寬大為懷，什麼都是寬大為懷！朕已經讓她兒子埋葬在國王谷地了，現在又要朕放了她，而她卻想盡辦法要摧毀朕！」

「我不這麼認為，陛下。」

「桃賽特有向您說些什麼嗎？」

「她所在意的，不就是要避免一場可能會毀了埃及的內戰嗎？」

阿孟美斯做出沉思的表情。

「這麼做也許是錯的，但我同意放了桃賽特。叫她立刻離開底比斯！」

「陛下是否可以保證不會試圖對她不利？」

「您的要求未免太多了！」

「國王的話比什麼都來得可靠與珍貴，陛下。」

「朕向您保證桃賽特可以坐上她的船無所顧慮地回比拉美西斯。但要她永遠別再來惹朕……否則，朕不會饒了她。」

*　　*　　*

方頭從事商船的槳手已經有二十幾年。他很喜歡這個工作，賺的錢也不少。而且，他很喜歡在船靠岸卸貨的這段期間去找女人樂一樂。其妻知道有這種事之後，一狀告到法庭，並讓他同事出庭作證，因而獲得一筆豐厚的贍養費，令他幾乎傾囊一空。

一名女子向他走過來。她戴了一頂厚重的假髮，前額的瀏海蓋住了大半個臉。方頭一邊啃著一顆大洋蔥、一邊望著她，以為這個女人有意找他進行交易；他甚至把手伸向她的胸部，企圖吃她的豆腐。一把利刃抵住了他的肚臍。

「不要亂摸，朋友！你想不想發大財？」

「我？」

「我是在跟你說話。」

方頭哈哈大笑起來。

「槳手的工作就是划槳，不是發財！」

「說不定你的運氣來了？」

方頭吐了一口洋蔥在地上。

「這樣說好了，寶貝……如果妳想付我錢跟我睡覺，那沒問題。但這種玩笑不妨留給其他的白癡。」

「你的贍養費幫你解決、一棟在鄉間的別墅、一塊小麥田、五頭乳牛、兩頭驢子，外加一個葬禮祭司打點你在西岸的陵墓。」

他無法置信地揉了揉眼睛。

這個女人還站在那裡。

「開一個大男人的玩笑可一點都不好玩！」

「你可以把我的提議當真。」

「妳真有意思……那妳的交換條件是什麼？」

「要一個女人的命，她罪該萬死。」

「謀殺……到底是什麼人？」

「桃賽特皇后。」賽克塔回道。

「皇后？妳瘋啦？我可不想拿我的命開玩笑。」

「你錯了，你會受僱為槳手之一，目的地是比拉美西斯。到了航程的第五個夜裡，船長會把你叫去，並讓你進入皇后的船艙。你殺了她之後便立刻逃走。」

「萬一船長出賣我呢？」

「他是我們的朋友。」

「他為什麼不自己動手？」

「因為他必須抵達比拉美西斯，並且繼續為我們工作。到時候他會說是一個他連名字都不知道的槳手趁他不注意的時候犯下了罪行。」

如果受害者是他老婆，他一刻也不會猶豫，但現在可不是這麼一回事……

「我連妳是誰都不知道！」

「你也永遠不會知道，這是為了你的安全。」

「有誰可以保證我的酬勞？」

「這是預付款。」

方頭直勾勾地盯著一條金塊，一動也不動。實際上那不過是達克泰用合金鑄成的條塊，值不了幾個錢。

「你看你已經變得有錢了，朋友……而這只不過是一個開始，如果你表現良好的話。」

「我還想要一條船，一條屬於我自己的船，而且要有槳手隨時任我使喚。」

「你可真貪心……好吧，但不能要求更多。」

「我不太喜歡用刀子……一條皮帶，您看可以嗎？我會使盡吃奶力，讓她連叫的時間都沒有。」

「你可以用你認為最合適的方法，但不准失敗。」

「事成之後，我們在哪裡見面？」

「就在這裡，我再帶你到底比斯鄉下看你的財產。」

方頭把金條拿在手上掂了掂，然後把它埋在他位於尼羅河畔的小茅屋地底下。

「好，我接受。」

「你明天就到皇后的船前報到，船長會僱用你。千萬要記得：第五個夜裡。」

「沒問題。」

「你的運氣實在很好，方頭。」

39

桃賽特皇后住在拉美西斯大帝過去的行宮裡，村子裡的生活是如此的新奇，因此她一刻也沒有想到自己在這裡是為了逃離阿孟美斯的魔掌。遠離了朝廷的問題與俗世塵囂，清晨她到哈托爾與瑪亞特神廟晨祭，進行神龕的開光儀式，讓女神的光芒照耀真理村；接著她在碧玉的陪伴下到每個家庭，將祭拜祖先的鮮花素果擺在貢桌上，之後與女祭司們到廟裡舉行對女神的祭祀。

她們演奏著音樂，並且由七名女祭司為哈托爾女神獻舞，皇后也在其中。她舞弄著叉鈴，藉此讓邪靈離開、讓女神的仁慈與行會同在。她也祭拜了村子的創立者阿孟霍特普法老一世，及他的第一夫人艾美斯——奈費達莉皇后。接著又參與了撫平母眼鏡蛇的祭典，令哈托爾女神的愛將牠轉化成收成的守護神。

每個人都對皇后的平易近人感到很意外，連村子生活中最稀鬆平常的事都令她深感興趣，不管是驢隊送水到村子、有關穀倉的話題、或是陵寢書記所管理的學校。所有的孩子對於能接近皇后都感到很興奮，因此更加倍的用功，想要讓皇后看到他們很會讀書寫字，甚至連桀驁不馴的阿沛弟都安靜許多。小黑則亦步亦趨地監視著小綠猴，怕牠會打擾到皇后。

歡樂的時光總是悄悄地溜過，當皇后得知士兵前來將智女帶到底比斯時，平凡的幸福也隨之破裂。

桃賽特立即在拉美西斯行宮的拱廳內接見尼菲。

「是我該去面對阿孟美斯的，」首長憂心地說道，「卡萊兒不應該去冒這個危險。」

「如果阿孟美斯把她當作人質，我會去取代她，讓她被釋放回來。您不要為她擔任何的心；

我的繼子要抓的人是我，也會用盡所有的方法讓我離開這個村子，雖然他很明白不能違反瑪亞特及哈托爾神廟給予庇護的原則。」

「我不知道卡萊兒自己一個人是否能脫離陷阱，但我絕不會任您受到阿孟美斯的報復，皇后。」

「如果他威脅智女，就必須這麼做。」

「一位法老能表現出懦夫的行為嗎？」

「他視我為死對頭，因此不會放棄這個除掉我的大好機會。」

「您生活在這裡，會有什麼危險？」

桃賽特露出一抹淒涼的微笑。

「我已體驗了數個小時如美夢般的日子，尼菲，但它並不會持久。留在這裡和你們在一起，會令阿孟美斯勃然大怒，因而引來無法想像的後果，乃至於威脅到村子的生存。至於我這邊，為了讓塞特裔能重新掌握完整的政權，我還有一場奮鬥要努力。」

尼菲沒有告訴皇后，他認為她的希望就如同海市蜃樓般不切實際；能夠保住她的性命已屬不易。

「真理村不能沒有智女，」首長說道，「因此我明天就去皇宮一趟。」

「這麼做很危險，尼菲！」

「我已別無選擇，皇后。」

桃賽特知道自己無法改變首長的決定。如果卡萊兒在天黑之前沒回來，她便會離開村子，以免為它帶來任何不幸。

*　　*　　*

「我們總不能一直這樣等下去！」帕尼泊生氣地吼道，「而且你也絕對不能去，不能讓你去自投羅網。」

「我會把卡萊兒帶回來的。」尼菲肯定地說道。

「讓我帶著我的石鎬去跟這個暴君理論！」

「你真的認為這是解救智女的最好方法？」

帕尼泊真想把所有的牆壁都打破。

「這些權力的鬥爭根本與我們無關……我們乾脆不要管這個皇后了！」

「庇護權是很神聖的一件事，帕尼泊。將桃賽特交還給她的死對頭，是一種再懦弱不過的行為。」

「當初就不應該讓她來到村子，尼菲！」

「我一點都不後悔讓真理村保護皇后；現在，她已深愛這個曾經想摧毀的村子。」

他們聽到有人在小巷子跑動的聲音。

「我到村子大門去看看！」帕尼泊說道。

他已聽見叫喊聲。帕尼泊覺得那是一種興奮的喊叫，但他寧可親自去查看。

卡萊兒出現在眾人的面前，她的平靜與光采就好像剛從外面散步回來。帕尼泊感動得上前親她的臉頰。

尼菲也跟著上前緊緊地擁抱著妻子。

「阿孟美斯已向我承諾，」她說道，「他會讓皇后自由離開。但如果她敢再回底比斯，他絕不會手下留情。」

＊　＊　＊

帕伊只花了幾個小時，就為桃賽特準備了一個惜別宴。她很遺憾必須離開這個與世隔絕、同時又如此充滿生命力的地方，在這裡，她度過了一段難以忘懷的美好時光。

所有村民都參加了這個惜別宴，他們祈求哈托爾女神消除內戰的陰影、維持永遠的和平。

皇后非常欣賞帕伊和雷努貝在幾名婦女的幫忙下，表演了一手做菜技術。他們的烤鴨可以比美皇宮所做的烤鴨，焗蔬菜也絕對夠格端上御席。

「您覺得阿孟美斯有誠意嗎？」桃賽特問卡萊兒。

「他向我做了承諾，皇后。如果他不遵守諾言，我會出面作證，而且背信者的政權會面臨結束的命運。」

通常鄭重的誓言都會以法老之名起誓。法老作出的承諾具有神聖的意義。

「您是一位很傑出的外交家，卡萊兒。」

「我認為應該是阿孟美斯對您產生的尊敬，並且他的明智沒有向盲目地暴力低頭，不過……」

「不過，您還是有所顧忌。」

「勸您要多加小心是沒有用的，皇后，我會陪著您到上船為止。」

「您擔心阿孟美斯會卑鄙到撤這個謊嗎？」

「不，但您是他擴張政權的主要障礙，而他的仁慈令我有些意外。」

「您已經獲得了最好的保證，卡萊兒，我只希望他不會成為報復下的犧牲者。我不知道未來是如何，但我可以向您保證塞特奝法老和我本人都會支持你們。」

「真理村目前是在阿孟美斯的統轄內，皇后。」

「你們為他建造陵寢，所以他需要你們。假使我安然無恙地回到比拉美西斯，我會有所行動……但誰會瘋狂到發動一場內戰？願哈托爾女神幫助我們，若沒有祂，我們會埋沒在一片黑暗之中。」

＊　　＊　　＊

桃賽特完成了廟裡的晨祭與拜過祖先後，帶著依依不捨的眼光望著村子，心想也許從此一去不回。她曾經在它的高牆之內受到保護，也體驗到了可貴的寧靜，而一出了村子大門，這種寧靜將隨之煙消霧散。

晨起的太陽令沙漠的顏色再度鮮活起來，一間間雪白的房子在陽光下閃耀著；與哈托爾女祭司共同生活在這裡，忘卻有執政的壓力，令她有一種溫柔的感覺。然而智女的出現意味著離別的時刻就要來臨。

「我對真理村的祕密只有一點點的接觸，」皇后說道，「而我知道唯有和你們共同生活和工作才能真正了解它們；但您是否願意告訴我，『光之石』是一種傳說還是事實？」

「若沒有它，皇后，國王谷地將無見天之日，也不會立於永恆。」

「既然如此，好好保存它，無論發生什麼事。」

「您可以相信首長和我，皇后。」

兩人在哈托爾女祭司的陪伴下走出了村子。

索貝克和肩上扛著大石鎬的帕尼泊站在那裡等她們。

「埃及皇后和行會之母不能沒有保護。」帕尼泊昂然說道，並帶頭走在前面，後面跟著桃賽特和卡萊兒，索貝克殿後。

當他們來到百萬年大神廟旁、亦即與外界的臨界點之處時，五十來個士兵取代了平時的警衛站在那裡。

「我看阿孟美斯並未遵守他的諾言。」帕尼泊說道。

40

智女單獨一人走向前，一名軍官也迎面走過來。

「你們是否不讓我們過去？」

「我有命令在身。皇后是否和你們在一起？」

「我們陪她去搭船。」

「我令人去向長官請示。請在原地等一等。」

過了不久，莫希的馬車揚起一片風沙呼嘯而來，他跳下馬車走向智女。

「我奉命帶桃賽特皇后到碼頭。」

「我會一直陪在她身邊，直到她上船離去。」

「這與原先的計劃有所出入……」

「是我的要求，將軍，否則，皇后將留在村子裡。」

「阿孟美斯國王會很生氣！」

「為了避免讓他不高興，您何不乾脆答應我的要求？」

莫希似乎左右為難。

「如果桃賽特皇后和我真的沒有什麼好怕，您還有什麼好猶豫的？」

「好吧……但只能您一人陪著去。」

卡萊兒花了一番功夫去說服索貝克和帕尼泊，他們在莫希保證兩人安全的情況下才答應了他的條件。

「萬一妳出了什麼事，」帕尼泊發誓道，「我會用這把石鎬把他的腦袋敲破。而且我會一直站在這裡，直到妳回來。」

馬車已漸漸走遠，帕尼泊的氣卻還沒有消。

* * *

一路上都平安無事。

桃賽特的船已在碼頭，槳手等著隨時出發。皇后有些意外地走向舷梯，同時心裡有一絲不安。她會不會在上船的前一刻遭到什麼不測?

什麼事也沒發生，皇后轉過身擁抱了一下智女。

「經過了真理村的短暫生活後，我已不再是原來的我，」她說著心裡的話，「這一切都要感謝您，卡萊兒。」

「願您永遠快樂，皇后。」

桃賽特走過舷梯、登上了甲板。船立刻起錨開航，槳手們開始順著水流努力划著。如果南風吹起，就可以升起一部份的帆。

一名留著鬍子的大漢子來到桃賽特面前鞠躬致敬。

「在下是這條船的船長，並負責您的舒適問題，皇后，莫希將軍令我要對您做最好的服務，也希望您會對我滿意。」

「原來的那名船長怎麼了?」

「這實在令人很難啟口，皇后……」

「我要知道事實。」

「他選擇留在底比斯，而且加入了阿孟美斯的海軍部隊。」

皇后轉身回到她豪華的船艙內，清晨的涼爽很快就被越來越高的溫度所取代，然而她卻全身發冷。

阿孟美斯就這樣實現了他的諾言：她在底比斯的領土上沒有受到任何傷害，也自由的離開前往比拉美西斯。

暗殺的行動有可能發生在這條船上，而且會被粉飾成一樁意外事件。桃賽特沒有任何的防衛，也絕無逃走的機會。

阿孟美斯讓她處於臨刑前的焦慮狀態，行刑的地方一定是在塞特裔所控制的赫莫波利斯。它離底比斯有三百七十公里遠，如果風向順利加上經驗豐富的船員，大約六到十天便可抵達。殺手到底會在何時下手？從這一刻起，它將是皇后不斷思考的問題。

＊　＊　＊

帕尼泊始終扛著那把石鎬。

百萬年大神廟的崗哨站只剩十幾個士兵在那裡。其他人都隨著莫希離去。

莫希的馬車慢慢地回到了原地。卡萊兒解開安全韁繩、下了馬車，來到真理村的邊界。

「皇后離開了嗎？」帕尼泊問道。

「她的船已航向北方。」

「我還是不很放心。一條船要讓它沉，不是問題！」

「有兩艘底比斯的戰艦護航著。」

「這麼說，妳認為她逃得過阿孟美斯？」

「我寧可這麼想。」

「妳看到了什麼……徵兆嗎？」

「當船離開碼頭時，一個黑色的影子籠罩在桅杆上。也許那不過是一個生於霧中的水鬼，會隨著早晨的光線而消失。」

* * *

塞特裔國王在哈托爾神廟的一間治療室內接受睡眠療法。由於御醫們無法減輕國王內心的傷痛，因此掌璽大臣百依試著用這個最後的方法，讓沉默不語的國王恢復健康。

百依雖然晝夜擔心，但他仍然每天集合所有的大臣開會，尤其與首相聯絡密切。幸而首相給他有關經濟方面的消息都是正面的；由於尼羅河水氾濫的情形良好，因此是一個豐收的季節。而神廟也不斷地負責財富平均分配的工作。

百依焦慮等待的一個人終於來到了他的辦公室。這名步兵中尉自願深入南方，去打聽有關阿孟美斯準備如何處置桃賽特的消息。在他來到以前，百依一直擔心他是否已被逮捕；但現在他更擔心中尉即將要告訴他的內容。

「皇后還活著嗎？」

「是的，大人。」

「她現在人在哪裡？」

「如果一切順利，她應該正航向赫莫波利斯，我們的軍隊會在那裡接她。」

「阿孟美斯居然放了她？」

「聽一名自稱消息靈通的大臣說，皇后已完全達成她的任務：她的兒子已被埋葬在國王谷地裡，而且她也因為真理村給予庇護而逃離了阿孟美斯的手掌心。」

「那些工匠可能要為他們的勇氣付出很高的代價，」百依說道，「但又能如何幫助他們？」

「阿孟美斯並沒有責怪他們，尼菲寡言仍然領導著行會，並已正式負責建造國王的陵寢。」

「阿孟美斯，國王……他只是一個過於驕傲的傀儡！你為什麼在皇后離開之前就回到比拉美西斯？」

「我向周遭的人問了太多的問題，以致於別人開始懷疑我。莫希將軍的部下疑心病很重。」

「軍隊有沒有叛變的可能？」

「底比斯人對他們的軍隊都感到很驕傲，也對它很有信心；不過要收買情報倒是有可能。」

「你有沒有發現有戰爭的氣氛？」

「說實在的，沒有。這個地區很富裕，居民只想生活在幸福與和平之中，每個人都希望目前的衝突用不會造成人民損失的方式解決。」

百依真想不顧一切、馬上離開首府去見皇后，將她從敵人的手中救出來；但以目前的情形而言，如果他不在首府，一切都會亂成一團，他必須留下來掌管政務。

百依來到哈托爾神廟，向醫療長詢問國王的健康情形。

「陛下的情況已有改善。」御醫說道。

「他能不能交談？」

「還不能；他沉沉入睡的時期已經越來越短，但陛下仍然感到很疲倦。我對他的情況抱持樂觀的態度，不過在他完全康復之前，不能讓他太勞累。」

「您是否可以告訴他，其子已如他所願、長眠於國王谷地？」

「這個消息會是一個非常好的藥方。那麼……有關皇后的呢？」

「我希望她很快就會回來，但現在還不能太早下定論。」

百依走出神廟的醫院，心裡想著他可能再也見不到桃賽特了。就算她成功地上了船，也到不了赫莫波利斯。阿孟美斯再怎麼沒經驗，還是會像一名執政者一樣，不會讓他的死對頭逃跑的。

41

方頭仔細地算著每個夜晚。由於水流的關係，航程雖然順利，但比預定的時間慢了一點，第五夜眼看著就要來臨。

再過幾個小時，方頭就要變成有錢人了。暗殺一位皇后雖然讓他有一絲害怕，但他絕不會讓這個輕易發財的大好機會溜走，這筆財富他連作夢都不敢想。在旅途中，他與一些同事聊過天，這些人屈服於現實生活，只好苦一輩子，而他數次幾乎忍不住談起他的財富，不過保持沉默是他合約的一部份，也關係到他自身的安全問題。

由於夜裡航行較危險，因此船長在太陽下山時把船靠了岸。槳手們趁這個機會下了船，在岸邊升起營火烤魚吃，不再去想這位一天只出來一次、而且不與任何人說話的皇后。

這一晚，方頭沒有加入同事的陣營，因為船長要他留守在船上。他只能以一瓶啤酒、一塊麵包、一條魚乾和幾顆洋蔥做為晚餐，不過他被允許第二天睡整個早上。

第二天……方頭到那時早已逃之夭夭！他坐在甲板上，檢查用來勒死皇后的皮帶是否結實。她會死得很痛苦，不過時間很短。

麵包一點兒也不好吃，洋蔥也不怎麼樣……這種簡陋的晚餐將會是最後一次。他答應自己將來要吃得像底比斯的顯貴一般，哪怕是撐死都不在乎。他每一頓都要有大魚大肉。一個廚子……是的，他要請一個手藝精湛的廚子！

夜幕低垂。

船長自船首向他走過來。他慢慢地站起來。

「你準備好了嗎？」

「您說什麼時候就什麼時候。」

「你選擇什麼樣的武器？」

「一條堅固的皮帶。」

「你確定有把握？」

「相信我，船長。」

「你確定不會猶豫？」

「絕不會！」

船長拿了一把小斧頭給他。

「我寧可用我的皮帶。」

「要撬開皇后鎖上的門，你會用到它的。記得用力砍，然後迅速進入皇后的船艙。她不會有機會逃走的。」

「我現在可以動手了嗎？」

船長觀察了一下河岸。大部份的槳手都在睡覺，沒有人在意船上所發生的事情。

「去吧！」

＊　＊　＊

皇后猛然從睡夢中驚醒。

有人在破壞她的門。

大聲求救是沒有用的，她也沒有任何防身的武器。

他們會有多少人……三個、四個、或著更多？第五個夜裡……阿孟美斯讓船一直等到快接近赫莫波利斯，讓桃賽特到最後一刻鐘前都以為自己還有一點點機會逃走。

皇后沒有尖叫，只是對著門靜靜地站著，而木拴才剛剛被斧頭砍斷。

一個男人走進來。

他很高大，鬍子沒有刮淨，一顆頭四四方方的。

「你是誰？」

方頭原以為會向一個正在睡夢中的女人迅速下毒手，但他卻失望地發現自己正與一個氣質高貴的皇后面對面，他兩腿不禁發軟。

「不要反抗……否則時間會拖得很長。」

「回答我的問題：你是誰？」

「一個負責要殺您的人，皇后……不要讓事情變得複雜。」

方頭拉緊了手上的皮帶。

桃賽特沒有退後。

「至少告訴我你是誰。」

「這不重要……轉過去，這樣會比較容易。」

「出去。」

方頭走近她。

「對不起，皇后。」

方頭猛然拉緊皮帶、衝向皇后，就在這時，船長進了房間，並用匕首刺進他的腰部。

方頭兩眼凸出、嘴巴張開發出痛苦的叫聲，接著轉變為嘶啞的喘息聲，他兩手直勾勾地伸向桃賽特，彷彿企圖完成他的合約。船長又刺了好幾刀，最後他終於倒在地上抽搐。

「我看到門是開的，皇后，」船長解釋道，「因此有點擔心。莫希將軍叫我要小心，因為他怕有人會謀殺您。」

方頭又抽動了最後一下，直到死亡都沒有鬆掉手上的皮帶。

「這個可憐蟲是什麼人？」

「是在底比斯僱用的一名槳手，皇后。」

桃賽特轉過身去。

「把這個屍體帶走，船長。」

「我會守在房門外，直到抵達赫莫波利斯為止。皇后，您可以放心的休息。」

＊　＊　＊

「快來，大人！」百依的秘書叫道。

「什麼事這麼緊急？」

「皇后的船剛剛進入大運河！」

百依丟下手中的新兵軍餉文件，立刻衝向皇宮的一道窗戶，從那裡可以眺望碼頭。

風帆已收起，槳手有節奏且技巧地划著船，它正慢慢地滑行在水道上。

百依三步併做兩步、冒著跌斷脖子的危險衝下階梯，並擠開聚集在碼頭的官員。他們都聽到了桃賽特可能逃離叛徒阿孟美斯手掌心的傳言！

百依仍舊等待著最壞的來臨。

那的確是皇后的船，但它所載送的是不是一具屍體？百依因為船速的緩慢而急得直跺腳。

她終於出現在船首，頭上戴著一頂紅色皇冠，上面有一個象徵生命再生的螺旋形頭飾。

碼頭上的騷動開始靜止下來。

船拋錨後，槳手們跪拜水與風，感謝它們讓船達到目的地。皇后在靠近桅杆的一個供桌上燒香，並歌頌著哈托爾，祂是星星之女神，也是水手的守護神。

接著她走下舷梯，百依是第一個向她磕頭的人。

「皇后……」

「你並沒有指望看到我活著回來，百依，而你的害怕並非無中生有。在到達赫莫波利斯之前，一名槳手企圖勒死我。是船長、也是莫希的部下救了我。」

百依看到桃賽特安然無恙地回來，又得知莫希的忠誠，因而感到雙重的高興。莫希的忠心肯定了他是合法法老不可或缺的盟友，百依和莫希的計劃有可能會實現。

「塞特裔的健康情形是否有改善？」

「得知兒子安息在國王谷地裡，讓國王從昏沉的狀態中清醒過來，皇后；他的睡眠療法已結束，才剛剛回到皇宮。臣相信您的歸來會讓他完全康復。」

百依對皇后的尊敬又增添了一種強烈的情感，每回見到她，總認為沒有任何一個詩人能描述她的美。他自己也數度嘗試為她寫詩，最後總是撕掉那詞窮的詩句。

「我在底比斯的那段日子裡學到了很多。」她對他說道。

「您是否見到了阿孟美斯王子，皇后？」

「我們的確曾經兩人面對面；他沒有一位國王所應有的氣宇，不過千萬不能低估他的野心。」

「阿孟美斯根本不知道他沒有辦法採取任何行動。」

「希望如此，百依……但他統治著底比斯西岸和一個非常重要的地方：真理村。如果他成功地佔有了它的寶物，我們的失敗將會無可避免。」

42

尼菲驚訝地發現保險室的門仍舊關著，肯伊早就該在這個時候分發新的銅鑿給右隊工匠，讓他們出發到國王谷地繼續進行阿孟美斯陵墓的工作。

首長來到陵寢書記家中，牛妞出來迎接他，手上拿著一枝新的掃把。

「肯伊是不是不舒服？」

「不是，他在等您呢。請把腳洗一洗再進來。」

屋內被打掃得一塵不染，而且從來沒有如此舒適過。肯伊以書記的坐姿，正在填寫陵寢日誌。

「您是否忘了我們應該要出發到谷地？」

「計劃有所改變，尼菲。」

「我不再是首長了嗎？」

「喔，正好相反！希望你的責任不會更輕，尤其是經過了村子裡發生這些事以後。」

他由驚訝轉為擔憂。

「您可不可以說得清楚一點？」

「你放心，智女知道這件事。」

肯伊捲起了紙莎草紙，然後困難地站起來去拿他的枴杖。

「我們沒有很多的路要走，不過要爬一點山路。」

當他們出門時，牛妞吩咐著她的老公。「不要太晚回來，我的烤牛肉一定要適時的吃它。」

肯伊走向通往西邊陵園的小路，尼菲很快便發現肯伊正帶著他往尼菲自己的陵墓走去。

首長的陵墓佔據了整塊地方，工匠建造了一條步道，直通到前院；過了前院的大門便進入一個露天的中庭，所有的右隊工匠都在那裡，除了帕尼泊。他們退到兩旁讓尼菲看兩座雕像，它們是尼菲的塑像，立於陵墓入口的左右兩旁。

「這是雕匠和石匠們為了你所做的禮物。」肯伊解釋道。

「這……他們什麼都沒有跟我說！」

「你的決定有時讓他們如此的意外，所以他們很高興能夠輪到他們給你一個意外。」

歐塞哈特從隊伍中走出來。

「我們已完成了首長的陵寢。」他用莊嚴中帶有感情的聲音說道，「它是我們自己谷地中最大也最美的一座陵墓。井室相當的寬大，鑿於岩石內的復生室頂部呈拱形。當最後旅程來臨的那一天，我們會將已經在工作室完成的石碑、雕像及貢桌安置在它們的位子上。你，寡言，將永遠凝視著你的村子，讓它吸收你的力量。」

尼菲內心非常的激動。

「你們把我當成了一位國王看待！」

「你是我們這條船的舵手，我們的行會在精氣之海洋中航行、吸收它的力量，」傑德說道，「為了這點，這座陵寢是你應得的，不過，若沒有彩繪匠的努力，它會是什麼樣子？」

帕尼泊出現在墓室門口。這間墓室有四根立柱，等到尼菲去世的那天，工匠們會在這裡為尼菲的幸福舉行慶宴。

「首長，我自認為它是我的傑作，並請求你答應我親自帶你參觀。」

這是尼菲第一次看到帕尼泊對自己如此沒有信心。

「我同意。」

帕尼泊進入了墓室，並點燃十盞燈。首長跟著他，是第一個看到這些壁畫的人。他看見畫中有自己與拉美西斯大帝站在阿蒙神舟面前；有底比斯三神，阿蒙神為父、穆特神為母、孔蘇神為子；有祭司捧著皇室祭品的隊伍；有尼菲和妻子與女祭司們向三神獻祭；有祭司向尼羅河第一瀑布的諸神祈禱；有宴席的場景，以及卡萊兒在一旁向光之神祝禱的畫面。

首長佇足於每一幅壁畫前凝視良久，最後才請右隊的其他成員進來，傑德走在最前面。

「瞧瞧帕尼泊這個孩子對我們做了什麼……」他輕聲地讚嘆道。

傑德克制住自己的激動，以畫匠的天性及專業性慢慢地檢視帕尼泊的畫，以確定有無技術上的疏忽或主題上的不當之處，然而他找不到任何一個缺點。

壁上各式各樣、不可勝數的圖案與顏色都用清漆固定過，使它們看起來發亮而不會褪色。工匠們個個看得目瞪口呆。

帕尼泊和尼菲進入了第二間墓室，盡頭是一處壁龕。帕尼泊在這裡畫了他義父母的阿比多斯之旅，他們將永遠活在奧塞利斯的不朽中；還有他們在一棵棕櫚樹旁飲用永恆之池水的幸福時刻。在這間一系列的壁畫中，出現了陵寢書記肯伊，陪伴著尼菲的永生。

壁畫的構圖與顏色都無懈可擊，不過帕尼泊更上一層樓，他首度創作了一隻哈托爾化身的母牛，從西峰走出來，並保護真理村的創立者阿孟霍特普一世，以及尼菲夫婦向真理村致敬的畫面。此外還有一列送葬隊伍攀向頂部是金字塔的陵墓，這個隊伍頗似工匠隊的成員，他們用繩子拉著木乃伊棺，幾頭牛幫忙出力，並且載運著許多尼菲的陪葬品。

「帕尼泊沒有遺漏任何一個細節，」卡烏評論道，「他把所有的象徵性主題與畫面都記在心裡了。」

「這是他所表達的昨日、今日與明日的行會，」狄弟亞研究道，「我們都在尼菲身邊，也將在另一個世界繼續與他一起工作。」

最後面壁龕是天神何露斯、金神哈托爾、冥間的帶路者阿努比斯、戰勝死亡的奧塞利斯和給予精氣的敏神；但最特殊的要算是奧塞利斯化身的立柱上，有一隻象徵復生的聖甲蟲。天花板上則有天庭的女神舞動著翅膀，讓所有的繪畫鮮活起來。

「你是不是也完成了木乃伊棺室？」

「我在前一夜把清漆都塗上去了。」

兩人來到下面。帕尼泊所畫的圖案是他義父母在一條神舟上，正在向太陽的光環祈禱，旁邊有一些歡呼清晨到來的狒狒、一隻隼、一隻貓正用一把刀殺死黑暗之蛇、甚至還有一隻阿蒙神的聖鵝發出清晨的第一聲啼鳴。

有了畫在牆上的知識語錄，首長得以跨過天堂的門檻，它的門口有兩名持匕首的守衛；在天堂裡，尼菲從來自東西方女神們的手中接過精氣；最後的畫面是卡萊兒和尼菲飲用天庭女神所賜給他們的天水。

首長凝望著這些畫面，過了好一會兒才將燈熄滅，然後走回第一間墓室。

「帕尼泊怎麼有辦法自己一個人完成這些？」帕伊好奇地問道。

「真是不可思議。」卡沙附和道。

「傑作就是傑作，」奈克特說道，「他必須要超越自己的能力。」

「你們都要向他學習。」烏奈士說道。

「每個人都有自己的特長，」費奈德反駁道，「這些並無法讓帕尼泊懂得在石床上找出一個好的礦脈，也無法讓他知道在岩石的何處開挖一個陵墓的入口。」

一名不速之客出現在前院。

「你們看！」卡洛大聲叫道，他第一個發現這隻帶有金色的大甲蟲。

工匠們望著大甲蟲向墓室前進，這個晨起的太陽神黑伯利的化身，是一個最好的預兆。

但這個好預兆並沒有令帕尼泊感到開心。他正在等著表情深不可測的首長下評論。

「你對你自己滿意嗎，帕尼泊？」

「我沒有去想這個問題，因此也不用回答這個問題。」

「你認為自己沒有任何的疏失？」

「以技術層面而言，我試著做到完美；至於主題上的選擇，我試著走象徵性的路線，並在其中加上感情。」

工匠們一一走遠，只剩下首長和帕尼泊兩人面對面。

「你用的是何種原料，帕尼泊？」

「我的繪畫和我的創作慾望。」

「這還不夠。」

帕尼泊握緊了拳頭。

「所以我失敗了……」

「我對你的作品沒有任何的挑剔。它什麼都不缺，除了原料這一樣。」

「可是我已經達到自己的極限了！」

「還是不夠遠。」

「我應該要全部擦掉嗎？」

「當然不。」

「那麼這座陵墓會被棄置不用，是嗎？」

「我要問問智女的意見。你留在這裡，直到太陽下山。」

43

右隊工匠已得知帕尼泊的傑作沒有被承認為傑作，所以大家都留在大院子裡，試圖安慰帕尼泊。

「別小題大作了，」雷努貝勸道；「問題不是出在你的才華。」

「我呀，早已放棄了，」卡洛說道，「為什麼要給自己訂一個不可能達成的目標？」

雕匠們看到這些話令帕尼泊感到不耐煩，寧可坐到一旁，不去煩他，而其他的同事則繼續欣賞著那些壁畫。

「你不要太難過。」傑德輕聲地說道。

「為什麼我不難過？我花了所有的精力在這個工作上，而且以為一定會成功。」

「你會找到其他路的。」

「我不認為，傑德。」

「你不是一個會放棄的人……你應該要克服自己的怨恨、繼續堅持下去。這麼一個小小的挫折就能熄滅你心中的創作之火嗎？你的自尊心受到傷害，這也不會是最後一次。就是因為有這些考驗，你才可以走得更遠，不要忘記一個對自己失望的人也會令別人失望。」

帕尼泊寧可被一個怒氣沖天的摔角家揍一頓，也不願傑德的當頭棒喝；但傑德的確觸及了他的弱點、踢到了他的敏感。

「我已經老了，也沒有力氣去畫所有的陵墓，」傑德苦澀地說道，「因此我在畫匠中挑了一個較好的人來繼承我。如果你放棄自我，只是去滿足於既有的天份，我只好再訓練另外一個。不要讓我去承擔這份苦差事，帕尼泊；我已經不想再教了。」

「告訴我，我的錯誤在哪裡？」

「誰說你犯了錯？我絕不可能讓一個能力不足的人去裝飾首長的陵墓。雖然我不喜歡你那些過於強烈的顏色，可是它們是如此的和諧，令我不禁折服於其中的生動力量。」

「但它並不足以創造出一個傑作！」

「何不等到天黑，才知道問題出在哪裡？」

落日的餘輝照耀在院子裡和尼菲的陵寢上。晚霞比平日來得更溫柔，它是如此的寧靜，以致於工匠們都靜靜地享受這美麗的一刻。

帕尼泊第一個看到尼菲、海伊、智女和肯伊正攀向步道。卡萊兒走在最前面，首長捧著一樣東西，上面雖然蓋著一層厚厚的布，但仍然有光芒從裡面透出來。

「光之石！」叛徒猛然從沉思中回過神。「為何他們去把它拿來？結果我卻沒有看到他們從什麼地方拿出來！等到他們離開時，我一定要跟上去。」

肯伊和左隊隊長像兩座雕像般、一動也不動地站在前院與中庭之間的門檻上，智女和首長這時進入了第一間墓室。

「來，帕尼泊。」尼菲命令他。

三個人一直走到最裡面，然後首長將「光之石」放在壁龕上。

「傑德有沒有指出你是否犯了嚴重的缺點？」

「他沒有找到缺點。」

「然而，你的傑作卻沒有完成，」智女說道，「因為不可能有人自己找到原料。你已盡了自己所有的精力完成了你的工作，但只有這塊『光之石』能將它轉變成一個真正的、充滿光芒的作品。你自己的原料必須結合真理村世代相傳、讓陵寢變得有生命的原料；只有在個人與行會結合成一體的情況下，傑作才會誕生。」

尼菲把布取下，石頭的光芒照耀著每一個圖案、每一個顏色、每一個文字。

「你的傑作已被接受，」尼菲說道，「你希望繼續走更遠的路嗎？」

「這是我最熱切的希望。」

* * *

這人相當的年輕與強壯，不過卻毫無反抗地到底比斯的一所軍營自首。他立刻被帶到莫希的軍總部。

莫希正在安排軍團的訓練事宜，這時他令手下的軍官立刻去執行的他命令，因此軍官們一一離開了莫希的軍棚。

終於，百依的使者來了；終於，內戰就要開始，政權的大門就要為他而開。

莫希第一眼瞧見他，就知道他是個軍人。

「你叫什麼名字？」

「梅夏，塞特裔部隊的弓箭中尉。」

「密函。」

「我……我不懂。」

「放心，你正在和莫希將軍說話。現在，密函呢？」

「我……我什麼都沒有，將軍。」

「那你在這裡幹什麼？」

「我離開了一個拒絕打仗的軍隊，希望投誠到阿孟美斯法老的底比斯軍隊。我要強調的是，我也許不是第一個離開比拉美西斯的軍官，但絕對不會是最後一個。」

「塞特裔的軍隊……你是屬於精兵團的，對吧？」

「不久之後就不再是了，將軍，因為它不配稱為精兵團，就像塞特裔法老背叛了他的守護神塞特，所以不配稱他的名字。我相信塞特神也會反過來對抗他，因此我希望加入未來是勝利者的軍隊。」

「塞特裔的軍隊比阿孟美斯的要來得多，還不包括東北的邊防部隊……你不怕這是一個錯誤的決定嗎？」

「一個軍人知道勝利不在數量的多寡，而是將領的特質。塞特裔不是一個將領。阿孟美斯法老和您一定可以打敗他。」

「是誰在比拉美西斯掌政？」

「塞特裔做了很長一段時間的睡眠療程，現在在他的皇宮休養中，他根本無法做任何的決定。一般的行政業務是由掌璽大臣百依來負責，他也只是一個平庸的大官而已。只有一個桃賽特皇后還有點份量，她的歸來被視為是一種奇蹟。恕我直言，將軍，你們當時應該把她殺了。」

「阿孟美斯寧可選擇寬宏大量；這不是一種偉大的表現嗎？」

「這個皇后很危險。」

「那些將領會不會聽她的話？」

「還沒有。有些將領不習慣服從一個女人的命令，所以希望塞特裔能夠康復，不過這是不可能的：這個國王已徹底的崩潰了，首府也持續不斷地癱瘓下去。」

「你不要低估了赫莫波利斯的防衛線，它阻礙了我們的軍隊向北挺進。」

「如果從尼羅河及沙漠兩路同時攻擊，這道防線就會被攻破。它只不過是看起來很堅實，實際上卻不是這麼一回事。我相信還會有很多的士兵投誠到您的底下；塞特裔像一隻驚弓之鳥，他們沒有理由為塞特裔戰死沙場。甚至我的長官都已開始公開批評……如果不是因為皇后歸來，好幾名將軍早就會承認阿孟美斯的政權。桃賽特雖然表現得很強悍，終究無法彌補塞特裔的缺點。」

莫希眼前看到了另一條可行的路：讓比拉美西斯分崩離析，最後導致塞特裔讓位。不過等待的時間過於長久，而且這麼一來，很可能會產生一個來自北方的軍事強人，強自執行軍事獨裁，同時企圖收復南方。

看來得進行百依的計劃，沒有別的選擇。

至於這個梅夏，他會不會是一名被派來混入底比斯軍隊的間諜、負責為桃賽特提供情報？

「你想不想看看我如何訓練我的精英部隊？」

「這會是我無上的榮幸，將軍。」

莫希請他登上自己的座車，由於他身上沒帶任何武器，手上也繫了安全韁繩，因此莫希並不擔心會受到攻擊。

當他駕車快速經過兩處步兵營時，士兵們正在練習肉搏戰。許多人以為將軍換了一位新的副官，戰車的駕駛軍官也很訝異看到這位交了好運的不知名人士。

「您的戰車速度真是教人印象深刻，將軍！」

「我的技術師們將車輪改良得比塞特裔的戰車更輕、更堅固。」

「這項技術會讓你們占很大的上風。」

「我們的短劍、刀刃、和盾牌都非常的精良，當然我們的弓箭是北方所望塵莫及的。」

「這麼說，我的選擇並沒有錯……你們已勝券在握！」

「不過還有一些問題要解決，就如同我現在要告訴你的。」

莫希在弓箭射擊的位置上停了來下，然後傳喚教練過來。

「好好看著這個人，梅夏，他是一名叛徒。」

教練僵在那裡，無法動彈。

「他也是來自於北方，」莫希繼續說道，「我發現他是卜塔軍團一名高級軍官的姪子，他的任務是提供敵軍有關我方弓箭手的人數及未來的戰略。你拿我這把劍殺了他。」

梅夏恐懼地望著莫希遞給他的那把劍。

教練既不敢說話，也不敢動。

「將軍……」

「你還等什麼?如果你是真誠的，那殺了這名叛徒應該會讓你感到高興才對。」

「我是一名軍人，不是殺手！」

「你不願意處決你的同謀，是不是?」

「您可以把他關到牢裡，讓他受到審判！」

「間諜是不經過審判的。」莫希一說完，隨即用一把匕首割斷梅夏的喉嚨。

莫希冷酷地望著梅夏倒在血泊之中，兩腳一蹬便死了。

教練四肢抖個不停。

「將軍，您很清楚我不是個叛徒！」

「那當然。」

「可是……」

「這是我向這個企圖咬我的毒蛇設下的陷阱。」

「他……他很有可能一劍刺穿我！」

「這就是職業危險，教練。把這個屍體處理掉，然後回去工作。」

44

叛徒和其他同事一樣，看到「光之石」為帕尼泊的裝飾畫賦予了生命；之後首長把「光之石」用厚布重新蓋上，準備送回原來的地方。

右隊的同事全都圍在帕尼泊身邊，叛徒趁這個機會尾隨尼菲和智女，至少，他可以知道他們所走的方向。

然而兩名守衛無預期地出現在步道上，擋住了他的去路：小黑和大壞蛋。小黑齜牙咧嘴，而大壞蛋也不斷地張大口。因此叛徒不得不回到眾人的身邊，一起恭喜帕尼泊。

一看到「光之石」，每個人都明白帕尼泊剛剛通過了傑作的考驗，一扇新的大門將為他而開。帕伊已經開始籌劃一個小型的慶祝活動，等到帕尼泊被正式升級時，再舉辦一個大型的酒宴。

最後一個道賀的是傑德。

「你早就知道首長的決定，對不對？」

「我只有以技術師的身份告訴他我的看法；至於其他的，是由他來評斷。至少，和你在一起，我沒有浪費我的時間。但你可千萬不要想像自己已達到終點……我甚至認為最困難的才要開始呢！」

*　　*　　*

阿孟美斯的陵墓工程進展得很快，雕匠已著手進行法老的雕像。歐塞哈特在一座巨石上用紅墨水畫出塑像的輪廓；接著伊普伊負責敲出一個雛形，再由雷努貝用石英製的研磨膏進行第一道磨平工作。之後歐塞哈特用一把銅鋸將雕像多餘的部份除去。

「你有沒有檢查過空心銅管？」他對伊普伊問道。

「它在我手中很好轉動，我會照你的意思，準確地把雕像大腿中間的多餘石塊除去。」

「那麼火石鑽頭呢，雷努貝？」

「我會把鼻孔的洞鑽得完美無缺，嘴唇的形狀也會讓你滿意得無話可說；說實在的，阿孟美斯的運氣很好！我們要給他塑造一尊最美的雕像之一。」

雷努貝一點也不誇張。首長看到法老的面孔帶有貴族的氣質，可以媲美圖特摩斯三世或阿孟霍特普三世；歐塞哈特的最後一道磨平功夫簡直成功到家，而這並不容易做到。尼菲對歐塞哈特、伊普伊、雷努貝這三個同事佩服不已，他們三人的巧手和師祖一樣令人讚嘆。

他們和彩繪匠一樣不用計算，只根據多年累積的經驗直接雕塑出比例，無論塑像的大小如何，他們的作品就此表現出力與美的結合。

細木匠狄弟亞和珠寶匠圖弟也用同樣的方法工作，他們已完成了大部份的陪葬品。為木乃伊所準備的金飾是上等的品質，木頭小雕像則是巧奪天工，變形的神蛙更是不在話下。

帕尼泊原本希望首長會很快宣佈他進階儀式的日期；然而尼菲卻不再提這件事，只與他討論阿孟美斯的陵寢裝飾。最後帕尼泊強忍住自己的迫不及待，而專心於他的畫作。

＊　＊　＊

卡萊兒和尼菲給了自己一個非常珍貴的禮物：晨禱完畢後，休息一個早上。首長不視察任何一個工作室、智女不開門看診。

他們將草蓆鋪在陽台上，兩人躺在那裡凝望著天空、談論一些美好的回憶。

然而這個奢侈的幸福很快就被打破，肯伊命令的聲音從巷子裡傳上來。

「我必須立刻見你一面，尼菲。」

卡萊兒並未挽留丈夫；權利亦即代表義務，沒有人能夠反抗它，就連她也一樣。

尼菲一打開大門，就發現陵寢書記氣得在發抖。

「我收到一個徵召命令，」他咬牙切齒地說道，「我們的雕匠組長必須馬上到皇宮報到，而這個文件有阿孟美斯的御印！打從有真理村以來，這是頭一遭！」

首長注意到肯伊穿了他最好的衣服，也就是上朝所穿的禮儀服，他也只有照做了。

＊　＊　＊

阿孟美斯老了。他的年輕以驚人的速度褪去，彷彿經不起負擔沉重的考驗。

「你們的抗議令朕感到很驚訝，」他向尼菲和肯伊說道，「朕難道不是真理村的最高主人，而你們應該毫無異議地服從朕？」

「法令非常的明確，」肯伊一點都不掩飾他的憤怒，「不管有任何的理由，任何一名屬於真理村的工匠都不能被徵召。」

「您可是在告訴朕，朕的命令有違法令？」

「它的確是有違法令，陛下。在這個國家裡，沒有人會自許位於瑪亞特之上。」

「不要用那些冠冕堂皇的言詞來惹怒朕！」

「為何您要徵召我們的雕匠組長？」首長問道。

「因為有幾位大臣希望自己的雕像能放置在卡納克神廟內，讓他們的卡氣與諸神同在。朕已決定恩賜他們這項要求，因此需要一名優秀的雕匠，以爭取時間。而最好的雕匠就在你們的村子裡，朕當然是徵召他。」

「這是完全不可能的事，」肯伊堅定地說道，「唯有首長能夠分配行會的工作。不過，他倒是可以令人做外界的雕像，但不能影響到正在進行的工程。」

「而您接下來要說的是，目前正在進行的工程是朕本人的陵寢！」

「完全正確，陛下。」

「這是個不是理由的理由，陵寢書記！朕的時間有限，因此需要你們的雕匠組長。」

「在下向您重複一次，這是不可能的。」

「如果您繼續反抗朕，肯伊，朕就將您調到底比斯最偏僻的一處小村莊裡！」

「這是您的權力，陛下。」

阿孟美斯轉身面對首長。

「您是否會比這個老頑固來得理性一點？」

「在下擔心結果是一樣的，陛下。」

「您要小心，尼菲！朕想要的東西，就一定會得到。您正在和埃及的國王說話，而您必須聽從他的話。」

「一位法老如果越權，是否稱職？每一時、每一刻、在每一種情況下，我們都應該要聽從瑪亞特的旨意。因為我們每一個人都有弱點，所以才要不斷建造神廟，並對抗我們的不公與貪婪的天性。」

「您也一樣試圖教訓您的君主！到底接不接受服從朕的命令？」

「不接受，陛下。」

「您知不知道反抗法老會有什麼樣的下場？」

「我們已把這些下場畫在陵寢的牆面上：他們的頭被砍斷、身子倒吊，或是被放到爐子裡煎熬。最可怕的，要算是惡龍阿波斐斯，他被捆綁、並被刀子釘在地上，以防他再度攻擊神舟。」

首長的從容平靜使阿孟美斯另眼相看。

「朕該如何是好，尼菲？」

「我們不是造反者，陛下；如果我們向不公正低頭，真理村便失去了它原有的精神。」

「治國需要有所選擇！」

「請勿因為選擇了大臣的任性，而犧牲了我們的行會，陛下。今日，若您獲得了小小的勝利，明日，便會遭致嚴重的失敗。對您甜言蜜語的人，也是將來背叛您的人；這是他們的天性，正如一隻猛獸會吞噬它的獵物。」

「任何的威脅都無法令您妥協，不是嗎？」

「沒有任何一位行會的成員會在被迫的情況下工作。」

「您能否想像目前的情況，尼菲？朕做了一個決定，而您卻要求朕放棄它！」

「是您在掌政，陛下，不是那些大臣。」

「朕到底要對真理村的自主容忍到何種程度？」

「它是為了服務法老的靈魂、為了戰勝時間而誕生；假使您削弱了它的力量，您也會削弱自己的力量。」

阿孟美斯離開他們兩人，走到一旁思考。接著，他又走回來，冷峻地說道：「你們回村子去完成朕的陵寢。」

陵寢書記和首長朝大門走去。

「等一下，尼菲……朕想和您私下談一談。」

肯伊先告辭離開。

國王直視著首長的眼睛。

「朕需要一位像您這樣的總理，尼菲，但朕也知道以指派您的方式是行不通的。您願意擔任這個職務嗎？」

「不，陛下。」

「這是不是一個無可更改的答案？」

「是的。」

「真理村真的有這麼重要嗎？」

「它的確是，陛下。」

45

一個小女孩的大腿被熱水嚴重燙傷；兩個小男孩拿棍子互相毆鬥，結果雙方都頭破血流；卡洛胃疼得無法忍受；卡烏的老婆勞累過度；這一個早上災難已經是夠多了，而阿沛弟再來個雪上加霜：他嘗試證明自己有能力一拳擊碎一塊石灰岩，結果卻把自己的小手骨折斷了！

這是智女第一次在如此短的時間內碰到一連串的傷病事故，幾乎把所有庫存的蜂蜜都用盡了。蜂蜜是一種非常珍貴的藥品，可以用來塗抹並治癒傷口，它不但能緩和內在和外在的發炎，而且也不會留下任何的後遺症，甚至可以增加活力。

這種珍貴的藥材被仔細地封裝在罐子裡，並編號保存，連製作糕餅時，都得小心不得浪費。經過了幾個世紀的實驗研究，埃及醫生也發現它對眼疾和婦科疾病有相當的療效。

智女看完診後，便前往伊姆尼的辦公室，因為他負責所有真理村的物資庫存。伊姆尼正在抄錄銅鑿的數量，一看見智女，立刻畢恭畢敬地站起來，就好像一名士兵準備接受長官的指摘。

他一向很怕智女，總是擔心她可以讀出自己心思，而發現他有意取代肯伊的職位，並且用任何一種方式來報復老是嘲笑他的帕尼泊。

「我需要盡快取得蜂蜜，伊姆尼。」

「您需要幾罐？」

「一罐今天用，下個禮拜則要好幾罐……當然最好不要再有這麼多的事故！」

「我這就去辦。」

伊姆尼在最短的時間內盡了最大的努力，然而卻兩手空空地回來。

況。」

「登錄表有一點錯誤……我們有許多香膏的庫存，蜂蜜卻連一瓶都沒有！」

「這是一個很要命的錯誤，伊姆尼……我所剩的一點點僅夠應付下個禮拜可能發生的緊急狀況。」

「我很抱歉，真的很抱歉……我們去通知陵寢書記，他會找到一個解決的辦法。」

* * *

肯伊勃然大怒，並極盡咒罵之能事地把伊姆尼狠狠臭罵了一頓。他警告伊姆尼如果再犯這種錯誤，村子的法庭會立即開除他、把他趕出村外。

「你這個月既沒有薪水，也沒有休假！」陵寢書記吼道，「你大概忘了自己是個政府的公務人員，同時要為真理村服務，所以你得表現得比大壞蛋那隻鵜更機警。」

伊姆尼頭垂得低低的。他沒有任何藉口，而且應該高興自己只是被臭罵一頓。

「為了解決這個問題，你害我必須忍著背痛的折磨、親自跑一趟中央行政處！這筆帳回頭再跟你算，伊姆尼……你現在馬上去檢查所有的庫存，把所有的錯誤都更正過來。」

小書記立刻趁此機會溜之大吉。

「您對他的確太兇了。」牛妞說道，她聽見肯伊的怒罵聲，所以中斷了手邊的工作。

「管理村子不能懷有婦人之仁！幫我把枴杖和衣服拿來。」

* * *

肯伊在兩名努比亞警衛的護送下，來到了莫希的辦公室。

「將軍人在東岸指揮部隊的運作。」莫希的秘書說道。

「我什麼時候可以見到他？」肯伊問道。

「最快也要十五天以後。」

「太慢了！他交代哪一位來負責他不在時的業務？」

「我是否可以幫上您的忙？」

「這件事情非同小可：真理村缺少蜂蜜，必須緊急補送。」

「您來得真不巧，」秘書抱歉地說道，「所有的庫存都被送到皇宮、中央醫院和軍營裡去了。我已經沒有多的，甚至這裡也只有非常少的數量供醫務室使用。」

這種分配情形是否意味著戰爭就要爆發？萬一有許多的士兵受傷，軍醫會用含有蜂蜜的繃帶來為他們救治。

「真理村有優先權，」陵寢書記重申道。

「您請填個表格，我會用特快信送到皇宮申請……不過您得有相當大的耐心，目前所有的行政業務都忙得不得了。」

* * *

「該做的我都做了，」肯伊向智女和首長說道，「不過我們是軍事經濟下的犧牲品。只有莫希能幫我們擺脫這個困境，問題是目前根本聯絡不到他。我要擬一份詳細的報告，讓他知道這種情況無法令人接受。」

「我一定需要蜂蜜，否則無法治療我的病人。」

「有一個解決的方法，但有很大的危險性：到沙漠裡的老伯遜那兒向他買。」

「您怕會有什麼危險？」

「不光是要擔心土匪，還要提防那些保護農場的警衛。再說，伯遜是一個很奇怪的老頭兒；他得把所有的收成都賣給政府，但有時心情一好，又會破例。我們也別想派一隊人馬去，這麼做反而會引起注意。」

「那麼我自己一人去。」卡萊兒決定道。

「妳不會當真吧？」尼菲反對道。

「我必須親自看過蜂蜜的品質，而且要說服伯逖把它們賣給我。」

「我陪妳去。」

「我鄭重反對，」陵寢書記說道，「以目前的情勢而言，首長是絕對有必要待在村子裡的。如果智女堅持要冒這個險，那就讓帕尼泊陪她去。我們可以完全信任他，而他也會盡到做義子的責任。」

「我們讓他把鐵匠製造的武器帶著去。」

肯伊面有難色。

「一名工匠帶著武器……萬一碰到警方臨檢，帕尼泊的問題就大了。」

「他必須要能夠保護卡萊兒！」

「我們製造的武器不得帶出村子。」陵寢書記斷然說道。

* * *

弓箭手越射越準，戰車的移動也越來越靈活，所有的密集訓練已有豐碩的成果，精英部隊也隨時準備打敗任何一個頑強的敵人。

莫希累了一整天後，回到軍區的帳棚處理軍事信函。他在一堆信件中看到秘書就陵寢書記的要求所寫的報告。

莫希立刻把副官叫來。

「替我準備一隻精力充沛的快馬；我要到城裡一趟，明天早上回來。」

莫希一路奔馳到底比斯市中心，賽克塔在這段軍事演習期間住在這裡。她利用這個機會招待阿蒙神城的貴婦人，並且技巧地影響她們，讓她們不斷地稱讚她的丈夫智勇雙全，是底比斯整個地帶不可或缺的重要人物。

這種不知不覺的宣傳手段令莫希獲得很好的名譽，他也樂於當之無愧。對於許多憂心阿孟美斯未來的人，莫希就像是底比斯的強力保護者。

當他回到家時，市長夫人及幾位好朋友正在向賽克塔道別，並感謝她的熱情招待；在賓主盡歡的情況下，雙方約定很快就要再度見面。這些夫人也很高興臨走前看到莫希將軍，並親耳聽見他動人地向她們保證安全無虞。

交際應酬一結束，莫希馬上把妻子拉到房間裡。

「真理村缺少蜂蜜。」他告訴她。

「這是一條大新聞嗎？」

「這代表智女為她的病人治療時會面臨困難。由於我阻斷了這項珍貴物資的運送，陵寢書記提出了它的申請。行政單位勢必得答應他，但會需要很長的一段時間。所以那些工匠一定會想盡辦法去弄到蜂蜜。首長所指派的工匠將會離開村子，進入險境。」

「除了智女，誰有能力檢查藥用的蜂蜜品質？依我看，她一定會和其他工匠一起前去。我想到一個很好的主意，親愛的……如果有那麼一票土匪，他們可以把她做掉。行會如果少了智女，力量會大大地減弱，也不再有她的神力保護著。在村子裡，要拿她怎麼樣是不可能的，可是一到村外找尋蜂蜜，那可就不一定了。」

莫希狂烈地吻她。

「我真高興妳有如此敏銳的反應，小親親；不過，我沒有辦法讓我的士兵去進行這個任務。」

「所以你需要我來找打手，而且不能與我們有關係。」

「我們的老朋友特漢貝可以幫上這個大忙。妳可能得花點功夫強迫他全力配合，不過我對妳有信心。」

46

一看特漢貝臉上堆的肥肉就可以知道他吃喝得太多，但這個黑髮、原籍利比亞的家具商需要補充力氣，才有精神做幾筆大生意，同時為他的幕後主子幹一些非法的勾當，以賺取豐厚的佣金。

特漢貝曾經有過一段大好時光，他利用一名真理村的工作來為他製造一些高級家具，同時依工匠設計的樣式生產一系列的產品，賣到非常好的價錢，而且還逃漏稅。然而現在緊張的情勢漸漸升高，工匠不能再離開村子，特漢貝只好等待來日賺錢的機會。他的運氣還不算壞，許多有錢人仍是他的忠實客戶，他也為這些人跑跑腿，以換取優渥的報酬。

當他看見這名用厚重假髮遮住大半邊臉的女人走進他的工作室，他變得不甚樂觀。這個可怕的女人把他捏在手掌心裡予取予求，而且每次來必定有重要的事情。

眼看著內戰就要爆發，她的來訪不是個好預兆。

「我們不會被打擾吧？」她用微酸的語氣說道。

「我把工作室關起來。」

特漢貝煩躁地關上了門。

「我是否有可以為您效勞的地方？」

「我需要一組殺手。」

「殺手，您說得倒輕鬆！我只不過是一個簡單的商人，而……」

「我不會再重複一次我的話。時間寶貴。」

「您叫我到哪裡找人？」

「你一定認識一些利比亞人等著想賺大錢。」

「或許吧，但我的佣金……」

「我會把價格訂出來。別忘了你是在為一個很有勢力的人做事，如果你不想要有稅務上的麻煩，你就好好地去做，不准討價還價。」

特漢貝知道自己抗拒也沒有用。

「我認識三名前科犯，他們剛服完刑被釋放出來，目前在碼頭一帶當洗衣工。他們行事毫無忌憚，如果認為酬勞可以的話，應該會答應合作。」

「你馬上去聯絡他們，我現在在告訴你一個地方，叫他們到那裡去。」

特漢貝很高興自己只是扮演一個幕後的角色，因此滿口答應賽克塔立刻去辦。

＊　＊　＊

蜂蜜之路是一條相當隱密的路，連肯伊都不是非常清楚；他知道老伯遜在西邊的沙漠裡擁有為數龐大的蜂籠，但無法指出他工作的明確地點。

「我們總得試試。」智女和帕尼泊研究著肯伊給他們的地圖。

「介於最後一個警衛站與這條乾河床及蜂群之間，至少有一天的路要走；問題是哪個方向？」

「沙漠是我的朋友，」帕尼泊自信地說道，「它自然會告訴我們解決的方法。」

「水源倒是不缺，在採蜂人那一帶一定也有水。不過你們路上可能會碰到壞人。」

「你們可以讓我帶著武器。」帕尼泊要求道。

「很抱歉，這是不可能的。如果碰到警察盤問你們，你們盡量說好話。最壞的情況也不過是你們被帶回這裡。可是如果你身上帶有刀劍，就會被視為一個危險份子。」

「我帶我的石鎬去。」

「我反對，帕尼泊！它也屬於真理村的工具之一，所以不能被帶出村子。」

「我們有沒有補給品？」

「我會讓你們帶魚乾、洋蔥、無花果，還有幾瓶水甕。這些加起來重量不少，還好你的肩膀夠強壯。」

* * *

阿達弗三兄弟是偷渡到埃及的利比亞人，他們為特漢貝偷一些東西，並以此過活，特漢貝曾經向三兄弟保證，只要一有機會，就會讓他們的日子獲得改善。而現在機會來了：只需要除掉礙事的人就好了。

這個計劃令三兄弟高興不已。他們已經厭倦了當個洗衣工，每天泡在女人的髒衣服裡。他們在利比亞曾經殺過幾個旅人，搶奪他們的財物。

殺人對他們而言就像殺豬一樣簡單。

他們自前一夜起便躲在一處荊棘叢後等待。當他們看見一個裝扮成農婦模樣、臉上包著圍巾的女人走近時，老三的身體立刻興起了一股慾望，儘管他知道在埃及若犯了強姦罪，會被判處死刑。但他和另外兩兄弟實在是太久沒有女人了。他們所接觸的女孩，要不是已經結婚、就是訂了婚，而且還忠貞不貳。

「上路吧！」賽克塔命令道：「你們的獵物剛剛才經過往西邊沙漠的小路。」

「他們一共有幾個人？」

「兩個。」

老大仰天大笑。

「這簡直跟玩兒戲一樣簡單！」

「既然任務這麼簡單，」老三說道，「我們也許先跟妳玩一玩，再幹正事。」

「來呀。」

「妳同意……跟我們三個樂一樂？」他有點失望地問道。

他手一擱到她的腰部，賽克塔立刻用一把匕首刺破他的手臂。

老三整個人往後一彈。

「下一次，」賽克塔警告道，「我保證割下你的兩顆睪丸。」

她持匕首指著三兄弟。

「你們的獵物不是這麼容易就可以抓到，」她說道，「其中那個女的有點神力，說不定可以感覺到你們靠近她。而另外一個壯漢，到目前為止，還沒有人打敗過他。」

「他也帶了匕首嗎？」

「我不知道，不過可能性不大。」

「那個女巫……是不是又老又醜？」老三問道。

「她四十來歲，長得還不賴。」

「可不可以先強暴她，再把她做掉？」

「隨你們便。我三天後回到這裡，希望你們給我帶來好消息。」

「妳放心，大美人兒。」老二說道。

「口說無憑，我需要有證據。」

「男的命根子、女的頭，這樣妳總滿意了吧？」

賽克塔很欣賞他們的殘酷，於是讚許地點點頭。

「到時是妳付我們錢嗎？」

「不會讓你們失望的。而且我們甚至還可以相處愉快。」

老三舔了舔口水，有兩個母的可以玩，運氣實在太好了！

賽克塔心裡還拿不定主意：事成之後，是繼續利用他們呢？或是誣告他們就是弓箭手在尋找的三名危險罪犯？

她到時再和莫希討論吧！

* * *

「我想蜂群應該不會離警衛站太遠，」智女估計道，「在那附近還有一些生長茂盛的植物，尤其是一些少有的花朵和相思樹，蜜蜂可以用它們來生產出上好的蜂蜜。再過去一點，就沒有什麼植物了。」

帕尼泊背著沉重的糧食補給袋，和兩甕清水。

「老伯遜為何住到離農作物這麼遠的地方？」

「因為他計算過他的蜜蜂為了採蜜所能飛的最遠距離，也因為沙漠是蜂群最理想的住所。當拉神哭泣時，祂的眼淚落在沙地上，變成了蜜蜂。而蜜蜂需要太陽神來創造出蜂蜜，沙漠之火可以給它們充沛的精力。」

「原來這就是為什麼法老的象形文是畫一隻蜜蜂，和一根蘆葦各在一塊土地上，代表法老是埃及之主。」

卡萊兒露出微笑。

「村子不能缺少這種無可取代的藥方，帕尼泊。」

帕尼泊不再感覺到糧袋和水甕的重量；小路也有一種無比的溫柔，而太陽就像夜晚的微風般溫和。

「我們必須離開這條小徑，」卡萊兒說道，「因為我們已接近一處警衛站。」

智女和帕尼泊爬上一座小山丘，並觀察四周的環境。

「我們被跟蹤了。」她輕聲說道。

47

帕尼泊四處張望。

在遠處西邊的一棵棕櫚樹蔭下，有一個小土牆屋。

「那就是地圖上所標示的警衛站……我們繞道走。妳真的確定我們被跟蹤了？」

「在我們後面，有一股懷有敵意的氣息。」

「搞不好是一隻鬣狗，或是另一種野獸？」

「我們繼續往前走。」

兩人併肩一路前行，帕尼泊不時地往後看。烈日當空，他們踩著規律的步伐往前走，偶而只喝一點水，以免過於口乾舌燥。

「好奇怪，」帕尼泊說道，「肯伊應該不致於這麼頑固，不讓我帶把武器在身上。是他告訴我們這條路，照理說，他也知道會有哪些危險。」

「我們的陵寢書記是個一板一眼的人。」

「希望妳是對的，卡萊兒……說不定他就是隱藏在暗處的叛徒，想置我們於死地？」

「不可能。」

「妳怎麼能肯定？」

「因為肯伊知道『光之石』藏在哪裡。如果他就是那名叛徒，早就已經把『光之石』偷走了。」

帕尼泊雖然同意她的看法，但還是無法全然放心。肯伊會不會狡猾地設下圈套，打算先除掉智女，再帶著「光之石」逃走？他也很清楚如果指派另一名工匠護送卡萊兒，帕尼泊一定會反對；因此他理所當然地選派智女的義子來擔任這個工作。這麼做有一個缺點：要打敗帕尼泊非得好幾個人才行。所以，跟蹤者不只一名。

卡萊兒和帕尼泊已走到地圖上這條路的盡頭。最後一個警衛站是在東方的一座沙丘後面。

「現在要走哪個方向？」

「我們等神的指示。」卡萊兒回答他。

「跟蹤者馬上就會走近。他們要除掉的是妳，我很肯定；村子若沒有智女，會變成什麼情況？我想我們已經掉進了一個陷阱。」

「待會兒就會有神的指示發生，然後我們會到達蜂群所在之處。」

「首先，我們得活下來！我有一個主意，不過攻擊者若是人數眾多，就不靈光了。」

「他們來了。」她低聲說道。

＊　＊　＊

還好沒有風，所以阿達弗三兄弟很順利地跟著他們獵物的足印走。其中有些腳印陷在沙子裡，看得出來這個男的身上扛了不少重物。

「他們會走遠嗎？」老三擔心地問道。他最討厭沙漠了。

「我們很快就會趕上他們，」老大回答道；「一個累壞了的獵物是跑不遠的。」

「說的也是……我們應該馬上就攻擊他們，然後折回谷地裡。」

「聽你老哥的話，白癡！」老二說道。

「我也懂得考慮啊！越快殺了他們，就越快把錢拿到手。」

三個人突然站住不動。

在幾百公尺外的一個沙丘腳下，有個人影站在那裡。

「我們走上前去？」老三問道。

老大握緊了鐮刀的把手，另外兩個則各拿一把屠刀。

「我們過去。」

三人小心翼翼地看了一下他們的四周。

沒有不正常的動靜。

「是那個女的！」老二色瞇瞇地說道。

「我要先上她！」老三搶著說道。

「你們給我安靜！」老大警告他們，「我們來這裡是為了要殺掉她。」

「不行，我們先玩玩她再說！她看起來倒是秀色可餐。」

卡萊兒站在那裡不動，彷彿沒有察覺這三個人。

她的舉止令老大覺得有點奇怪。

「你們不要忘了她有一個保鑣……這個人到哪裡去了？」

「在你後面。」帕尼泊從沙子裡跳出來說道。他把自己埋在沙子裡，希望跟蹤者全被智女吸引住，因而聚集在一起。

老三還沒來得及發現是怎麼一回事，頭上已被帕尼泊的大石頭擊中。

老二怒吼著衝向帕尼泊，他在最後一秒閃開身子，並反手扣住老二的手臂；他身體失去平衡，結果被自己的屠刀刺穿身子。

體格最為壯碩的老大揮舞著手中的鐮刀，奮力衝向帕尼泊，以為能夠一刀割斷對手的喉嚨。沒想到帕尼泊身子一低，用頭猛力撞向他的胃部。他氣還沒喘過來，帕尼泊已經一掌砍向他的腰部。

老大驚惶失措、企圖逃跑，但帕尼泊已一拳擊向他的後頸，他應聲倒在兩個兄弟的旁邊。

「我原本只想打昏他們而已，」帕尼泊向卡萊兒說道，「不過利比亞人的骨頭實在是太脆弱了。反正不會有人為他們的死感到難過，屍體還可以當作豺狼的一頓大餐。」

智女望著天空。

「你看這個指示！」

一隻黃色腹部、灰色背部的長尾鳥向南方飛去。

「牠會去尋找蜂蠟，」她解釋道；「牠會指出一條正確的方向。運氣好的採蜜者甚至有可能因此找到蜂群。」

* * *

老伯遜的蜂籠是用蘆葦編成一整片，再把它捲成圓筒狀，放在地上。他把蠟燭放在罐子裡，才剛燻完一個蜂籠，就看見帕尼泊和智女朝這邊走來。平常他一點也不怕蜜蜂會螫他；可是早上過了一半，蜂群變得有點焦躁，因此他才決定用煙燻的方法驅趕蜂群，讓他可以放心地採蜂蜜。

現在他終於知道為何蜂群變得如此焦躁。

如果只有這個壯漢獨自出現，老伯遜可能要向阿蒙神做最後的禱告了。可是他身旁那位神采飛揚的女子讓他稍微感到放心。

老伯遜熄了蠟燭，不安的蜂群又再度圍繞在他身邊，他站到蜂籠前面，這是他的最後一道防線。

「你們是什麼人？」

「我是真理村的智女，陪我來的這位是一名工匠。」

「您……您真的存在？」

老伯遜往後退了一步。傳說中她是一個很厲害的魔法師，有能力將任何一個惡魔埋到地底下。

「您不要再靠近！否則我的蜜蜂會攻擊您。」

「我們完全沒有敵意。」

「您身旁的這位壯漢……他肩上扛的是什麼東西？」

「一袋糧食和一些水，我們準備與您分享這些水。」

「我什麼都不缺！」

「真理村就沒有這麼好運了。村子裡缺少蜂蜜，而我需要用它來治療傷患。」

「我生產的所有蜂蜜都要保留給國家，因此連一滴都不能給你們。」

帕尼泊卸下了東西。

「一點都不能例外？」他問道。

「幾乎沒有例外……除了緊急狀況。」

「這正好是一個緊急狀況。」智女溫和地解釋道。

「可是這並不怎麼合法……」

卡萊兒從口袋中拿出一個小金條，它在太陽下閃閃發光。

「我們用行會的金子換取您的蜂蜜。」

「我……我可以摸它嗎？」

老伯遜的疑慮消除了：它是千真萬確的金子。

「用十大罐蜂蜜跟您換，可以吧？」

「十二罐。」帕尼泊要求道。

老伯遜接受了。

「我希望能先看一下蜂蜜的品質。」卡萊兒加了一句。

「您有所懷疑嗎？」老伯遜老大不高興地說道。

「我需要幾種特殊品質的蜂蜜來治療一些發炎的症狀。您有嗎？」

「您當我是什麼人？沒有人比我更了解蜜蜂的特性與它的寶藏！」

老伯遜一點兒也不誇張，每種特殊品質的蜂蜜他一樣也不缺。他驕傲地向智女展示各種密封而且貼上標籤的蜂罐。

「為何中央不再供應蜂蜜給真理村？」

「受戰備經濟的影響，」卡萊兒解釋道：「阿孟美斯國王優先考慮到士兵的需要。」

「您付給我的這個金條……真的是來自於你們的村子嗎？」

「我們必須有所保密。」智女回道。

「我很幸運能夠在這裡採集我的蜂蜜，它就是我的黃金，我獨自與這些蜜蜂生活在一起，遠離世人的衝突與野心，日子過得很快樂；唯一與我有接觸的人類就是那些來取貨的警衛。我們也很少交談。我從來沒有說過這麼多話。」

老伯遜打開一個很舊的蜂籠，從裡面取出一個小長頸罐。

「這是我的傑作；我本來決定不給任何人看。既然您是真理村的智女……它會對您非常有用，您到時就知道了。有了它，再頑強的炎症都可以治癒。」

「我該如何謝謝您送我這麼珍貴的禮物？」

「您已經送給我一筆財富了，而且我有幸能遇見您、親眼看到您的神采……我夫復何求？」

老伯逖突然想成為助理工的一份子，將他的蜂籠轉移到村子附近，但這只是一個短暫的念頭；炎熱與孤寂的沙漠才是他的家，他在這裡學到他的一技之長和蜜蜂的語言。也只有在這裡，他才能製造出埃及最好的蜂蜜。

48

塞特裔已逐漸恢復健康，但他絲毫不想管理國家大事，只任由桃賽特和掌璽大臣百依去處理。然而法老是他，沒有上下埃及之主的同意，皇后和掌璽大臣也無法主動決定國家的未來。

塞特裔待在哈托爾神廟的那段日子裡，已喜歡上沉思冥想；因此他在阿蒙神廟結束晨祭之後，總是長時間留在那裡，直到祭司前來收取諸神用過的貢品。這些神聖的食物含有諸神的精氣，祭司們留下一部份，其餘的則分給首府其他廟裡的神職人員享用。

國王常常與卜塔祭司一起用午餐，並討論諸神的創造與無所不在的神光。至於其他的文武百官，他則不予接見。當各國的大使求見時，桃賽特皇后出面接見他們，並向他們肯定雙方的商業關係仍照以往繼續下去。

到了下午，塞特裔會花一兩個小時在自己的辦公室，翻閱百依大臣所準備的文件。只有百依這位大臣偶爾會讓他願意接見。

放在桌上的第一份文件是有關軍事總動員的詳細計劃書。

「可否容許臣向您解釋，陛下？」百依問道。

「你又要和朕談有關戰爭的事了？」

「陛下不認為您有收復底比斯及上埃及的責任嗎？」

「每天，朕在比拉美西斯的廟裡向阿蒙神祈禱，祂從未令我去想戰爭一事。」

「臣也非常不願意發生內戰，陛下。因此，臣向您建議的計劃可以避免戰爭，但又能再度整合國家，這也是每個埃及人民的心願。」

「這個計劃得完全靠莫希將軍的配合，是不是這樣？」

「的確，陛下，但臣絲毫不懷疑他對我們的忠誠，而且他也數次證明了這點。」

「我們姑且相信你是對的，百依……可是你忘了很可能是阿孟美斯在操縱著他。」

「怎麼說，陛下？」

「假設阿孟美斯已意識到莫希只不過是表面支持他……他會任由你的計劃實現，並除去莫希將軍，下令底比斯軍隊將我們掉入陷阱的部隊趕盡殺絕。這樣的一場大屠殺和災難，是你樂於見到的嗎？」

「當然不願意，陛下，但阿孟美斯會如此機靈嗎？」

「低估對手的能力是一個不可原諒的錯誤。如果我兒子已決定堅持到底、如果他認為自己有能力成為一個真正的領袖、又如果他不犯錯，那麼他會知道如何與我們作戰。這時，若照你的策略進行，不就是掉進了一個致命的陷阱嗎？」

國王的清醒令百依無言以對。

「謝謝您讓臣看清了事實的另一面，陛下；但是不是就此放棄以軍事干預？」

「當然。」

「所以，您願意讓阿孟美斯認為他已經贏了，上埃及是屬於他的。」

「唯有當他過於自信時，他才會變成侵略者，而招來諸神的憤怒。諸神比我更清楚如何去懲罰他的反叛。」

* * *

智女一回到村子就開始為病患看診，幸好一切都不嚴重。有了老伯逖的蜂蜜，她終於可以為他們作必要的治療，而且肯定他們的病一定會痊癒。

帕尼泊則是一回來就被陵寢書記叫去做報告。

「有沒有狀況出現？」

「您對這個有興趣？」

肯伊皺起了眉頭。

「你是不是為了取得蜂蜜，結果把老伯逖的頭敲破了？」

「這方面倒是沒有出現什麼嚴重的問題，他非常的合作。」

「如果不是他，是誰找你麻煩？」

「您沒有猜到是誰？」

老肯伊放下了手中的筆，兩眼直視著帕尼泊。

「有些人的態度令我格外的討厭，尤其是虛偽的態度。如果你對我有什麼不滿，你就直接了當的說，不要拐彎抹角。」

帕尼泊的臉脹得通紅。

「我們受到三名土匪的攻擊，他們大概是利比亞人。」

「我曾經警告過你，這條路上並不安全。」

「他們一直在跟蹤我們，也知道我們要去哪裡。」

陵寢書記拉長了臉。

「你居然敢認為我把你和智女送進一個陷阱裡?你甚至居然敢認為我會有這種齷齪的犯罪念頭？」

老書記猛然上升的怒火讓他一下子年輕了二十歲。

「我是懷疑過你，但我有我的理由！」

「什麼理由，帕尼泊？」

「有太多的巧合了，而且您拒絕讓我帶防身武器。」

「難道你不了解，這樣做是為了你好、也是為了真理村？我老歸老，但我自認還有能力一枴杖把你打昏過去！」

肯伊威脅地站了起來。

「假使您攻擊我，我一定會採取防衛，您不要去冒這個險。」

陵寢書記沒有輕忽他的警告。

「如果你不是一個膽小鬼，帕尼泊，你要做就做到底，把在你面前的這個罪犯除去。」

帕尼泊握緊了雙拳。

「打呀，」陵寢書記命令道，「既然我是一個罪不可赦的叛徒，你還有什麼好猶豫的？」

帕尼泊靠近肯伊。後者的眼光始終直視著他。

「好吧，您是無辜的。可是我不得不考驗您。」

「是什麼讓你改變了想法？」

「您眼中的堅決。一個把智女送進致命陷阱的人不可能有這種眼神。不過，假使您騙過了我，肯伊，我會一輩子纏著您，讓您一點機會也沒有。」

＊　＊　＊

賽克塔脫下她身上穿的農婦裝和厚重的假髮，接著迫不及待地進入浴室，讓女僕為她浴沐，抹上香精。

她還來不及穿上衣服，莫希已經闖進了房間，於是她選了一件緊身長裙。

「妳出來。」他命令道。

賽克塔故意搭一條披肩，將胸部裸露在外面。

「很不幸我沒有好消息要告訴你。我已經去了三次約定見面的地點，但始終見不到一個人影！」

「這些白癡到極點的利比亞人不會再回來了。沙漠裡的一隊警衛剛剛在離一條小路不遠的地方發現了他們的屍體。」

「三個？」賽克塔驚訝地說道，「可是這三人個個都是硬漢……他們應該至少完成了一部份的任務吧？」

「智女和帕尼泊已經安全回到村子裡，而且帕尼泊還帶回了一大堆的蜂蜜。」

「他一個人居然打敗了那三個人，」賽克塔心癢癢地喃喃自語。「這個人沒有為我們做事實在可惜！不過也不用太失望……」

「我怕智女可能已經用她的法力讓帕尼泊變得更厲害。這三個蠢材太高估了自己。」

賽克塔撫摸著莫希的臉頰。

「這個小小的失敗雖然令人傷腦筋，可是你還有其他更嚴重的煩惱，對不對？」

「沒錯，小親親。」

「是因為阿孟美斯不信任你嗎？」

「不是，是我已經完全不信任這個老是猶豫不決的傢伙。」

「我早就告訴過你，他是個沒有出息的人！他會不會準備要請求他父親的原諒？」

「如果他再繼續這樣孤僻下去，很有可能會做出這種事。他才剛開除僅剩的幾名國策顧問，現在就連我要跟他說話，也得先要求晉見。阿孟美斯想自做主張，而不願意聽別人的意見……如果他瘋狂到下令底比斯的軍隊去突擊北方，我如何才能讓他改變主意？」

「假使你拒絕服從便是死路一條……可是我絕不容許有人阻擋你的仕途，就算對方是阿孟美斯也一樣。」

「妳敢和一位法老做對嗎，小親親？」

「要不了多久大家都會認定塞特裔是唯一合法的法老，親愛的。」

* * *

帕尼泊於黃昏時刻前去穀倉附近找他兒子。阿沛弟在那裡舉辦了一場摔角比賽，可想而知，最後的贏家鐵定是他。

孩子們一看見帕尼泊便馬上溜回自己家裡，阿沛弟也正準備腳底抹油、溜之大吉，同時暗自希望能再一次獲得母親的寬容，讓她去應付父親的憤怒。

帕尼泊正打算再給他一個教訓，就在這時，西邊的山丘頂上冒出一股奇怪的光線，吸引了他的注意力。

一團火。

帕尼泊穿過陵園，朝火焰的方向爬上山丘。照理說任何人都不准在這個地方升火的，看來，他大概又得把一兩個頑皮的小孩拎回他們家裡。

一個大鬍子從暗處中跑出來，臉上戴著粗眉、捲毛的獅頭面具。

「我是考驗之神貝斯，」他說道，同時伸出一條巨大的舌頭仰天大笑。「你是否有足夠的勇氣跟我來？」

貝斯神一說完、立刻朝山口的方向快步走去。

帕尼泊只猶豫了一秒鐘便跟了上去。

49

考驗者貝斯越過山口，往國王谷地下去。帕尼泊雖然感到意外，但還是跟著他來到了「大草原」的入口。入口處有一個祭司戴著阿努比斯的面具。

阿努比斯做了一個大大的手勢，請帕尼泊跨越門檻。貝斯手上拿著一把火炬，經過了拉美西斯大帝的陵寢，繼續朝阿孟美斯的陵墓前進，可是他並沒有在那兒停下，而是沿著一條彎曲的小徑，走向谷地最偏遠的地方。

帕尼泊以為貝斯把他帶進了一條死路，因為兩邊的山崖越來越狹窄，他們已經來到了谷底。貝斯已消失不見，但帕尼泊仍抬頭繼續望著崖壁上的火焰，大約在十幾公尺高的地方。他走近崖壁，發現有一個繩梯可以讓他爬到上面的一個山洞，也就是火光所在的地方。

山洞前面的四個角落各站了四個戴著面具的守衛，分別是禿鷹、鱷魚、獅子和毒蠍。當帕尼泊準備走進去時，他們亮出了匕首。

「我是恐懼的主宰者，」禿鷹人說道，「在你面前的是一個密室。如果你敢進入它，你將會發現一個新生命，但你必須先聽見光的召喚。小心，帕尼泊：不要讓你的心被蒙閉。」

「你們讓開。」

帕尼泊絲毫不怕他們恐怖的面具和武器。如果他們拒絕他，他會強行衝進去。

「由於太陽在夜裡死去，」獅頭人說道，「你必須穿越黑暗，面對許多艱苦的考驗，試圖讓自己在早晨復活。你是否有在黑暗中看見光明的勇氣與力量？」

帕尼泊給他們看他身上象徵眼與心的護身符，於是守衛們收起了匕首。

山洞裡面有一把火炬被點燃，黑暗中出現了一條路。

帕尼泊通過一道窄門，沿著十幾公尺長的走廊繼續下到越來越窄的山岩內部。他在第一個非常陡峭的石階前停下，這個石階通往第二道走廊，它的盡頭連接一個非常大的井室，裡面有一把火炬。在這個努神所在的井室頂部，畫有無數的星星，象徵努神的原始能量。

水井上方架了一塊木板，帕尼泊利用它走過去，進入了一間小密室，裡面有兩根立柱，牆上畫了七百七十五個奇怪的圖案，呈現出光的各種形式。帕尼泊忘卻了時間，在這個「萬物一體之密室」內仔細欣賞著它們的各種形體，試圖將它們整合為一體；但他感覺到自己缺少了某種關鍵性的概念，這時右前方角落裡的光芒吸引他向前走過去。那裡另一個階梯往下通到第二間有兩根方形立柱的墓室，比前一間更大。

當傑德和碧玉點燃火炬時，眼前呈現了一片美景。

帕尼泊彷彿置身於一本書中，四周的牆畫滿了許多經文；這些象形文和象徵性圖案的內容表示這個地方是每一刻星星誕生之處。

室內有一具砂岩石製的石棺，底座是方解石。首長和智女就站在這具石棺的旁邊。

傑德牽著他的弟子，準備讓他進行太陽神舟每夜在地底下所經歷的路程。

西邊牆上畫了一個門，代表旅程的第一個小時。

「你看到什麼，帕尼泊？」

「我看到一條應該要避開的兇猛毒蛇，也看到了永不腐朽的太陽神舟。」

「讓你的靈魂衝過去。」

帕尼泊感覺自己彷彿走過了一個又大又寧靜的地區，來到了第二個小時。他在第二個小時中穿越了充滿音樂的茂盛田園。出了這些幸福的農村後，他進入了有清涼微風的第三個小時。

「這裡結合了拉神與奧塞利斯神；前者是天之光，後者是地底下的世界，」傑德揭示道，「由於有祂們的結合，邪惡的黑暗才會被關禁而化為烏有。」

從開始到這一刻為止，帕尼泊嚐到了前所未有的寧靜，但從第四個小時開始，他的寧靜被剝奪了。壁上有下放石棺的畫面，還有神舟被拉往一個缺水的荒漠地帶；帕尼泊彷彿也跟著用力拉，以免神舟擱淺。

「你進來這個誕生室，」傑德說道，「第五個小時的太陽在這裡下光明之卵，各種生命的形式都蘊含在其中。」

到了第六個小時，帕尼泊的靈魂將四散的精氣整合為一體，準備在第七個小時對抗恐怖的惡蛇阿波斐斯，不讓牠喝盡黃泉，因而阻礙神舟的前進。

在第八個小時中，帕尼泊又看見另一條蛇。牠的身體呈磁波狀，這些磁波象徵生命穿越萬物。帕尼泊在這處凹室內凝視著黃道十二宮的星星，每一宮都有陰陽兩種形式。這時帕尼泊聽見了來自陰界的聲音，有隼叫聲，有鳥鳴聲，有貓咪的喵喵聲，和蜜蜂的嗡嗡聲。

「在第九個小時裡，」傑德說道，「木乃伊已經醒來，奧塞利斯打敗了黑暗，而靈魂化身的小鳥誕生了。」

到了第十個小時，帕尼泊看見聖甲蟲推著初昇的太陽往前走；接著他在天上的海洋中游泳，這是他生命中第一次覺得自己如此自由地呼吸著。」

到了第十一個小時，他非常開心地看到光明之敵被打敗，他們的頭被砍斷扔到火堆中，同時出現了天庭之蛇，以及兩隻完整的眼睛。因為有這兩隻眼睛，他覺得自己的視野變得更廣、更清楚。

「在第十二個小時裡，」傑德說道，「你好好看著新生的太陽。它成了最亮的一顆星星，同時你也要注意自己的新生。在過去這十二個小時中，你已體驗了神舟所經歷的十二個神秘的境界，從西到東、從死亡到復生。」

* * *

十二個小時彷彿一轉眼就過去了，帕尼泊坐在聖殿關閉的大門前，欣賞著蔚藍天空中的太陽。

現在，他已了解它的內在，因為他參與了它每個階段的變化與成形。從此，每天的黃昏，他將與它穿越西邊的門，一同航向危險的東方。

帕尼泊想起了過去的艱苦歲月。他曾經如此努力地想成為彩繪匠，卻又不敢奢望能夠進入真理村；可是他不但沒有屈服於困境，反而跟著他的直覺走，直覺告訴他，他的未來是在這裡，而不是其他任何一個地方。

首長、智女和其他祭司已回去村子；只剩傑德獨自留在山崖下等待他的弟子。

「要我一輩子留在這裡我都願意。」帕尼泊向他坦言道。

「你要發掘的事物還多著呢！」

「我還有什麼好求的？」

「求你的手將你靈魂所感受到的表達出來。你以為這些為你揭示的奧秘只是為了讓你滿足於年輕時的夢想？」

「我要毀掉我所有的畫，重新來過。」

「萬萬不可，你這個莽撞小子！我發現你的自負心並未離你而去；你難不成認為我會讓你完成一個有損行會名譽的工作？儘管你的個性很叛逆，可是你的求知慾很強，因此你的手在不知不覺中比你的心知道得更多。經過了這個進階儀式，你已較能體會我們任務的偉大；但你接下來要走的路絕不會比太陽神舟的旅程來得更容易！」

「我們剛剛是在圖特摩斯三世的陵墓裡，對不對？」

「是他設計出這本復生之書的形式，橢圓形的墓室中央有他的名字，圍繞在它四周的每一間凹室牆上都畫有圖案，代表書中的每一頁，你已經遍覽了這本書。」

「他的木乃伊棺也是這種橢圓形。」帕尼泊加了一句。

「你在法老的靈魂內做了一次旅行，而法老本身就是太陽的化身。很少有人能夠有你這種運氣；你要爭氣一點。」

「你為什麼對我沒有信心？」帕尼泊好強地問道。

「因為生活中有太多殘酷的考驗，這些考驗會讓我們從高處往下掉。而你，會摔得比別人還嚴重；當不幸來臨時，你要記得自己曾經戰勝過黑暗的惡龍。」

50

帕尼泊走進家門，一進入前廳便發現所有的地方都打掃得一塵不染，而且室內充滿了淡淡的香味。

第二個房間裡面有祖先的牌位，娃貝特站在入口迎接他。她臉上畫了妝、身上穿著一件女祭司的白色長袍，並且把丈夫送給她的光玉髓和雞血石項鍊戴在胸前。帕尼泊對她隆重的打扮感到很好奇，而且很驚訝她向他行了一個鞠躬禮。

「我知道你已完成了黑夜的旅程，」纖細的娃貝特說道，「你已經不是原來的帕尼泊。村子裡很少有人能夠經歷這種奧秘，因此我向你致上我的敬意。」

帕尼泊溫柔地將她擁在懷裡。

她在顫抖。

「你的靈魂已穿越了那些我所不知的境界，我也永遠無法知道，碧玉就不同了。不過我既不會悲傷、也不會嫉妒。」娃貝特說道，「傑德選了你做為他的弟子，首長選了你做為他的義子，你會繼續你的路，以求將來成為行會的彩繪匠組長，這是很正常的。而我，只不過是一個單純的家庭主婦，但我是全心全意地愛著你。而你，當然會離開。」

帕尼泊輕輕的把她舉起來、抱到房間。房間內也和其他地方一樣整潔，連掛鉤看起來都像是新的。

娃貝特雙手環抱著帕尼泊的頸部，頭靠在他的胸前，全身幾乎不敢放鬆。

「我很害怕，帕尼泊，我怕自己配不上你！」

他把她放到床上，並在她身旁坐下，握住她的雙手。

「我的確已經超越了一個階段，但我還是和其他的工匠沒有兩樣，也沒有理由拋棄你。若沒有妳，我大概會生活在一間亂七八糟的破屋子裡，遲早有一天會被陵寢書記逐出村子。除了妳，有誰能夠讓我無後顧之憂地工作呢？」

「這麼說……我對你還有一點用處？」

「妳怎麼能有絲毫的懷疑？」

「你會接受這樣的我嗎？」

「千萬不要改變！」

「你……你會留在這裡，和我在一起？」

「只有一個條件，娃貝特：不可以再向我鞠躬，只有諸神、法老、首長和智女配得上這種尊敬的方式。」

帕尼泊慢慢地摘下她的項鍊、褪下她白色長袍的肩帶。

「我一直用我的方式來愛妳，」他向她告白，「而它絕對不是最好的方式……應該要走的人是妳，為了去找一個更好的丈夫。」

全身裸露而無助的娃貝特露出了一個微笑。

「我有一個更好的點子……你願不願意有第二個小孩？」

「妳能承受得了嗎？」

「我已經問過智女了……她一點兒也不擔心。」

「那麼，妳為我生一個像妳一樣的女兒。」

「我會向祖先祈禱，請他們實現我們的願望。」

如此纖弱而堅強的娃貝特……帕尼泊用無盡的溫柔去愛她。

傑德為帕尼泊舉辦了一場宴席，左隊和右隊的工匠一樣，也開始對帕尼泊另眼相看。就連奈克特和費奈德都承認他的確優秀，並了解為何首長和智女認他做義子；帕尼泊除了能夠完全掌握專業的技巧外，還有一個很廣的視野，能讓自己融入每一種形式的作品及裝飾的地方。卡烏、烏奈士和帕伊等三名畫匠都承認這個同事的天份，儘管他年紀比他們來得小，而且他們已開始把他視為畫室的未來老闆。

「村子的大門口有人找你。」尼菲向帕尼泊說道。

「我？你確定？」

「確定。」

「是誰？」

「守衛不認識這名來者。」

「他找我做什麼？」

「你只有自己去看才會曉得。」

「你不能多告訴我一點嗎？」

「既然索貝克隊長已經放行，那就表示沒有危險。」

帕尼泊好奇地來到村外。

在大門口的對面，站著一頭驢。白色的口鼻和腹部、淺灰色的長毛、靈活的黑色大眼睛、仔細修剪過的雙耳、寬大的鼻孔，牠簡直雄壯得像一個運動家，體重至少有三百公斤。牠的背上有一個空著的座位用皮帶束著。

「有人在上面坐過嗎？」帕尼泊問道。

「幫我做事的那五個農夫之一坐過，」尼菲解釋道，「不過我們在買這頭特殊的驢子時，還曾提醒過他：北風不願意任何人騎到牠背上。你可以發現牠的確很特殊，牠已經認出真理村的路了。」

北風驕傲且桀驁不馴地盯著帕尼泊。

「這是我為了你的進階所送的禮物。北風有最優秀的血統，牠的強壯和聰明都不在話下。不過壞脾氣跟你有得比，我希望你們倆會合得來。」

「牠實在美得無話可說……」

「身為一家之主應該要為一些家當做打算，更何況是妻子已經懷了第二個小孩。」

「娃貝特已經告訴你了？」

「卡萊兒會仔細照顧她，懷孕的期間也一定會很順利。北風等會兒去我那裡，為你載一些需要的東西回來，還有政府送來的配給。你只需要清楚的告訴牠做什麼就行了。」

北風用鼻端碰碰帕尼泊的手，嗅了好一會兒之後，牠發出有力的嘶鳴聲，聲音大得令許多村民跑來察看發生了什麼事。

「你想牠接受我了嗎？」

「你摸摸牠的頭。」

兩人做了第一次成功的接觸。北風非常喜歡這種愛撫，因此緊緊地靠著牠的新主人。

* * *

經過了漫長的等待，莫希終於獲准進入卡納克皇宮內的召見廳。阿孟美斯坐在他的王座上，兩眼空洞地望著那些柱子。

兩個多月以來，他沒有召開過任何會議。一些日常的政務都由精明幹練的老首相負責處理。許多大臣不斷地向他抱怨阿孟美斯的態度，同時也為此感到憂慮不已。

莫希上前鞠躬時，發現阿孟美斯蒼老了許多，臉上的線條也出奇的深。他已不再是當年那個喜歡騎馬奔馳於沙漠中的年輕人，也不再是那個雄心壯志、希望成為法老的阿孟美斯。

「請您簡明扼要、盡快把話說完，我給您的時間不多。」

「臣必須要讓您知道臣的憂心，陛下。」

「戰爭與血腥……您只會想到這些，將軍，事實上您錯了！沒有一個地方發生戰爭。我父親沒有進攻南方，我也不會去攻打北方，就算這個決定讓那些嗜血的軍人不高興，我也毫不在乎。」

「臣唯一的目的是要保障您的安全。」

「不要再把我當白癡了，莫希！我把自己關在這個皇宮裡，不但沒有失去任何一秒鐘，而且結果正好相反。我終於跳出了颶風圈，幾年來我愚蠢地在其中打轉，而現在我退出它、保持應有的距離。在我周遭盡是一些想要吃我權力的禿鷹，您也不例外，將軍！」

「不，陛下，臣不應該受到這種指責。臣是一名軍人也是行政人員，沒有權力主動做出任何決定。您命令臣要帶著底比斯軍隊為和平而努力，臣感到無上的高興，但臣必須告訴您他們的士氣已逐漸低落，因為糧餉曾經延遲了幾日才發放。這種情形已有許久未曾發生過，而他們害怕會再也領不到糧餉。」

阿孟美斯的怒氣稍微平靜了下來。

「為何會有這種事情，將軍？」

「我已對首相抱怨過這件事，他解釋是因為軍備經濟耗資過於龐大，所以底比斯的財政收支已受到威脅。如果您希望避免發生嚴重的危機，最好是遣散臨時徵調來的農民，讓他們回田裡工作。」

「您贊成這個方法嗎？」

「我們的防衛能力將會大大地降低。萬一北方的軍隊來襲，臣不敢肯定為數不多的部隊是否能撐得下去。」

阿孟美斯站起來靠在一根石柱上，彷彿它可以給他一些力量。

「也許我父親正在花時間準備一場大進攻……假使他知道底比斯已開始衰弱，而且我們的防衛能力已經降低，他就不會再猶豫了。」

「我們何不直接對財源下手，陛下？」

「您指的是什麼，將軍？」

「這也許只是一個傳奇，但大家都認為真理村的首長有能力製造黃金。說不定他能幫忙解決眼前的問題。」

阿孟美斯閉上眼睛想了一會兒。

「您會親自去處理這件事情，將軍？」

「這是首相的權責，陛下。」

51

「隊長，我們看到有一些士兵靠近！」

「大家各就各位。」索貝克下令道。

所有的努比亞警衛熟練地照著命令去做，索貝克則走出第五堡壘，來到軍隊的面前。部隊在索貝克十幾公尺遠的地方停下。一名年輕的軍官從帶頭的戰車走下來，並向索貝克致意。

「我負責指揮首相的護衛隊。」

「您沒有權力進入真理村。」

「我是沒有權力，但首相就不同了，他有法老的授權。」

軍官讓索貝克看一張紙莎草紙，上面有阿孟美斯的御印。

「你們在這兒等著……我得去問問陵寢書記。」

「首相可不怎麼有耐心。」

「我的部下性子也頗急躁，」索貝克反唇相譏，「如果你們敢前進，他們會動手殺人。」

＊　＊　＊

肯伊沒有吃完牛妞為他準備的早餐，就開始寫起陵寢日誌。自從他們結婚以來，她強迫他每天一定要吃烤麥穀、甜如蜂蜜的無花果和棗子餡餅。

由於這套飲食餐，再配上其他精緻的餐點，肯伊又找回了以往的年輕。不過他仍得為幾瓶淡啤酒和至少三天一杯的紅酒奮鬥，因為牛妞盯得很緊，不准他有喝醉的情形。

「發生了一件很棘手的事，」索貝克說道，「首相要求把村子的大門打開，讓他進來。」

「這個人來這裡幹什麼……到今天為止，從來沒有聽人提起過他！」

「有一些士兵護送他前來，而且他時間似乎很趕。我可不可以打發他回去？」

「很不幸，沒辦法，因為他有法老的授權。」

肯伊不急不徐地拄著枴杖來到第五堡壘。一名士兵撐著一把大陽傘，讓年紀和肯伊一樣老的首相在底下乘涼。

「您就是陵寢書記？」

「為什麼沒有人向我通知您的到來？」

「依照阿孟美斯法老的意思，這是一個緊急狀況。」

「您的任務是什麼？」

「與首長當面談談。」

「他正要到國王谷地繼續法老的陵寢工程。要見他，八天後再說。」

「阿孟美斯要馬上得到答案。假使您與我唱反調，不願服從法老的意思，我就命令士兵直接衝進去，把這個首長抓起來。」

如果肯伊說塞特奮二世才是唯一合法的國王，而阿孟美斯所簽署的文件不具法律效力，勢必會引來一場流血衝突。

所以，肯伊試圖爭取時間。

「您找首長有什麼事？」

「我的任務是一個最高機密。」

「我是陵寢書記，也是國家在這個村子裡的代表，以這個頭銜而言，我必須知道村子裡發生的所有事情。」

「我只對首長一個人說。」

肯伊感覺到自己說不動他。

「您可以獲准進入村子，但我不容許有任何的士兵陪您去。」

「我同意。」

他們兩人朝村子的大門走來。

大門的守衛站起來，看到陵寢書記身旁的陌生人使他有點不放心。

「你可以把門打開。」肯伊對他說道。

首相一踏入這個禁地，一種奇怪的情緒油然而生。他會在這個負責挖掘法老陵寢的村子裡發現什麼呢？

一名攜帶石鎬的高大男子在他面前停下了腳步，馬上有一隻黑狗跟著對他齜牙裂嘴，還有一隻大鵝威脅著要咬他的小腿。

「您在這兒等一下，」肯伊向他吩咐道，「我去通知首長。」

由於牛妞已告訴村民有不速之客來訪，每個人都回到自己家裡，並且把門關上。

真理村一片寧靜，彷彿是一座被人遺忘的村子。

首相站在那兒不敢動。

「你是什麼人？」帕尼泊問他。

「我們必須三緘其口，也不喜歡多嘴的人，更不欣賞那些多餘的問題。」

首相不再說話。

他只是靜靜地等著陵寢書記回來。

「您跟我來。」肯伊說道。

帕尼泊、大黑狗、大肥鵝等三個緊跟首相來到拉美西斯的行宮前，石板通道前的大門開著。首相來到一間大廳，牆上有國王對哈托爾女神獻祭的圖案，正中央的壁畫則是一些葡萄藤架和一串串的葡萄。

接著他走進一間拱室，尼菲寡言以書記的姿勢盤腿坐在那裡。

「您就是……行會的首長？」

「您的確是國王派您來的？」

「是的，我的任務相當的特殊，但很正式。我以阿孟美斯之名發言，同時也提醒您應該要服從他。」

「我沒有忘記法老是行會的最高主人，所以他也是第一位要遵從瑪亞特法則的人，同時他和首相會保障這個法則受重到尊重。」

「那當然，那當然……你們真的擁有一筆為數龐大的黃金嗎？」

「它被用於神聖的建築物上。」

「可是你們製造金子的金坊是否的確存在？」

「一位首相是否該聽信於傳言？」

「阿孟美斯法老要取回屬於他的財富。」

「就算這個金子的確存在，它也不可能被帶離真理村。」

「我向您再重複一次：這些黃金是屬於國王的。」

「請他到這裡來看它，」尼菲建議道，「它是在奧秘中形成。」

「這種建議根本無法被接受！您把所有保存的黃金都拿出來，帶到第五堡壘去。」

「別指望我會這麼做。」

「我再次提醒您，我是首相，而且我正在向您轉達國王的命令！」

「這是一個沒有道理的決定，它完全忽略了真理村的性質和責任。」

「您可知道您的話會帶來什麼樣的後果？」

「行會的寶物並不是給外界用的，因為那會是一種浪費。假使身為首相的您也無法了解這點，您會導致一場災難的發生。」

「為了國家的好，我願意忘了剛才所聽見的話，但您要知道我的忍耐已經到了極限。您最好馬上服從，否則……」

「否則怎麼樣？」

首相被尼菲的平靜弄得不知如何是好，因此努力地尋找合適字眼。

「我會建議國王對您做出嚴厲的懲罰。絕不能容許有違抗命令這種事。」

「您所謂的違抗命令事實上是尊重法老於創立行會時所親自訂下的規定，而我有責任讓它受到尊重。」

「您會因此丟了您的命！」

「寧可喪失性命，也不願違背誓言。」

「這是您最後的決定？」

「請您回到國王的身邊，並試圖讓他知道他所犯的錯誤。」

「是您犯了一個致命的錯誤，首長。」

首相一走出皇宮，又再度碰見帕尼泊，身旁仍舊跟著那兩隻鵝和狗。

「您可千萬不要害了行會，」帕尼泊警告道，「否則您會後悔的！」

「你敢威脅我？」

「請恕我冒昧，我對您一點兒也不信任，同時我相信您根本沒有體會到這個村子的精神。您只要知道它是一所聖地就好，並且不要威脅到它的存在。」

＊　＊　＊

首相怒氣沖沖地在阿孟美斯面前作了詳細的報告，並特別強調首長違抗命令、一名年輕人的無禮態度，以及陵寢書記的不合作。

「由於尼菲寡言這種過份的態度，和對您的出言不遜，陛下，我建議立即逮捕他，讓他在我的法庭上接受審判。」

「你確定村子的確擁有黃金？」

「完全確定，陛下；首長自己也承認了，可是他卻固執地不交出來給您。」

莫希被召來參加緊急的祕密會議，首相的話令他聽了心裡很高興。

尼菲的反應完全符合他的希望，因此等於是自己判了自己的刑。行會一旦失去它的領袖便自然會崩潰，同時也成了一個囊中物。

「您的看法如何，將軍？」

「臣對首相的話不敢有所懷疑，但臣很驚訝首長會有這種態度；當臣認識他的時候，臣看他像是一個沉著而盡責的人。此外臣也要提醒您，臣是真理村的官方保護者，因此希望為它說情。」

「現在是否為時已晚？」

「臣認為做了總比沒做好，陛下，而且臣相信我們一定能說服尼菲寡言。」

「您太不了解他了，」首相插話道，「這個頑固的人居然拒絕承認我們國王的政權！」

「這種態度實在令人無法了解。」

「您馬上到真理村，將軍，」阿孟美斯說道，「將尼菲寡言給朕帶回來。」

52

右隊工匠正在進行阿孟美斯的陵墓工程，肯伊則利用這個空檔在旁邊打個盹兒，這時努比亞警衛班布上前拍拍他的肩。

他負責看守谷地內放置材料的倉庫。

「很抱歉不得不把您吵醒，莫希將軍就在谷地的大門外。他希望立刻見您一面。」

老肯伊困難地站了起來，頂著中午的太陽慢慢走向谷地的大門。

莫希將軍一個人前來他滿身大汗，身旁的駿馬似乎也已精疲力竭。

「首長在這裡嗎？」他用焦慮的聲音問肯伊。

「我沒有必要回答您這個問題。」

「阿孟美斯國王命令我逮捕他，並且把他帶回皇宮。」

「您既不能進入國王谷地、也不能進入工匠村。」

「這件事也很教我難受，您請相信我，肯伊，我負責保護你們，而且對尼菲寡言更是欣賞不已。阿孟美斯所選的首相實在是個危險的野心份子，因為他的建言完全將國王誘導至錯誤的方向，而我又沒有辦法對抗他的這些行為。」

「首長被控犯了什麼罪？」

「違抗命令，並且對法老不敬。」

肯伊全身顫抖了一下。

「首相已經決定要讓尼菲在他的法庭受審嗎？」

「是的，真是不幸。」

「這麼說，尼菲可能會被判死刑！」

莫希的沉默代表了他的看法。

「我拒絕將首長交給您。」

「若換作是我，肯伊，我也會這麼做，但抵抗是沒有用的。若發生這種情形，阿孟美斯會派軍隊用激烈的手段進行干預。」

「一位法老怎能如此違背瑪亞特的法則？」

「阿孟美斯只統治底比斯這塊地……他的政權已經開始動搖，因此會不擇手段來鞏固它。他認為如果拿尼菲開刀立下榜樣，這樣才能令那些批評他的人不敢造次。明天，我將會被迫帶領一隊士兵強行進入村子。」

「我身為國家的代表，認定這個行動並不合法。我會寫信給首相，要他去阻止這件事情！」

「他連信都不會回您的，」莫希遺憾地說道，「我剩下唯一的辦法就是辭職，不過國王會指派另一名殘暴的軍人來取代我。為了要取悅法老，他什麼事都做得出來。」

肯伊像隻鬥敗的公雞。

「我需要和尼菲談談。」

＊　＊　＊

「我們應該反抗，」肯伊說道，「如果你和莫希將軍一起離開，就再也不會回來了。」

「我們應該要想到的是村子的存活問題，」尼菲反對道，「如果阿孟美斯真的失去了理智，他有可能會做出什麼瘋狂的事情？」

「你是真理村的首長！沒有你，它會變成什麼樣子？」

「智女、左隊隊長和您本人，都可以指定另外一位，行會的所有成員也將會承認他是首長。」

「你可知道由首相的口中說出你被控的事由，可能會使得你被判死刑？」

「應該要想到的是如何去挽救真理村。」

「你以為阿孟美斯會放過你的繼任者？」

「一旦做出了這種不公的行為，他的名譽會永遠受損，因此會不敢表現得像一名暴君。」

「我陪你去，尼菲。」

「不，肯伊。行會需要您留在這裡。」

「我會針對這件事情寫一份報告，並寄給底比斯的所有大臣和塞特裔二世。如果阿孟美斯真的瘋狂到拿下真理村的首長，那他會從此一蹶不振。」

「您請卡萊兒幫我忙，同時告訴她，我會永遠想念她。」

兩人互相擁抱了一下。

正當尼菲要離開谷地時，帕尼泊從阿孟美斯的陵墓中跑出來。

「我有預感發生了一些不尋常的事。」

「肯伊會向你解釋的。」尼菲對他說道。

* * *

「我的士兵們在稍遠的地方等我。」莫希說道，「我想陵寢書記已告訴您情況的嚴重性。」

「逮捕、在首相的法庭受審、死刑判決……這些就是我即將要面對的命運？」

莫希作出了一個無可奈何的表情。

「我實在不想看到您面臨這種命運，但誰也拿阿孟美斯沒有辦法。他只聽首相的話，而首相又非置您於死地不可。」

「為什麼？」

「我不清楚，不過這個人心胸狹窄，受不了看到您享有獨立自主的特權，也不知道您任務的重要性。」

莫希拉過馬匹的轠繩，兩人沿著山丘之間的石子小路往前走。

「一旦您進了皇宮的大門，您的命運就再也改不了，尼菲；這不是一個很光采的下場，不過您可以逃走。我的部下看不到我們目前所在的位置。」

莫希轉過身背對著首長。

如果尼菲決定要逃走，他會立刻抽出匕首，射向尼菲的背部。

有誰會譴責他殺掉一名企圖逃跑的罪犯？

「我寧可跟您走，將軍。假使我不見了，國王會遷怒於村子。」

莫希並沒有失望。他本來就知道首長不是一個懦夫，就算他下得了手，他還是寧願用合法的手段來解決自己的對手。

「我很佩服您的勇氣，尼菲；不管您發生什麼事，我向您保證我會盡力照顧村子。萬一我被傳喚作證，我也一定會幫您說話的。」

* * *

尼菲並未以囚犯的姿態進入底比斯皇宮。

因為莫希將軍拒絕將他銬上木手銬。

首長的鎮靜令莫希很驚訝，實際上他已完全沒有希望，可是卻絲毫沒有擔心的樣子，他的態度就好像一個很高興受到國王召見的訪客。

首相站在召見廳門口等著尼菲。

「您的態度令人無法容忍，不過我願意給您最後一次機會：您是否決定接受我以國王之名對您提出的要求？」

「我的決定沒有改變。」

「您這是自作自受，尼菲！司法正義會對您毫不容情。」

「您確定正義這個字眼用得恰當嗎？」

首相怒不可言地把尼菲帶到阿孟美斯面前。阿孟美斯坐在窗台前凝望著卡納克這個神聖的城市。

「囚犯到了，陛下。」

「您可以退下了。」

「我必須提醒陛下他所犯的罪狀，還有……」

「你讓我們倆單獨相處，首相。」

首相心不甘情不願地走了出去。

「先王們將卡納克建造成一個神聖而可敬的城市，讓諸神樂於住在這個地方。」國王說道：「朕和先人一樣，也希望將它變得更美麗、建造新神廟、豎立方尖碑、將地板鋪銀、大門鑲金。但是在進行這種工程之前，朕得先鞏固政權，讓文武百官都聽命於朕。您懂嗎，尼菲？」

尼菲點頭同意。

「朕的周遭盡是一些儒夫和小人……只有莫希敢對朕據實以報。底比斯已開始動盪不安、軍人開始失去耐心，他們的糧餉將會延遲發放，逃兵將會越來越多。為了挽救王位，朕需要說服猶疑者、向那些心存疑慮的人證明朕有能力提升阿蒙神城的財富，因為祂是勝利之神。這些您是否也能了解？」

「這是您身為國王的責任。」

「真理村擁有許多的黃金，不是嗎？」

「剛好夠我們的珠寶匠做適當的使用。這些黃金來自於皇宮，陵寢書記每筆都有記下。」

阿孟美斯轉身面對首長。

「但是您，尼菲，您會製造黃金！」

首長變得沉默不語。

「朕不是真理村的最高主人嗎？朕需要這個製造黃金的秘術！」

「我們製造的黃金對真理村的外界而言，沒有絲毫的價值。」

「您是為朕工作的首長，您必須服從朕的命令，尼菲。」

「當它與瑪亞特法則有所抵觸時，便不同了。您是瑪亞特的最高使徒，也因為有您，弱者才得以不受強者欺壓。」

「多說無益！朕要您運用您的煉金能力，給予朕所需的財富。」

「金坊位於真理村內，陛下，而在它裡面所完成的作品並不屬於這個人間。」

「您要當心，首長！這一次，朕的忍耐已到達極限。如果您仍是如此固執，朕會把您交給首相去辦。」

「您非常清楚這些對我的指控是莫須有的罪名。」

「您的行為足以被冠上大逆不道之罪！」

「事實正好相反，我不但對國王忠貞，而且可以證明它。」

「證明？」阿孟美斯驚訝地重複這個字，「如何能證明？」

「請求真理村的神降示。」

53

尼菲被帶到皇宮內的一個房間內就近監視。莫希和首相聽完阿孟美斯的話後大皺眉頭。

「首長的確有這個權力，陛下。」

「這個神諭是怎麼一回事？」

「就是向真理村的始祖阿孟霍特普一世提出一或兩個問題。他們的工匠會抬著神轎，由祂來作答。」

「到時答案一定會作假！」阿孟美斯生氣地說道，「不能讓他進行這種作法。」

「行不得，」首相說道，「這麼做會嚴重觸犯您的祖先，而且您在底比斯人的眼裡會名譽掃地。」

「所以尼菲才會如此胸有成竹……他利用這個無上的特權，把已故的法老當作靠山，自然有信心獲勝！我們總可以選擇要問的問題吧？」

「控方的確擁有發問權。」

「問題只有一個：尼菲寡言是否對法老忠誠，亦即真理村的最高主人？可是這麼做有什麼用？那些工匠一定會抬著神轎向前移，表示答案是『對』！」

「臣有一個主意，它應該可以避免這種情形發生。」莫希露出得意的笑容說道。

* * *

「隊長，首相穿著白袍、身披豹皮往這裡走來，還有十二名光頭祭司！」

「一個士兵都沒有？」索貝克問道。

「一個都沒有……啊，還有首長！」

「有沒有被銬著？」

「他走在隊伍中間。」

索貝克走出第五堡壘。他無視於首相的存在，逕自撥開兩名祭司來到首長面前。

「歡迎歸來。」他動容地說道，「我希望沒有人找您麻煩。」

「尼菲的罪還沒有清，」首相說道，「我來這裡是為了向神請示，讓神證實他的確有罪。」

整個隊伍來到村子大門前。卡萊兒走出村子，上前和尼菲擁抱了許久。

「哈托爾女祭司一直不停地在求神保祐你。」她輕聲說道。

首相朝他們走近。

「你們派人把阿孟霍特普一世的神像請來，還有他的妻子艾美斯‧奈費達莉。我希望立刻向他們請示。」

六名右隊成員及六名左隊成員將神轎抬了過來。它的外形是一條木船，國王夫婦的神像安坐在裡面，船身固定在兩根長長的雪松木上。

所有的村民圍繞在他們的四周，靜靜著等待國王的靈魂作出指示。

「請控訴的一方提出問題。」智女說道。

「先得把抬轎者換掉才行。」

帕尼泊馬上介入。

「只有真理村的工匠才能獲准抬這條神舟！」

「為了要維持一個客觀性，我們讓阿蒙神的祭司來抬轎。這麼一來，沒有人會對答案產生異議。」

「這有違傳統！」帕尼泊爭論道。

「就讓首相這麼做吧！」智女宣佈道。

工匠們將轎子放下，由阿蒙神祭司接手。這幾名臨時祭司一年只在神廟內待幾天，如果他們配合，令神作出首相想要的答案，就會獲得豐厚的酬勞。

阿孟霍特普一世的石雕像坐在他的金色王座上，兩眼格外炯炯有神。首相望著神像開始請示。

「敬愛的祖先，我們今天聚集在這裡，為了向您求一個事實。行會首長尼菲寡言，被控忤逆阿孟美斯國王。如果他有罪，便會受到最高的懲罰。」

工匠們為了要參與這場神諭，全都停止了工作。他們很驚訝智女居然會對首相讓步。帕尼泊內心憤怒不已，打算等會兒拒絕接受阿蒙神祭司作弊得來的答案，並要求再重新請示一次。

「敬愛的祖先，」首相繼續說道，「請您回答這個問題：尼菲寡言是否對法老忠誠，亦即真理村的最高主人？」

有很長的一段時間，神舟停留在原地不動。實際上祭司們拚命努力想退後，讓神作出否定的答案；然而一股神秘的力量在牽制著他們，接著他們一點一滴地被迫前進。

「神已作出了明確的答案，」帕尼泊高聲地喊道：「我們的首長對法老是忠誠的，他完全沒有被責怪！」

「阿孟霍特普一世萬歲！」奈克特歡呼道，其他的村子也馬上跟著歡呼起來。

首相愣在原地，不敢相信自己的失敗；而帕尼泊諷刺的眼光更令他感到心慌意亂。

當村民的熱情慢慢靜下來時，他嘗試走最後一著棋。

「這是一個非常慎重的問題，因此我不得不同時問艾美斯•奈費達莉皇后的意見；如果她認為首長的行為是對的，那就讓她表示出來！」

帕尼泊正準備趕走這個無恥之徒，就在這時，全身漆成黑色的皇后雕像露出了一個明顯的笑容，令首相當場驚異得再也說不出話來。

首相無法阻止肯伊和他一起回到皇宮。阿孟美斯立刻接見了他們。

「為什麼沒有把尼菲寡言一起帶回來？」

「神靈已作出了有利於他的回答，陛下，但是……」

「不僅是阿孟霍特普一世肯定了首長的正直，」陵寢書記強調道，「而且他的大皇后也特別顯靈，以示她對這個判決的認同。」

阿孟美斯臉上更顯得深沉，彷彿心裡有件事放不開。

「一定要逮捕這個尼菲，」首相堅持道，「您絕不能放縱這種叛逆的行為！」

「我有另一個建議。」肯伊兩手柱著枴杖說道。

首相內心突然燃起了一絲冀望：說不定老書記打算給他提供一些理由，以助他一臂之力來懲治首長。也許他想利用這個小小的背叛，換取一個德高望重的職位和優渥的收入。

「在向神請示的過程中，」肯伊繼續說道，「前後發生了兩件不合常理、也於法不容的事情，而首相是這兩件事的始作俑者。」

「您在胡言亂語些什麼？」首相抗議道。

「第一，您堅持要阿蒙神祭司來抬神轎，可是您明知只有真理村的工匠才能擔任這個工作；第二，您拒絕接受既成的事實，否定了神靈的指示，目的是想繼續對一個無辜者下毒手。身為一位首相，必須要奉行瑪亞特法則，您這種挾私人恩怨的態度根本不配當一位首相。因此我要求國王立刻解除您的職位。如果這個要求被拒絕，我會到阿蒙神的法庭申訴，而且一定會贏。地位越高的人就應該越要求完美；埃及就是這樣被建立起來的，也只有這樣它才會繼續生存下去。」

首相轉身面對國王。

「陛下，請不要聽信這個老書記的話，他純粹是為了要報復！」

「因為你，朕犯了一個嚴重的錯誤。立刻給我離開這個皇宮，永遠不准再回來。」

＊　＊　＊

莫希打獵回來，依舊覺得情緒煩躁。雖然他用飛棍殺了不少鳥兒，並且滿載而歸，可是如此耗費力氣的活動還是無法減少他內心的憂慮。

賽克塔在岸邊的大太陽傘下躺著乘涼。僕人們將草蓆鋪了好幾層，並加上柔軟的布料，希望盡可能讓女主人感到舒適。

「這個葡萄汁不夠清涼，」她責備著這些侍候她的僕人，「馬上給我換一杯新的來。」

莫希來到賽克塔身邊坐下。

「你真帥，親愛的，可是你看起來卻是那麼的煩惱！」

「阿孟美斯剛剛開除了首相，這個老蠢才居然鬥不過首長和陵寢書記。我先前還教過他怎麼做，但他還是失敗了。」

「國王令誰取代他？」

「另一個無能的傢伙，而且他看我不順眼。」

「如果他對你不利，」賽克塔用膩人的聲音說道，「他的下場會比前一個首相更慘。」

她用腳尖逗弄著莫希的大腿內側。

「百依未能說服塞特裔攻打底比斯，」莫希繼續說道，「而阿孟美斯也不會進攻北方。這兩個人滿口都是和平，我幾乎可以肯定做兒子的要不了多久就會向老父低頭。」

「有這麼嚴重嗎？」

「對我而言簡直是糟透了！到時一定會有好事者說我腳踏兩條船。只要兩邊一合好，我們所有的努力也泡湯了。」

「你不再去影響這個老是猶豫不決的小國王了嗎？」

「阿孟美斯變了很多。首相的失敗令他的疑心病更重，他每天花更多的時間把自己封閉起來。我們要面對現實：塞特裔的兒子已變得神秘莫測，甚至可能把我撤換掉，不再讓我當底比斯軍隊的總司令。我假裝為真理村說話，可能因此而令他不高興。不管怎麼樣，我已經無法視他為盟友了。」

賽克塔趴到莫希身上。

「我再說一次，親親，沒有人可以傷害你。」

「我不准妳私下採取任何行動，賽克塔！」

「假使阿孟美斯笨到直接攻擊你，我難道不該有所行動？一旦除去了這個敗事者，你就成了底比斯的主人，讓你對塞特裔二世的忠誠再度受到肯定。到時你大可以說是因為你阻止了內戰的發生，所以和平才得已維持。」

54

尼菲輕撫著卡萊兒的頭髮。他們倆在陽台上、星空下度過了美好的一夜，此刻正在享受著早晨溫和的陽光。他們的愛與日俱增，兩人都很感謝諸神賜給他們如此美好的幸福。

「妳當時不怕首相和阿蒙神祭司動手腳嗎？」

「只要是在村子的屬地上和先祖的保護下，我便不擔心。」

這一天是右隊工匠的休息日；但首長卻無法跟著休息。他必須檢視工匠們所蓋的新穀倉的情形。接著再檢查剛送到村子裡的穀物，以免肯伊又要嘮叨。

「你們在上面嗎？」帕尼泊用響亮的聲音問道。

首長伸出頭朝巷子裡望過去。

「一位很有意思的客人來訪。」帕尼泊說道。

「新任首相這麼快就來了？」

「這個人比首相還有來頭：阿孟美斯國王親自來訪。索貝克隊長怕他是個騙子，所以已經派人去叫陵寢書記前去查看。假使真的是他，你也許得下來一趟。」

村子大門附近的熱鬧聲音證實了的確有特殊的事件發生。尼菲換上纏腰布和雕匠的套衫，離開了家門。

烏奈士在大街上叫住他。

「是阿孟美斯！」

「誰陪他來？」

「只有一位馬車伕。」

肯伊拄著枴杖撥開村民，讓國王通過大街，直接來到首長面前。

當兩人眼光接觸的一剎那，空氣彷彿為之凝結。

「非常高興在您的村子裡迎接您的蒞臨，陛下。」尼菲鞠躬說道。

消瘦、蒼白的阿孟美斯看起來似乎精神混亂。

「我要走您平常走的那條路，到國王谷地看我的陵寢。」

「現在就去？」

「時間很趕，首長。」

尼菲要帕尼泊陪著一起去。

他們才剛爬到往山口的一半路程，阿孟美斯已經喘不過氣來。他的兩腳不聽使喚，彷彿力氣已用盡，於是帕尼泊趕緊攙扶著他。

「您希望折回村子嗎？」尼菲向阿孟美斯問道。

「我們繼續往前走。」

帕尼泊放慢了腳步。來到山口的休息站時，阿孟美斯花了很長的時間休息，同時欣賞著艷陽下圍繞在四周的山丘，和天空中翱翔的隼。

「何露斯之鳥、王權的守護神。」他輕聲說道，「祂還有想到我嗎？我不但沒有展翅飛向天空，反而深陷泥沼。而您，首長，您循著正直之路達到另一個世界，我很遺憾未能即早意識到您的角色是如此重要。但今天我很幸運能夠來到這個領域，這個我原本應該成為其主人的領域。」

阿孟美斯參觀了工匠在此過夜的石屋，也有趣地研究肯伊所刻的至理名言。

「我們繼續下山前往谷地吧。」他決定道。

他的步履蹣跚，使得帕尼泊必須隨時盯著，深怕他一個不小心摔下山谷。

後段的路程倒還順利，三人來到了「大草原」，寂靜的山谷中住著過去所有的偉大靈魂。

「這個地方比我的皇宮還要有生命力，」阿孟美斯有感而言，「在皇宮裡，只有權謀與野心；在這裡，我終於找到了從未有過的寧靜。」

阿孟美斯深深地被自己陵墓中的雕像和壁畫所吸引，他非常緩慢地在走廊上前進，一路仔細欣賞著牆上的光之經文，然後在一幅壁畫前停下。畫中他母親正在向創世主及伊西斯神獻祭。

「我很早就該來這裡了，可是我害怕面對自己的死亡……我犯了多麼嚴重的錯誤啊！在這些牆上完全沒有提及死亡。您所給我的，遠超過我的朋友及親信所說的，而我卻曾經看輕您、打擊您。」

尼菲和帕尼泊讓阿孟美斯獨處於陵寢內。

當他走出陵墓時，太陽已開始下山了。

「時間已晚，」他向首長說道，「是這麼的晚……而我原本可有足夠的時間去發現您為我所創造的美好事物。」

* * *

矮胖的大鬍子達克泰，對自己有個希臘數學家父親和波斯化學家母親深感自豪。如今他在自己舒適的實驗室中已漸漸麻木不仁。他原本有偉大的夢想，希望將埃及帶入一個科學的新紀元，同時擺脫傳統的包袱。然而經過了這麼長的一段時間，他已不再相信有這一天。莫希將軍的確曾經努力想要喚醒這個世代屬於法老的國家，只是因為環境所致，他始終未能成功。

達克泰並不喝酒，但卻吃得越來越多，他將自己日益臃腫的身材報復在屬下的身上。沒有一個埃及女人想要他，因此他只好偶而到底比斯的酒坊，找利比亞女人嫖妓。

然而，他的確是一個天才！他覺得自己還有能力發明許多新機器，並且利用像石油這一類的原料來徹底改善國家的經濟。但埃及卻只知道去尊重瑪亞特法則，一個虛幻的和諧精神，它永遠不會了解物質上的成功，這種嚴重的損失，換來的只是一個所謂的正義。

「你把我要的東西準備好了嗎，達克泰？」

達克泰從午睡中驚醒，一下子跳了起來。

「賽克塔！對不起……我剛剛稍微休息了一下。」

他很怕這個身材過於豐滿的女人，雖然她總是嬌聲嬌氣故作少女狀，喜歡撒嬌和拋媚眼。

「我的時間很趕。」

「最近我實在太忙了，而且……」

「多虧你，我在毒藥方面的知識才會有這麼大的進步，」她承認道，「不過只有你最了解含有蓮花成份的麻醉藥，它對我非常重要，而我不能出任何差錯。目前的情勢對我丈夫很危險，他也是你的保護者，所以我一定要馬上採取一些行動。」

「我什麼都不想知道！」

「錯了，像你這樣一位盟友，一定得知道我所有的計劃。一等到你把麻醉藥交給我之後，我會把阿孟美斯房門口的士兵給迷昏，然後再讓他吞下我所調製的毒藥。」

「不要再說下去了，我求求您！」

「我把毒藥在一頭牛身上做實驗：牠馬上當場暴斃。這麼一來，我們很快就可以除掉這個愚蠢的小國王，你想想，他居然打算另外任命一個底比斯軍隊的總司令。真是蠢到極點的念頭……光是這點，他難道不該受到嚴重的懲罰嗎？」

「阿孟美斯是一位法老啊！」

「唯一合法的法老是塞特裔二世，我們自始至終都對他很忠誠，你要記住這點。現在，趕快把麻醉藥給我弄來。」

* * *

阿孟美斯在拉美西斯大帝位於真理村的行宮內過了一夜。他和其他的村民一樣祭拜了祖先，並和首長與智女共進了早餐。

國王臉上的刻紋已不似先前那麼深，而且開始有一點胃口。

「你們有缺什麼嗎，首長？」

「只要政府謹守諾言，就什麼都不缺。」

「您不希望擴建村子嗎？」

「千萬不可！它就像是一條船，左右舷手在這個團隊中各司其職。工匠人數沒有增加的必要，甚至會不利，因為行會唯一重視的是團結。我們需要花很多年的時間才能訓練出一名真理村真正的使徒，唯有如此，他在進行工匠藝術時才不會犯錯，同時將所知所能轉化於作品之中。」

「前任首相對您的事情向我說了謊，只有莫希為您說話。您要非常謹慎，尼菲；您的地位以及您所擁有的祕密，會引來一些可怕的嫉妒。」

「只要有法老保護真理村，我還需要怕什麼？」

「我不會讓任何人動它一根汗毛。」阿孟美斯保證道。「我剛剛簽了一道諭令，任命一個名叫達克泰的人當皇宮的醫療總長，有人不斷地向我薦舉他，說他的能力非常好……而智女是否願意為我治療疾病，就像照顧其他的村民一樣？」

「我願意隨時為您服務，陛下。」

「我已不再精力充沛與年輕，過去為了準備一場荒謬而從未發生的戰爭，已耗盡了我所有的精力……看過了我的陵寢並短暫的參與村子的生活之後，我決定要結束目前的混亂局勢，畢竟我要對它負責。明天開始，我就和父親進行協議，他才是合法的法老，我會請他原諒我。唯一我希望得到的是能夠長眠於國王谷地。等到一切都恢復和諧後，我再回來看您，卡萊兒，到時您再幫助我恢復健康。」

55

「這太危險了，賽克塔！妳的計劃絕不可能成功的。」莫希說道。

「你明明知道它一定可以成功，親愛的老公，因為你只要把皇宮內的一些守衛換成你的人就成了。至於剩下的，會有一名女侍為他們送去下了藥的食物。等到他們一開始昏睡，我就進入阿孟美斯的房間，讓他喝下我親手調配的美味飲料，美味到足以致命……他不會有什麼痛苦便直接向一個更美好的世界報到。」

「妳這是冒著被砍頭的危險！」

「我才不會冒這種險，」她呢喃道，「你讓我去做嘛，好不好？」

「不行，賽克塔。」

總管硬著頭皮來到花棚下向主人報告。

「您的副官希望見您一面，將軍；他說是緊急事件。」

* * *

副官的情緒非常激動。

「皇宮裡傳出一個可怕的消息，將軍！根據我所獲得的可靠情報，阿孟美斯可能要承認塞特裔為上下埃及的唯一主人。為了要證明他的誠意，他會解散底比斯的部隊，並且任命一位總督來代替您進行這件事。我得提醒您，新任首相對您懷有很大的敵意。在進行和平的過程中，您將會成為一個替死鬼。此外，我也得告訴您，我們的士兵都非常擔心他們的未來。」

「叫他們放心，我會在國王面前為他們說話的。」

當副官離去後，賽克塔親吻著莫希的大腿。

「你讓我去做好不好，老公？」

＊　＊　＊

助理書記伊姆尼的老鼠眼比平常來得更尖銳。

「三十六，三十七……還少一罐啤酒！」

「再數一遍。」肯伊吩咐道。

「已經數過第二遍了！驢隊今早給我們送來三十八罐啤酒，而我只放了三十七罐在倉庫裡。結論是：有人偷了一罐！」

「你不要這麼激動，伊姆尼，一名好的書記永遠要懂得保持他的頭腦冷靜。」

「一定要找出這個竊賊！」

「你有懷疑什麼人嗎？」

「我已經開始進行調查。今天早上在卸貨的時候，只有三個右隊工匠在場：帕伊、狄弟亞，和帕尼泊。」

「可想而知，你一定認為是帕尼泊！」

「根據兩名婦女的證詞，帕尼泊是最後一個留在犯罪現場的人。他力氣比另外兩個大許多，可以多搬幾罐，而且他一定想都不想就偷了一罐。」

「你有沒有證據？」

「這些線索都很一致，您一定得通知首長。」

伊姆尼並沒有錯，可是他那尖銳的聲音令肯伊非常受不了。

「我去通知他。」

「我是控訴者，所以也要參與對話。」伊姆尼堅持道。

「我們走吧！」肯伊咕噥道。

尼菲在雕匠的工坊內，正在完成阿孟美斯的一座雕像。雕像中的國王坐在那裡，臉部的表情很寧靜，是那位年輕而充滿活力的國王。

伊姆尼正打算開口，卻被肯伊一把蒙住了嘴巴。

「安靜！」

尼菲的手勢是如此的完美，連伊姆尼都暫時忘卻了與帕尼泊的戰爭。他的眼光隨著首長的姿勢移動，看著他在法老的臉上刻劃出一抹微笑，將神界與人間結合成一種無法形容的和諧。細細的鑿子完全沒有傷害到石頭，卻能夠將靜止不動的物質轉化成生命的依據。

尼菲放下工具，拿出一條亞麻巾擦了擦額頭。他從另一個世界回到現實，這才發現陵寢書記和他的助理。

「行會裡出了一個小偷。」伊姆尼大聲說道。

「是什麼人，這人又犯了什麼錯？」

「帕尼泊偷了一罐啤酒。我要求法庭傳喚他，並搜查他的房子。」

「你問過他了嗎？」

「如果問他，他可能會有暴力傾向！」

「他在我面前不會這樣做。」

尼菲寡言和他們兩人走出工坊，三個人一起來到帕尼泊家中。帕尼泊應妻子的要求，正在粉刷家裡的外牆。

「陣容可真是浩大！」帕尼泊說道。「我敢打賭這個小書記一定又是要找我麻煩。」

「這一次非同小可！」伊姆尼發動攻擊，「你最好馬上承認！」

「我承認我越來越受不了你，而且我的刷子很可能不小心滑到你臉上。」

「今天早上送來的啤酒，在卸貨時，你是不是偷拿了一罐？」肯伊問道。

帕尼泊的眼睛冒出強烈的怒火。

「我打賭這個混蛋伊姆尼又在編故事了。」

「有一啤酒被偷，而你當時就在現場。」

「就我所知，不只我一人在那裡；搞不好是你自己藏了一罐，然後誣賴到我頭上？」

肯伊感覺到帕尼泊準備要把伊姆尼抓來剖心挖腹，於是趕緊出面介入。

「這件事好像不是在開玩笑，帕尼泊；你是否願意和帕伊、狄弟亞兩人對質？」

「在對質之前，你們先檢查我的房子！」

「我們就照他的意思去做。」伊姆尼立刻接口道。

帕尼泊打開他家的大門。

「你們進去查吧！」

「我實在很不想做這種事，」陵寢書記坦言道，「不過我非常謝謝你的合作。」

首長留在外面沒有進去。

「總有一天，」帕尼泊誓言道，「我會把這個獐頭鼠目的伊姆尼用兩塊大石頭夾扁。」

「最好不要這麼衝動，否則你會被趕出村子。」

「至少你相信我是無辜的吧？」

「這種問題還用問我嗎？」

伊姆尼尷尬地走出來，肯伊則是滿意地跟在後面。

「沒有任何可疑的罐子。」陵寢書記宣佈道。

「問題還沒有解決呢！」伊姆尼尖酸地回了一句。「我們讓帕尼泊和另外兩個嫌疑犯對質。」

「要嘛，就快一點，」帕尼泊說道，「我可沒有那麼多的閒功夫跟你磨。」

狄弟亞剛好在帕伊家裡，後者正用腰子做一道私房菜。

「帕尼泊被控偷了一罐啤酒，」伊姆尼強調道，「你們是否能為這件事情作證？」

「不要胡說八道，」高大的狄弟亞直接了當地說道，「是我今天早上在卸貨時拿了一罐啤酒，因為我當時渴得要命。到時在我的薪水上扣掉這一筆，不就得了？」

「可是……」

「你給我回辦公室去。」肯伊向伊姆尼命令道。

鍋子內飄出一陣陣腰子的香味，帕尼泊傾身過去聞。

「你為什麼拿了那罐酒？」他貼在帕伊的耳朵旁問道。

「我需要用來調腰子的醬汁……可是我老婆一定會責備我花這種錢。」

「不可以再這樣了……你還得謝謝狄弟亞。」

「同事之間當然要互相幫助，」狄弟亞說道，「不過我想帕伊得請我們一起吃中飯。」

* * *

底比斯的朝廷亂成一團，許多的謠言跟著滿天飛。每個人都認為阿孟美斯馬上就要放棄王位。有些人為此鬆了一口氣，有些人則害怕失去自己既有的特權；不過所有的人都在猜想莫希的未來會如何。他對這件事情未作出任何反應，令大家不知如何是好。

賽克塔在天黑時分混入晚班的侍女，一起進入了皇宮。她的穿著樸素，面臨前兩道檢查時沒有遇到任何困難。然而到了第三道檢查，一名守衛顯得相當盡職。

「妳！我不認識妳。」

「我代替一名洗衣婦。她生病了。」

「妳到女主管那兒報到，她會分派給妳工作。」

賽克塔朝洗衣坊的走廊前進，但走了一半便立刻改變方向，朝皇宮內部走去。她把莫希畫的地圖都一清二楚的記在心裡，因此不可能會迷路。

在她粗糙的衣服口袋裡，有一把匕首和一小瓶毒藥。前者是用來解決礙事者，後者是用來解決阿孟美斯。

阿孟美斯的隨從侍衛才剛換過班。他們在換班前吃下了摻有迷藥的菜飯，最多再半個小時，迷藥就會開始在他們的體內發作，到時賽克塔就可以自由出入阿孟美斯的房間。

她躲在一個放置花瓶的小房間內，靜靜地等著皇宮進入一片寧靜。

一陣急促的腳步聲傳來，賽克塔早已料到可能會有人背叛她。現在大家正急著要把她找出來。

如果她沉不住氣，可能立刻就會掉進某個陷阱裡。

她該如何溜出這個小房間而不被發現？房間內雖然有一個小窗戶面對著花園，但窗戶的外面被石條給堵住了。既沒有出口，也沒有藏身之處。

一旦有人打開這扇門，賽克塔就再也逃不掉了。

她打算一刀刺進第一個闖進房間抓她的守衛，然後抓傷其他人的眼睛趁機逃跑。

她聽見一些男人驚惶的叫聲。

接著是一些女人的呻吟與哭泣聲。

賽克塔忍不住好奇，將門打開一道縫。

成群的士兵、大臣、僕人在走廊上奔跑。賽克塔順手拉住其中一個女人的手腕。

「發生了什麼事？」

「阿孟美斯國王剛剛死了。」

56

肯伊滿身大汗、發出一聲尖叫，從惡夢中驚醒過來。牛妞被他的叫聲吵醒，急忙跑來敲他的房門。

「我可以進來嗎？」

一連串的咳嗽聲示意她把門打開。

肯伊坐在床上，不停地喘著氣。

「一個好恐怖的惡夢，」他解釋道，「我看見一名塞特神的部下到來，他是如此的兇殘、好鬥又好戰，而且紅紅的眼珠發出強烈的光芒，連沙漠他都不怕！」

「您都這把年紀了，還把自己弄成這樣！去洗個澡吧，我來換床單，順便把房間徹底打掃一遍。」

牛妞開始動手整理，就在這時，村子大街上出現了不正常的騷動，而天卻還沒亮。

烏奈士手上拿著一把火炬，大聲喚醒沉睡中的村民。

「起來，全部都起床！阿孟美斯國王死了！」

尼菲好不容易才讓他冷靜下來。

「烏普弟一得知消息，立刻就跑來通知我們。」

智女安撫著村民，首長則前去找索貝克討論。後者已叫所有的警衛進入備戰狀態。

「現在，全看莫希將軍的態度了。」索貝克研判道，「他已成了底比斯地區的唯一強人。他可能有兩種作法：一是服從塞特裔，後者將會寬恕曾經反抗他的底比斯；二是他繼承阿孟美斯的王位，這就表示會有一場內戰。」

* * *

阿孟美斯過去的首相、文武百官被領到底比斯總營部，莫希正在向軍官們發號施令。

很明顯的，莫希已決定用閃電不及掩耳的方式拿下政權，同時將那些軍人安排到高官的職位。

「阿孟美斯已於昨夜過世，」莫希說道，「我已命令專家們開始進行木乃伊化。信差已出發前往比拉美西斯，以便盡快通知合法的法老，也就是塞特奝二世，讓他知道我始終對他忠誠如一。」

每個人的表情為之愕然。許多人原以為他會毫不考慮就走阿孟美斯的路子，但他們卻不知道莫希很清楚北方與南方的兵力比例。南方的軍力並沒有佔上風，一旦雙方對陣，他的武器優勢並不足以彌補這個缺點，唯有使用計謀與突襲才能有勝算，但現在已不該再去想這些。

「我們也是塞特奝的忠貞臣子，」阿孟美斯當初所任命的財務大臣厚顏地說道，「只是篡位者讓我們沒有選擇的餘地！我們至少可以向法老證明我們已盡可能地保護著底比斯。」

「我們千萬不能舉行一個正式的葬禮，」市長建議道，「否則對塞特奝而言是一種侮辱；事實上這不過是一個擁有皇室血統的王子過世。我們大家趕快忘了阿孟美斯所封給我們的頭銜，重拾我們過去的職位。當國王來到底比斯時，迎接他的是一個忠誠且順從的城市。」

「除非我們能真的把篡位者的痕跡都抹去，」前農業部長強調著，「阿孟美斯不是要人在國王谷地建造他的陵墓嗎?各位想想，塞特奝二世一旦發現這件事，會是多麼的憤怒！既然莫希將軍是西岸的總督，請他命令真理村的工匠把這個可恥的建築消滅掉。要不然，行會一定會受到嚴厲的懲罰，而塞特奝也會跟著遷怒到我們頭上。」

* * *

「根據莫希將軍所簽署的這份文件，陛下，令郎已經過世了。」百依呈報道。

「在何種情況下過世的？」塞特裔問道。

「依照宮裡那些御醫的說法，他的器官已完全老化，他日漸消瘦、精力衰退，最後在睡眠中死去。莫希將軍已進行木乃伊化，並且全力避免底比斯一帶發生動亂。」

「這個文件的內容莫非是故意捏造南方的情勢來欺騙國王？」桃賽特問道。

「印章的確是將軍的，筆跡也符合他過去的幾封信函。」

「說不定莫希是在被逼的情況下寫了這封信，因為阿孟美斯無法用武力來征服我們，所以他決定使用最卑鄙的手段！」

「我想我兒子真的是死了，」塞特裔淒涼地說道，「他為他的忤逆付出了慘痛的代價。」

「我們派人到底比斯去取得一些可靠的情報，」皇后建議道。「如果我們冒然出兵到南方，可能會有嚴重的損失。」

「還有一件事比這個更緊急。」國王把他的意願告訴了皇后和百依。

* * *

「我甚至還來不及毒死阿孟美斯，這個可悲的年輕人已自行死亡。」賽克塔惋惜地說道，「三十三歲，不到三年的統治……多麼可悲的成績啊！實在很不幸，我們根本沒有用到這個無能的傢伙來打倒塞特裔。」

賽克塔在莫希的腳邊磨蹭，而後者因為得了蕁麻疹和發高燒，以致於被迫躺在床上。醫生雖然確定沒有大礙，可是病人必須留在房間八天，才能避免一切的後遺症。莫希對這種無可奈何的情況煩悶不已，同時也對那些底比斯大臣懷有戒心。

莫希依舊處理一些文件，他的副官每天將命令傳達給軍隊，他們和其他的文官一樣，急切地想知道塞特裔二世的反應。有些人希望他會寬恕、有些人則懷疑他會出兵鎮壓底比斯。

「今早都沒有來自比拉美西斯的信件嗎？」

「沒有，老公。」

「我已經好多了，況且我已浪費了太多時間！明天，我就去處理真理村的事情。」

「你忘了首長曾經拒絕毀掉塞特裔的陵墓？」

「情況已有所不同。尼菲並不笨，他很清楚只有消滅阿孟美斯這個篡位者的所有痕跡，才能獲得法老的感謝。」

「萬一他拒絕了呢？」

「這是我的私底下的期望，小親親……這麼一來，我會讓他被逮捕入獄。」

＊　＊　＊

全體村民都聚集在哈托爾及瑪亞特神廟的露天中庭內。

「阿孟美斯的遺體正在木乃伊化，」陵寢書記說道，「但正式的葬禮卻沒有被宣佈。這代表底比斯已向上下埃及的法老塞特裔二世低頭，國家已再度統合為一，我們也為此感到高興。但可想而知的是，阿孟美斯的名字將會自歷代國王的名單中除去。」

「他的陵墓將面臨什麼樣的命運？」帕尼泊問道。

「這也就是為什麼我希望獲得大家的意見，因為它涉及到真理村未來的命運。」

「幸好，」雷努貝慶幸道，「首長當時把塞特裔的陵墓保留了下來！」

「為了向他證明我們絕對忠貞，也許應該要把他兒子的陵墓銷毀掉。」傑德建議道。

「這也是我的看法，」肯伊附和道，「莫希代表底比斯全體官員，想也知道他一定會叫我們把篡位者逐出國王谷地。」

所有的眼光一致朝向首長。

「陵寢書記提醒我們這點，不無道理。左隊隊長的看法如何？」

「首長的意見就是我的意見。」海伊冷冷地回答。

「那麼智女呢？」

「無論在何種情況下，我們只要去想這麼做對瑪亞特是否尊敬。」

「所以說，事情就很單純了！」帕尼泊大聲說道，「我們怎能摧毀一座陵寢、破壞那些我們用感情去創作出來的繪畫和雕像？阿孟美斯不是一個偉大的國王，但他也沒有迫害行會。我們到底是以什麼樣的現實原則，讓自己表現得像個野蠻人？時間會抹去這些次要的事件，但永恆卻會保留陵墓中的聖禮畫面，畫面中的阿孟美斯曾經以法老之姿出現，也將通往復生之路。人們會逐漸遺忘這個人，然而我們為一名法老所留下的一切象徵，將會永遠被記得。」

「我們是活在今日！」卡沙反駁道，「那些華麗的詞藻對將軍起不了什麼作用的，再說，如果村子有任何一點對阿孟美斯忠貞的行為，塞特奝鐵定會把整個村子夷為平地。」

「保留已完成的作品，是我們對自己、以及對真理村的忠貞。」

「我呢，是贊成卡沙的意見，」卡洛插入道，「不過可別想叫我去摧毀什麼東西。」

「你們之中是否有人可以去摧毀阿孟美斯的陵墓？」首長問道。

有些工匠抬頭看著天空、有些人猛盯著自己的腳，還有其他人則望著哈托爾女祭司。

「各位要很清楚自己的態度，」肯伊警告道，「塞特奝是不會原諒你們的。」

「阿孟美斯的陵寢已接近完工，」帕尼泊說道，「真高興在這個行會裡，沒有人想要去破壞它！萬一法老對我們不高興，那就讓他去叫別人動手。」

肯伊承認這個說辭合情合理，但面對一個決定要抹煞一切的法老，行會實際上要承受多少沉重的壓力？

「我們有很多的工作要做，」帕尼泊說道，「與其大家在這裡七嘴八舌，倒不如開始準備阿孟美斯的石棺室，以便迎接木乃伊的到來。」

「王子絕不可能被葬在國王谷地裡！」奈克特說道。

「這是那些政權人物的事情，我們無需去煩惱。只要遵照首長的計劃，一切都會搞定。」

帕尼泊的熱情感染了大家，工匠們開始準備出發前往國王谷地。

尼菲寡言不須做任何決定，行會的成員已發自內心、共同一致地作出了決定。

57

莫希已完全康復，正準備帶領五十幾名士兵前往真理村，就在這時，他的副官帶來了一個緊急消息。

「從北方來了一個艦隊，將軍！」

「一共有幾艘？」

「五艘，是法老的船。」

「塞特裔本人這麼快就來了！艦隊目前的位置在哪裡？」

「馬上就要抵達底比斯了。」

莫希盡可能將大隊的士兵聚集在東岸，好讓他們向國王歡呼致敬，如此國王才會對底比斯軍隊不變的忠誠感到高興。站在軍隊後面的大臣們自然也會被湮沒在人群之中。

消息早已傳遍了整個城市，大家既擔心又好奇：國王的氣會出到誰的身上？

出乎莫希的意料，艦隊朝西岸的碼頭駛去。莫希馬上乘坐一艘快艇，橫渡尼羅河去迎接法老。

出現在舷梯上的人不是塞特裔二世，而是掌璽大臣百依。

清瘦的百依神情有點緊張，兩個黑眼珠骨碌碌地四下張望。他踩著猶豫的步伐，謹慎地走下舷梯。

「我真高興終於能『腳踏實地』，」他向莫希坦言道，「一路上的航程可把我整慘了。」

「陛下沒有隨您一起來？」

「國王交代我兩個任務。第一個是要知道阿孟美斯王子是否確實已死亡，以及底比斯一帶是否平靜。」

「底比斯終於擺脫了越來越令人無法忍受的暴政，我也很驕傲能夠令它避免了一場混亂。」

「安全上真的沒問題嗎？」

「支持阿孟美斯的人只剩下一小撮，而且一心只想躲藏起來。雖說如此，我想還是要請您耐心再等一段時間，才能得到肯定的答案。」

「謝謝您的坦言相告，將軍；法老也會很高興的。」

「那麼您第二個任務呢，閣下？」

「我必須盡快趕到真理村一趟。」

「索貝克隊長的部下不是那麼好掌控；如果您願意，我可以和一些士兵陪您前去。」

「樂意之至，將軍。」

莫希滿心歡喜，這麼一來，他的干預行動便可以光明正大地進行，而且掌璽大臣可以為他作見證，並告訴法老，底比斯軍隊總司令是第一個極力消除阿孟美斯一切的人。

百依懷有戒心地望著戰車。

「您千萬不要策馬加鞭；我很容易就會有心悸的毛病。」

「我會顧及到您的，閣下。」

馬車開始往前跑。

「這一段可怕的日子一定教您很難受，將軍。」

「我始終只有一個目的：說服阿孟美斯王子不要攻打北方。」

「至於我這邊，我最後還是未能說服塞特裔落實我們的計劃，因為國王希望一切歸於平和。」

「法老的睿智畢竟看得比我們更遠。」

「是的，將軍，不過得盡快為這痛苦的事件劃下句點。」

「真理村的首長並不善於言辭，他看事情有點過於出自行會的觀點。我不希望他為自己惹來一些大麻煩。」

「我有絕對的權力，將軍，並且我會達成塞特裔的所有要求。」

莫希掩飾內心的高興：這一次，尼菲真的完蛋了。他一旦與國王作對，便會受到國王嚴厲的懲罰，使得他的行會跟著倒楣，只有那個天不怕、地不怕的帕尼泊比較麻煩。不過賽克塔已經想好一個除去他的計劃，莫希終於見到未來的一絲曙光。

索貝克隊長站在第五堡壘前。莫希將馬車停在他一公尺近的地方。

「去把陵寢書記和首長找來。」將軍命令道，「塞特裔二世派掌璽大臣百依前來，並且要立刻見他們一面。」

聽莫希的口氣，索貝克意識到事情的嚴重性，因此馬上去通知村子，但和他一起回來的只有智女一人。

「如果我猜得沒錯，首長是否在國王谷地內進行阿孟美斯的陵墓工程？」

「正是。」卡萊兒回答道。

馬車立刻調頭前往谷地。沿途的荒涼令士兵們噤若寒蟬，他們怕山裡的鬼怪會來攻擊他們，所以個個緊靠在一起，並不時地望山丘頂上瞄一眼。

他們安然無恙地來到了谷地的入口處，但神經卻繃得更緊了。

努比亞警衛們一看到這一大隊人馬，於是垂下了武器。

「我們是否有權穿越這道石門？」百依擔心問道。

「您不是有絕對的權力嗎，掌璽大臣？」

於是兩人進入了聖地。百依對周遭的一切看得目瞪口呆，而莫希則是迫不及待地想把首長背叛的行為當場逮個正著。

看守物料倉庫的努比亞警衛班布亮出一把匕首，擋住他們的去路。

「我陪掌璽大臣以法老之名一同前來，」將軍說道，「尼菲寡言是不是在這裡？」

班布點點頭。

「帶我們去見他。」

「我沒有權力走更遠。」

「那好，你叫他來呀！」

班布模仿貓頭鷹的叫聲，在寂靜的山谷中引起了一種奇怪的迴響。

幾分鐘後，蓬頭垢面的帕尼泊手上拿著一把大石鎬，出現在他們面前。

「你們馬上離開這個地方！」他兩眼冒著火光說道。

「我是掌璽大臣百依。塞特裔國王賦予我全權來完成一個緊急任務。」

「有大隊的人馬陪我們一起來。」莫希加了一句。

「有何貴幹？」

「見首長一面。」百依說道。

「他正在一處工地指揮工作。您今晚可以在村子裡見到他。」

「很抱歉，這件事非常緊急。」

「那一處工地？」莫希問道。

「我沒有必要回答您。」

「去把他找來，帕尼泊。」

帕尼泊緊緊握著石鎬的手把，很想用它來除掉這兩個闖入者，不過最好還是先問過首長的意思。

* * *

尼菲寡言的冷靜令莫希很佩服。百依的到來表示塞特裔已重掌政權，真理村應該要完全歸順法老，並承擔它所犯下的錯誤。可是首長卻以尊貴的姿態走過來，彷彿決定國家未來命運的人是他。

「您的旅途還順利吧，閣下？」

「坦白說，我一直都不喜歡船身的特殊搖動，所以還是比較喜歡土地的實在。不過法老一得知其子過世的消息，便命令我立刻前來底比斯，盡快為這些導致國家不安的事件劃下句點。我想您已經重新開啟塞特裔二世的陵墓，並且繼續它的工程了吧？」

「還沒有，閣下。」

「可是這……您交代什麼工作給您的工匠？」

「完成阿孟美斯的石棺室。」

「一切都依照法老的模式進行嗎？」

「完全依照傳統。」

莫希內心的得意簡直無法形容。首長永遠不會改變他的習慣，根本說不了謊。

「阿孟美斯死了以後，」百依說道，「您應該要把他的陵墓毀掉，才能抹去他篡位的痕跡。」

「您並不很了解真理村，閣下。所有的村民都一致反對這個方法，您也不會找到任何一名工匠親手去毀掉已成完成的作品。」

莫希沒有想到尼菲不僅毀了自己，還賠上他的成員。有什麼事情會比這種正直來得更愚蠢？而且愚蠢到不懂得順應情勢、從中得到好處？

莫希已開始想像尼菲和他的同事被逮捕、判刑、下放到礦場、直到老死，而村子的大門敞開、一無人煙、只有「光之石」和真理村其他的祕密孤伶伶地留在那裡。

到時只剩下對叛徒的承諾要實現，而他的辦事效率卻差得可以……莫希到時再把這個小問題交給賽克塔去解決。

「您應該會了解塞特脅勢必要解決這個問題。」百依再度強調著。

「我已讓您知道了行會的立場，這個立場也永遠不會改變。既然法老是我們的最高主人，他想對我們做何處置，就讓他做吧。」

「塞特脅對你們的了解和我一樣不深，這點我承認；他原本擔心你們為了要討好他、救自己一命，結果去摧毀其子的陵寢。現在是回歸到國家統一與祥和的時候了，雖說要忘了阿孟美斯曾經有過的統治，但法老仍希望你們盡快完成其子的陵墓。幸好莫希將軍仍保有對已故王子的尊重，因此木乃伊化正在進行中，他的葬禮將照儀式進行。接著，首長，您再繼續塞特脅二世的陵寢工程。」

58

莫希把房間可以砸的東西都砸了，家具、窗帘、鏡子……壞的壞、破的破，整個場面很嚇人，但賽克塔一心只想讓他冷靜下來，於是拿了一條沾溼的毛巾敷在他額頭上。

「這個可惡的掌璽大臣百依……他讓我以為塞特裔終於表現得像個國王。結果卻又是寬恕及容忍那一套！」

「他向底比斯人民發表談話的時候，也沒有提到對你有任何的不滿啊！」

「但他沒有向我確認我的職務！他將會給國王一份報告，沒有人可以預測塞特裔會做出什麼決定。」

莫希把毛巾遠遠地丟到一邊。

「妳說的有道理，情況還不至於太糟……但這個百依絕不可能成為我們的盟友。他完全忠於國王夫婦倆，也只會為他們做事。」

「你還是底比斯最有權勢的人，這才重要。」

「可以維持多久，賽克塔？如果百依拆散了我和軍隊，我就完全沒有力量了。」

「我們絕不接受這樣的決定，你的士兵也不會。」

莫希站起來走到浴室泡香精澡，彷彿這樣做就可以把他的失敗洗去。

「擋在我去路的真正的阻礙，是真理村。它曾經羞辱過我，現在又使我達不到我的目的。我一定要把『光之石』弄到手，賽克塔，我需要這個真正的武器！」

「既然埃及已恢復統一，真理村的生活又回到正常，我們的線民行動會比較自由。」

「到目前為止，他始終找不到『光之石』所隱藏的地方！」

「我們不要太悲觀，親愛的老公……不過他不能再這麼被動。」

「妳指的是什麼？」

「行會的靈魂人物是首長。只要尼菲寡言繼續領導真理村，它就如金剛不敗之身。首長經歷越多的考驗，就變得越有力量；如果這些考驗越困難，他就越堅強。就是因為有尼菲的存在，所以真理村才會越來越堅固。」

莫希冷靜下來，慢慢地體會他老婆所說的話。

「妳所說的道理很簡單，可是我從未這麼仔細地看清這個事實，就好像這個簡單的事實太過於耀眼，使人無法去正視它！要如何繼續與尼菲作戰呢？」

「首先要除去他最親近、也最有力的支持者，」賽克塔說道，「但就算成功了，這麼做還是不夠，因為行會的精神活在首長的心裡。」

「妳有什麼建議？」

「你還沒有猜到嗎，親愛的？」

莫希可以殺人不眨眼，但面對這個人，這個頭號敵人，卻有點猶豫起來。

「你難道對尼菲寡言有所畏懼？」

「要殺掉他不是那麼容易！」

「一定得這麼做，親親，」賽克塔呢噥道，「而且的確會非常困難，因為彷彿有一種魔力在他的四周形成一道保護牆，使得百敵不侵。幸好，我喜歡這種高難度的挑戰，也讓我找出了弱點！」

「妳已想好了一個……策略？」

「只是一個簡單的主意……不過卻比成千上萬的士兵來得更有效率。」
「什麼主意，賽克塔？」
「裡面……我從裡面把他做掉。」

＊　＊　＊

一道陽光照耀在碧玉和帕尼泊一絲不掛的身體上，兩人才剛如少年般激情地做完愛。帕尼泊溫柔的撫觸，讓她陶醉在一片慾海之中，而他也深深地被她完美且性感的胴體所迷惑。

碧玉只需用手輕撫情人的皮膚，就能引起一股激流，她也絲毫不想抗拒這股激流；每一次的交纏總帶給他們一種新的幸福，兩人似乎永遠不會厭倦彼此。

她躺在他的身上，看見他眼中升起即將來臨的慾火，馬上就要吞噬他們兩人。

「我該走了，」碧玉說道，「智女在廟裡等我把所有哈托爾女神的法器做一份清單。這份工作本來是屬於娃貝特的，由於她有孕在身，因此由他人代替。」

儘管帕尼泊慾火焚身，最後還是決定不留住她。至少，她在梳裝打扮時，沒有禁止他欣賞她。

「你什麼時候開始塞特裔陵墓的工作？」

「下個禮拜。」

工匠們才剛剛完成阿孟美斯的陵寢。在阿蒙神祭司與真理村首長的主持下，阿孟美斯的葬禮依照法老的慣例進行，而且一樣的莊嚴隆重。儀式完成後，尼菲關上了陵墓的大門，並在上面蓋了行會的泥章。

「你看起來好像有心事，帕尼泊。」

「我嘗試了一種新的畫風，心想不知國王是否會叫我修改……也許一切都得重來。」

「你怕工作太多嗎？」

「一點都不，但我不想放棄這些畫作，尤其是那些陪葬品的畫法，因為它們讓我學會了簡化線條的技巧。」

「整個村子都提到了這種創新的作法！」

碧玉穿上了一件合身的長裙，完全襯托出她的完美曲線。

「你要對自己的才華有信心，帕尼泊；它永遠不會背叛你。」

和以往一般，她又離他而去了。

*　*　*

北風踩著穩定的步伐，朝法老賜給尼菲的小農田前進。帕尼泊跟在北風的後面，很顯然的，這頭驢子比他還清楚路徑。

娃貝特有強烈的慾望想吃新鮮的黃瓜，而且一刻都不能等；因此當老公的他在陵寢書記的同意下，馬上去找黃瓜來滿足她的慾望。

當驢子停下來時，帕尼泊以為牠走錯了地方，因為幫尼菲工作的那五個農夫，一個都不在田裡。不過他很快就發現了這幾個人正躺在枝葉茂盛的檉柳樹下睡覺，其中一個甚至還發出均勻的打呼聲。

帕尼泊一腳踢向那個小胖子的肥臀，後者立刻被驚醒，並尖叫了一聲。其餘幾個同事也跟著睜開眼睛。

「你們是用這種方法來照顧尼菲寡言的農田？」

「你算老幾？」

「我算是要讓你們加把勁工作的老大。」

一個滿臉鬍渣的高瘦男子站了起來。

「我們有五個人……你想你唬得了我們？」

「他唬得了我。」小胖子承認道。

「你還算機靈，」帕尼泊說道，「我先解決你的同事，最後再輕輕處罰你一下，如果你們只是乾領薪水而不做事的話。」

高瘦的那個男子發現其他人並不支持他，於是打算開溜。但北風一頭撞過去，使他一個重心不穩、摔到薊菊叢裡。

北風實在不懂這麼好吃的東西，怎麼會令這個人發出這麼大的驚叫聲。

「我是帕尼泊阿當，而且我需要一些黃瓜。依我看這塊農田和隔壁菜園的荒廢情形，恐怕要空手而回了。這種失望的情緒會令我的脾氣變得很火爆。你們知道火爆是什麼意思嗎？」

「我知道哪裡有黃瓜，」小胖子用顫抖的聲音說道，「我這就去幫你拿。」

「拿了之後，你們幾個給我好好的工作。如果我看到這塊田沒有被好好地耕作，我們先算這個帳，再讓尼菲去告你們。」

「我們一定不會讓你和他失望。」小胖子保證道。

「我姑且相信你們，不過我會來檢查，北風每天隨時都會來繞一圈監視你們幾個。」

「牠有你那麼強壯嗎？」

「我的驢子的確跟我很像。牠會告訴我牠看到的情形，別指望牠會饒過你們。」

強壯的北風正在大口嚼著薊菊。

「你是指……他會說話？」

「在我的村子裡，常有一些奇奇怪怪的事情發生。你們難道不知道智女有一種法力，與埃及皇后的法力不相上下？」

這五名農夫全縮成一團，連瘦高的那個也不再吹牛。

「她總不會對我們施魔法吧？」小胖子擔心地問道。

「暫時不會，不過千萬不要惹她生氣。」

＊　　＊　　＊

對北風而言，兩個裝滿黃瓜的籃子根本就沒有重量。牠走在前頭，帕尼泊則跟在後頭哼著一首民間小調。

「真好聽。」一名二十歲的褐髮女孩走到他旁邊，輕聲說道。

「妳叫什麼名字，小姑娘？」

「葉瑪……在這一帶，每個人都知道我種的菜最好吃。如果你想要，我可以賣給你一些漂亮的蔬菜。」

「有何不可？」

「你打從哪兒來？」

「工匠村。」

「這麼說，你知道很多的祕密囉！你什麼時候會再來這裡？」

「再過幾天吧！」

「我會給你看一些上好的東西，你到時就知道了。」

59

對家譜學深感興趣的書記助理伊姆尼在翻閱村子的一些檔案中，剛發現了一項驚人的事實：假使追溯那些複雜的家族關係，他與尼菲寡言可說是有遠親的血緣，因此若是要求尼菲認他為義子，會比帕尼泊阿當更來得合法。不幸的是他還缺少一些具體的連結，但如果能夠參閱陵寢書記收藏在辦公室內的古老文件，他有信心將彼此的親屬關係重新整理出一個頭緒。

以肯伊這把年紀，他是如何讓自己保持同樣的工作速度且始終一絲不苟？有人竊竊私語說是牛妞的功力好，不過她對這些嚼舌根的話一概置之不理。大家倒是一致承認她有一個過人的長處：能夠忍受老肯伊的壞脾氣。

經過牛妞的努力，這對老夫少妻的房子一天比一天可愛。她對美麗的家具和珍貴布品的品味對肯伊而言過於奢侈，不過肯伊最後也只有任由她去。

「我已完成了銅鑿和燈芯的盤點工作。」伊姆尼說道。

「你有沒有檢查過你的帳冊？」

「一樣東西都不缺。」

「這次也沒有什麼要控告帕尼泊的？」

「因為您的管理有方，村子一切有條不紊。」

「我最討厭聽到奉承的話了，伊姆尼，因為在這些話的背後總是隱藏有一些不懷好意的動機。至於你的動機，我清楚得很：你夢想要取代我的位子，也很遺憾我這一身老骨頭還管用。你呀，對自己的未來少操一點心，多著重於眼前，因為要成為陵寢書記，你要學習的事情還多著呢！」

「我向您保證我……」

「沒有撒謊的必要。」

「我希望在工作之餘，能多研究村子的歷史，以便更了解它。」

肯伊甚為驚訝。

「這個主意倒不壞。」

「我已經開始查閱一些文件了，不過最珍貴的資料都收藏在您家中。您是否同意我翻閱它們？」

「我沒有理由拒絕你。」

這個斤斤計較的伊姆尼終於開了竅！他不再糾纏帕尼泊，也不再攻擊工匠們的態度，而對真理村本身開始真正感興趣了。

* * *

娃貝特的懷孕過程非常順利，她體重沒有增加多少，不過老是想吃新鮮的蔬菜，因此帕尼泊去了好幾趟尼菲的農田。那五名農夫已開始認真地耕作，也很欣慰農作物長得非常好。

帕尼泊才剛把北風載的籃子裝滿，就在這時，一隻非常柔軟的手搭在他的手腕上。

「我有一些長得很好的蘆荀可以賣你。」美麗的葉瑪閃著一雙烏黑的大眼睛說道。

「妳的價格合理嗎？」

「這個可以待會兒再談……搞不好你有辦法說服我降低價格？」

「好吧，不過我時間很趕。」

年輕的葉瑪身上只穿了一件短罩衫，幾乎遮不住她那曼妙而引人遐思的身材。她扭動著腰肢帶帕尼泊來到一間蘆葦搭的小屋前。

「小心，門很矮。」

帕尼泊才剛走進小屋內，葉瑪便立刻脫下她的上衣。

她全身赤裸地摩擦著他的身體。

「你好強壯喔……跟我作愛！」

帕尼泊將她從自己的身上拉開並一把舉起她。

「我習慣採取主動，小姑娘，不過我是個很幸運的男人，在性慾方面很滿足。妳很漂亮，但我不想要妳。蘆荀妳自己留著吧，同時快把衣服穿上。」

帕尼泊把賭氣的她放回地面上。

他走出小屋，葉瑪也跟在後面。她全身光溜溜地跑一個小山丘頂上。

「救命啊！」她喊道，「我被強暴了！」

那五名農夫全都轉過頭來。

帕尼泊折回來，朝這個說謊者一巴掌打過去。

「現在，妳鬧夠了！」

葉瑪哭著倒在地上。

「妳馬上給我穿上衣服，而且再也不准騷擾我。」

＊　＊　＊

在賽克塔的支持下，莫希又成了底比斯地區最有權勢、也最受人尊重的人。在等待塞特裔二世駕臨的這段時間，皇宮內禁止任何人進入，並且有警衛在入口處守著。

雖然表面一切看起來很平靜，但老百姓的內心卻焦躁不安。掌璽大臣百依未說明他的計劃便起程回北方，沒有人真正知道始終沉默的法老有何打算。這種等待是否意謂著國王正在思考如何懲處向阿孟美斯低頭的底比斯城？

「百依的來信。」賽克塔緊張地說道。

莫希用顫抖的手指去觸摸那塊木板。萬一他被免職，他該如何自這場失敗中恢復過來？他的眼睛望著用象形文字所寫的內容。

莫希深深地吁了一口氣。

「我被確認保有一切原來的職位，並且由於在當初的困境下依然維持了和平，因而獲得國王的賞識。掌璽大臣要求我繼續維護這個地區的繁榮，同時努力不懈地保護真理村。」

「塞特裔有說明他蒞臨的確切日期嗎？」

「在這一點上，他三緘其口。」

「為何沒有任何的說明？」賽克塔問道。

「國王大概是對其子的逝去過於悲傷吧……或許他在比拉美西斯遇到一些困難，因此猶豫該不該離開首府。」

「我們的好運仍連連不斷呢！」賽克塔呢喃道。

＊　＊　＊

從國王谷地回來，右隊很高興能夠休息幾天。由於底比斯的未來並不明朗，有些工匠如卡洛和圖弟，絲毫不掩飾他們的悲觀。岩石上有一處缺損導致了工程的延誤，首長必須做一些處理，以避免壁畫受到牽連破壞。

「肯伊作了一個惡夢，」卡洛說道，「有這麼一個敢用塞特裔名字的國王，再糟的事情也可能會發生。」

「你也應該已經發現他並非如雷電般勇猛。」費奈德反駁道。

「他是沒有掀起內戰，」卡沙說道，「但他不會原諒底比斯曾經屈服於阿孟美斯的。」

「當初也沒有其他的解決辦法，」卡烏說道，「塞特裔應該會了解的。」

溫度猛然間下降許多。一陣令人不舒服的風吹起，表示即將來臨的冬天會比往常來得難過。

「明天，」陵寢書記說道，「全體進行煙燻工作！炎熱的天氣已結束，必須把房子內外及公共場所淨化一遍。誰願意負責我們議室堂的煙燻工作？」

叛徒立刻跳起來答應。由於這種苦差事沒有人願意負責，因此同事們很感激他的犧牲精神。

* * *

整個村子都被燻過了一遍，並籠罩在一片香濃的煙霧之中，而這種煙霧可以殺死一些有害的細菌和蟲類。小黑、大壞蛋和其他的寵物全都躲到助理區，和孩子們在那裡玩遊戲，鐵匠歐貝德負責看著他們。

行會議室堂內的煙霧特別濃厚，叛徒檢查了工匠們開會所坐的石椅。

每一處看起來都沒有不正常之處。

叛徒進入小聖殿門口的那一刻，心裡起了一陣猶豫。他沒有權力進入，而直到這一刻前，他只犯了一些不太嚴重的不法行為，而還未犯下任何嚴重的罪行。一旦進入了這個只有首長可以進入的神聖地方，他等於是將自己的誓言放在地上踩踏，而且也與行會的精神永遠背道而馳。

他是不是該放棄這些年縈繞在腦海的貪財念頭，向尼菲敞開心懷，請求他的原諒？

然而叛徒發現，他的心已不再和他說話。在內心深處，他從未真正愛過真理村。生活的因素將他牽引到這裡，只因他當時在尋找一個特殊的技能，讓自己能高人一等。可是現在，他要的不只是如此，還要外加上財富，而唯有背叛一途，他才能擁有它。

他將漆成金色的木栓拔開，然後打開神龕的門，裡面坐著一尊瑪亞特的金色雕像，有一個手肘的高度。

他憤然地將雕像撥開，把手伸到底座的地方，以摸索是否有一個凹或凸的機關可以打開。但底部只有花崗岩，而且被磨得很光滑。

叛徒憤怒地檢查神龕內的每一個角落，希望能發現「光之石」的藏身之處。什麼都沒有。

「有人在裡面嗎？」左隊隊長用低沉的聲音問道。

叛徒驚慌地將瑪亞特雕像放回原位、把神龕的門關好並鎖上，然後走回到充滿煙霧的議事堂內。

「有，我在這裡！」

「我怕你被煙燻出了問題。」

「沒有，沒有，一切都很好。」

「那就讓煙自己發揮它的作用吧，」海伊建議道，「你快來加入我們慶祝的行列：娃貝特純潔剛剛生下了一個女兒。」

60

年輕的西卜塔忘了自己的殘疾，繼續在阿蒙神廟的圖書館內用功，廟裡的祭司們長期觀察這個年輕人，對他頗有好感。

掌璽大臣百依只要一抽出空，一定會和西卜塔討論他在科學與文學方面的進步。西卜塔對外面的世界完全不感興趣，只喜歡進行他的研究，常常必須有人提醒他進食，因為他已到了廢寢忘食的地步。

西卜塔只和掌璽大臣說話，後者一點一滴地教他埃及中央行政與管理的功能。西卜塔很專注地聽著百依說，並用他超人的記憶力記下他所說的話，而且總是能夠提出很好的問題。

對百依而言，與西卜塔的會面是唯一的一段快樂時光，因為除此之外，朝廷上下充滿了令人窒息的氣氛。阿孟美斯的死對塞特喬是個沉重的打擊，桃賽特皇后很難過見到國王失去生活的意義。在這一段時間裡，她用她的智慧與能力，在百依的輔佐下，挑起了皇后的責任與義務。但重要的文件和諭令，仍需要國王偶然從麻木中清醒時才能由他親自蓋印處理。

百依一邊走進國王的辦公室，一邊想到底比斯居民。他們勢必人心惶惶，不知道塞特喬會對他們的命運作何安排。沒錯，百依是去函給莫希將軍，向他確認他的幾個職位，而莫希是底比斯地區最穩定、最有力量的人，對國王也忠貞不貳，令人相當放心；但百依自己也不知道國王的真正打算。

「你今天有沒有和西卜塔一起討論他的學習？」塞特喬問道。

「很不幸沒有，陛下；我有一些首府西區的建設問題要解決。」

「你要多照顧這個孩子，阿蒙神祭司們都對他稱讚有加。有太多的大臣整天圍在王位四周打轉，少有幾個忠誠的人會想到自己的責任。西卜塔是屬於後者，只有你能教導他。」

「臣很樂於教導他，陛下。」

「朕有一趟旅行也同時要請你準備。」

百依大吃一驚。

「您希望去哪裡，陛下？」

「到赫莫波利斯。它是托特神城，不正是朕治國所需之智慧來源嗎？朕將和桃賽特一起同行，我們準備向知識之神祈求平靜，這是朕肩上擔負國家最高政權以來一直所缺乏的。」

這項決定令百依非常高興，因為它顯示了塞特裔的政治智慧並未因一連串的打擊而受到影響。在赫莫波利斯還有數量龐大的軍隊駐紮在當地，他們會熱烈地歡迎國王；而國王在這個軍事地位重要的城市停留一段時間後，相信對底比斯居民和其他南部的部會首長將是一個非常明確的訊息：只要有任何一點造反的舉動，他會親自快速干預。

「可否容許臣知道您的長期計劃，陛下？」

「朕希望托特神能夠指引一條路，百依。沒有朱鷺的明確指示，治國之道豈不平庸？」

* * *

她在帕尼泊的懷裡，看起來是如此的脆弱，令帕尼泊一動都不敢動。

「咱們的女兒真的很漂亮，」他向娃貝特說道，後者因為丈夫的滿足與快樂，也沉醉在一片幸福中之。「她將來一定和妳一樣纖細與清秀。」

「我相信她也會擁有你的力量。」

「妳為她選好名字了嗎？」

「由於她是在滿月時生的，我們何不叫她賽雷娜？」

一頭柔細的褐髮、一雙碧綠的眼睛、雙唇呈現出完美的線條……賽雷娜是個少有的漂亮小娃娃。

阿沛弟靠了過來。

「我覺得她很醜……而且她是個女孩。她將來又不能打架。」

「所以你要保護她呀。」

阿沛弟轉身便跑出家門。

「他的行為令人越來越無法忍受。」帕尼泊說道。

「不要太苛責他，」娃貝特說情道。「在今天以前，他一直都是獨生子；妹妹的出生多少會讓他產生嫉妒心，我們應該要了解並原諒他。相信不久以後，他開口閉口都是妹妹。」

「希望妳說的是對的。」

智女派了兩位哈托爾女祭司來幫忙剛生產完的娃貝特，這是他們村子的一貫互助精神。娃貝特大概休息個十來天，便會重新開始做一般的家事。由於她的體質關係，她只餵母乳一個禮拜，之後便由國家付薪的奶媽來取代這項工作。

「帕尼泊，你馬上來！」帕伊焦慮的聲音喊道。

「阿沛弟又闖禍了？」

「不是，是陵寢書記要求立刻見你。」

* * *

肯伊的臉色很難看。

「你沒有什麼事要向我告白嗎，帕尼泊？」

「除了我喜添一個可愛的小女兒之外，我想不出有別的事。」

「現在不是開玩笑的時候，相信我。你認識一個叫葉瑪的女孩嗎？」

「我想不起來，應該不認識。」

「仔細想一下：她在尼菲田裡不遠處種菜。你最近不是常常到那裡去嗎？」

「有了……您指的應該是那個年輕的褐髮女孩，她企圖勾引所有經過她身邊的男人。」

「她控告你強暴她。」

「這個瘋女人在胡說八道些什麼？她向我投懷送抱，不過我卻毫不客氣地推開她，甚至還掌了她一耳光呢！」

「葉瑪有證人為她作證。」

「什麼證人？」

「那五名在尼菲田裡工作的農夫。」

「這些滿口謊言的傢伙！我非把他們的頭敲破不可！」

「不准亂來，否則你的情況會變得更為不利。」

「根本就沒有那麼一回事，肯伊，我用我女兒的生命發誓！」

「葉瑪已正式以強暴罪名提出告訴，而西岸的一名法官認為她的說辭可信。」

「這根本沒有道理，我是無辜的！」

「以我認識你的為人，我也沒有懷疑過你一刻；但這項告訴的確存在，而法律對於強暴者的處分是死刑。」

「讓我來處理這個葉瑪和那五名農夫……他們會吐出事實的，相信我！」

「如果你動他們一根汗毛，你的罪名便鐵定成立了。」

「大家總不能眼睜睜地看著說謊者得逞吧？」

「一切都要按照法律規定來，首先村子的法庭得先開庭決定是否將你逐出村子。」

「將我逐出村子……可是我並未犯任何錯誤呀！」

「你有沒有可以證明你無罪的證人？」

「為何我需要有？」

「我真的很為你擔心，帕尼泊。」

*　*　*

賽克塔叫來一名女僕為她按摩背部，卻嫌她的手太粗糙。

「多抹一點油，」賽克塔命令道，「而且動作輕一點。妳沒看到我的皮膚很嫩嗎？」

莫希突然闖進了充滿百合花香味的按摩室。

「塞特裔剛剛抵達赫莫波利斯，」他說道，「名義上，他是去檢閱駐紮在當地的軍隊。」

「一切不是恢復和平了嗎？」賽克塔問道，同時不耐煩地做個手勢打發走女僕。

「國王是打算進行武力示威，以證明他在治國，而且任何的造反行動都會立刻被弭平。依我看，他這麼做很聰明……沒有人會再懷疑塞特裔的決心與能力。」

「這算是對底比斯的一種威脅嗎？」

「根據我的線民所提供的消息，國王完全無法讓人看穿他的意圖。」

「我倒是有一個很好的消息，」賽克塔嗲聲說道，「我們的眼中釘有一根很快就要被拔除了。」

莫希一把抓住老婆的小腿。

「妳又在搞什麼鬼，小親親？」

「我們的朋友特漢貝花了不少銀子，安排一個美麗的小女人來陷害帕尼泊。他同時也買通了其他幾名證人，共同誣告帕尼泊。這麼一來，首長就少了一個盟友了。」

* * *

真理村的法庭由陵寢書記、首長、智女、左隊隊長和兩名哈托爾女祭司共同組成，開庭聆聽帕尼泊的解釋，後者花了好大的力量，才勉力維持住表面的平靜。

當智女將瑪亞特女神的小雕像拿到帕尼泊面前，讓他對著祂發誓時，所有的陪審團都相信他並沒有隱瞞事實。

「你們之中有沒有人要求將帕尼泊逐出村外？」肯伊問道。

「我們都知道他是無辜的，而且是這個造謠事件中的受害者，」尼菲說道，「因此，我們的角色，尤其是我本人，是要護衛他。」

「依控告罪名的嚴重性與地點來看，」陵寢書記說道，「很難讓帕尼泊不受外界司法的審判。」

「只要他留在村子裡，」海伊說道，「沒有人能拿他怎麼樣。」

「沒關係，就讓外界來審判我吧！」帕尼泊要求道，「我要每一個地方都承認我的清白，不管是在這裡或是在村外。」

61

陵寢書記要求在瑪亞特神廟外開庭審理帕尼泊，就在卡納克城牆內的其中一處。陪審團的成員有祭司、工匠及幾名書記，並由阿蒙神的第二位先知當主審法官，肯伊認為他很正直，但也很嚴格。的確，這位理著光頭的法官肩膀寬正、胸膛挺直，看來手下不會留情。

原告與被告都站立在法官面前。美麗的葉瑪望也不望帕尼泊一眼，而後者保證自己再怎麼受到攻擊，也要保持冷靜。

「葉瑪姑娘，」法官問道，「妳還是決定要控告帕尼泊阿當——真理村工匠——強暴了妳嗎？」

「是的。」

「妳願意在瑪亞特面前以法老之名發誓所言是真嗎？」

「我發誓。」

「你呢，帕尼泊，你是否發誓自己並未犯下這條罪，因此是無辜的？」

「我發誓。」

「這麼說來，你們兩人之中有一個人說謊背誓，」法官推論道，「你們可要知道這是一個非常嚴重的罪名，並且會被判很重的刑，不管是在人間或將來在陰間。你們還是要堅持下去嗎？」

葉瑪和帕尼泊兩人都決定堅持下去。

「請說出事情的經過，葉瑪姑娘。」

「我那天在我的小儲藏屋裡，帕尼泊突然像隻發狂的公牛般闖進來走向我。他把我身上的衣服剝光，並強暴了我。當我終於能夠逃走時，我立刻大喊救命。隔壁田裡的五名農夫都看見了這場大膽的暴力事件。」

「你們到我面前來，」法官對那五名農夫命令道。「你們是否認同葉瑪姑娘的說辭？」

他們五人之中有三人被地點的莊嚴神聖性與法官的嚴肅嚇壞了，因此改口說他們什麼都不知道。

「我一切都看到了，」瘦高的那名肯定地說道，小胖子則在一旁跟著點頭。

「你們確定嗎？」智女問道。她穿了一件高雅的紅色長袍，戴著一對鑲著金鍊子的雞血石耳環。

智女兩眼凝視著這兩名農夫。她的眼光中並沒有敵意，但其銳利的程度教小胖子無法再堅持下去。

「我看到那個壯漢和小姑娘，」他承認道，「其他的什麼也沒看見。」

「你的同事呢？」

「他，我不知道！」

「我維持我的說法，」瘦高的農夫說道，他感覺到喉嚨緊縮，就好像有一隻強而有力的手在掐著他，因此他的聲音有點顫抖。

「我不想傷害你，」智女對他說道，「不過我警告你，如果你繼續說謊，就會越來越無法呼吸。」

「我……我確定……」

智女沒有做任何動作，只是凝望著他，而他已開始喘不過氣來。

「我和我同事一樣也沒多看到什麼。」他承認道。

「你到底有沒有看到這樁強暴案發生？」法官問道。

「沒有……沒有！」

葉瑪感到非常失望，態度卻更加堅決。

「我確認受到帕尼泊的強暴。」

「妳居然敢說謊，妳這隻小母狗！」帕尼泊怒吼道。法官對他的插話感到非常不高興。

「你是否能找出可證明你無罪的人？」他對帕尼泊問道。

「我向您發誓我是無辜的！」

「但葉瑪卻發誓你是有罪的！看看她，她是那麼的纖弱無助，怎麼能想像她抵抗得了你？」

陵寢書記立即嚴正地發言。

「您的態度宛如是一名原告，而您已有違您身為法官的角色了！請陪審團略去您的這段話。假使您再度有這種明顯的偏袒行為，我會立刻要求換另外一名法官。」

「是的，是的……但帕尼泊能不能不用罵人的話為自己辯護？」

「他可以。」智女說道。

「您請說！」

帕尼泊專注地望著卡萊兒，一股奇異的力量穿入了他的身體。她無聲而直接用思想與他溝通。

「我想請人把北風帶上法庭。」帕尼泊要求道。

「他是你的近親嗎？」法官問道。

「牠是我的驢子。請讓牠把說謊者指出來。」

法官猶豫不決。

「這個現象有點不尋常！」

「一隻動物是絕對不會隱瞞事實的，」智女附和道，「牠有神力附身，因此有神性。」

「原告是否同意？」

「驢子當然會朝自己的主人走去。這個帕尼泊未免太天真了，想用這種技倆來唬住所有人，到時反而會陰溝裡翻船！」葉瑪心想。於是她同意了。

一頭驢子跟在智女的身邊，來到神廟前面。

「北風，你在這件強暴案裡被視為證人。你能不能了解事情的嚴重性、有沒有辦法指出在庭上說謊的那個人？」

驢子用牠的左前蹄在石板上蹬了一下。

陪審團中發出一片竊竊私語聲，表示他們可以接受這隻驢子的證詞。

「北風，請指出說謊者。」

驢子的頭轉向帕尼泊那個方向。葉瑪臉上露出滿意的笑容。

但驢子卻是轉了一圈，並朝葉瑪的方向走來，最後用牠的鼻子碰了她的肩膀一下。

葉瑪彷彿被針刺到一般，整個人往後跳開。

「你們總不會去相信這隻畜牲吧！」

「為何妳要說謊，葉瑪？」法官眼冒怒火、生氣的說道。

「我所說的都是事實！」

北風又向她走過去，一頭將她撞倒在地上，並用蹄子壓在她的胸上。

「牠會殺了我！」她恐懼地呻吟道。

沒有人上前救她。

當葉瑪快要窒息時，終於像連珠炮般說了出來。

「是我說謊，我承認……我勾引帕尼泊，而他卻把我推開……我當時非常的氣惱，因此決定要報復……我心想如果告他強暴，他一定會被判刑……我就可以反過來嘲笑蹲在牢裡的他！我知道這麼做是不對的，但請各位了解我，並原諒我……帕尼泊不應該用那種鄙視的態度對待我。」

「妳的謊言可能會帶來更嚴重的後果；」法官說道，「請陪審團作出判決。」

「我要求陪審團寬大為懷，」帕尼泊說道，「葉瑪還年輕，她剛剛所感受到的害怕已足以讓她受到教訓了。」

* * *

葉瑪被判為真理村耕作蔬菜一年，而且只有微薄的酬勞，不過她已經認為自己運氣很好。陪審團都被她的說辭唬住了，認為她想要愛情想昏了頭，因此沒有深入調查下去。

因此，她沒有提到特漢貝，也沒有提到那筆酬勞。當然啦，雖然她失敗了，特漢貝還是得付這一筆。於是她一走出法庭，便直接前往特漢貝的倉庫去。

特漢貝一看見葉瑪，立刻便將她拉進他的小辦公室內。

「妳來這裡做什麼，小白癡？」

「帕尼泊被無罪釋放了。」

「無罪釋放……妳這話是什麼意思？」

特漢貝不斷地用手抓著腦袋上的黑髮。

「都是因為他那隻名叫北風的驢子！智女作法迷惑了陪審團、假證人全都予以否認、而那隻驢子指我是有罪者。」

「妳完全瘋了，葉瑪！」

「事情發生的過程就是這樣，我可以向您發誓，所以說，帕尼泊以自由之身離開了法庭。」

「妳有沒有提到我？」

「當然沒有！」

「還好妳夠聰明，小姑娘。妳沒騙我吧？」

「我被判為真理村工作一年！現在，我要我的酬勞。」

「妳搭下一艘前往北方的船離開埃及，並到我在巴勒斯坦的一個農夫朋友那裡工作。妳在那兒改名換姓，就不會受到埃及法律的制裁了。」

「可是……我寧可留在這裡啊！」

「妳失敗了，小白癡，所以妳沒有選擇。在我之上還有一些人不會原諒妳的錯誤。」

「意思是……」

「意思是如果妳還想活命的話，得盡快離開，而且不得張揚出去！明天妳就離開這個國家。最好祈禱神明保佑妳。」

葉瑪嚇得立刻準備離開事宜。

特漢貝沒有告訴葉瑪，他的農夫朋友將會把她當作奴隸來滿足所有他手下的農工。他目前所煩惱的是該如何向他的主子解釋這件事，好讓自己能夠全身而退。

62

塞特裔二世統治的第四年冬天特別的冷。冷冽的風吹過底比斯西岸，大家已習慣了往常溫和的氣候，一時之間無法適應這個惡劣的季節。

當驢隊抵達時，陵寢書記早已起床。他全身裹在一件厚厚的大衣內，向驢隊的帶頭者問話。

「你有沒有把木柴帶來？」

「一袋也沒有。」

「我還特別交代這個非常急需！」

「當局什麼也沒有交給我……不過這個時候大家都缺木柴。」

肯伊立刻通知了首長。

「得馬上找到木柴，」尼菲說道，「所有的房子裡面都冷得不得了，好幾名病患已得了肺炎。再不生火取熱，恐怕他們的病情會惡化，尤其是帕尼泊的女兒。」

「我們的庫存應該是比足夠還要足夠，但誰又能預料這惡劣的天氣會維持多久呢？」

帕尼泊怒氣沖沖地打斷了兩人的話。

「我願意燒我的床和家具，但接下來還有什麼可以讓我燒的？我倒想知道是誰該為木柴短缺負責！」

「是我。」尼菲說道。

「首長為別人的錯誤來承當責任……這麼做並不能讓我們得到取暖的柴火呀！」

「你說的有道理，光是承當責任並不夠；因此我要去尋找柴火。」

「你？冒這種險？想都別想！我自己會想辦法。陵寢書記是否可以正式賦予我這個任務？」

「不可能的，帕尼泊。你要小心那些巡邏的警察。」

「您為何不去責問當局這件事？」

「因為我原希望木柴今早就會被送來！」肯伊辯駁道。

一陣強風把憤怒的肯伊吹得搖搖晃晃。他還來不及對帕尼泊說出責備的話，後者已經像風一般去找伊姆尼。

「把倉庫的門打開，並且把斧頭給我。」他對書記助理命令道。

「為什麼？」

「你動作快一點，伊姆尼，我沒有心情聽你滿口蠢話。」

「未經准許而砍柴是被禁止的，而且……」

帕尼泊從腋窩處將他一把舉起。

「如果你不馬上將斧頭交給我，我就動手把所有屬於你的木頭拿走，包括你的書記木板。」

* * *

三名警察靜靜地觀察著那個壯漢賣力地伐著枯木。

儘管寒冷的北風呼呼地吹著，那個人卻光著上身、手持一把巨斧、快速而且規律地工作著。

「他這麼做是違法的，」年紀最長的那名警察說道，「不過，瞧他的塊頭，也知道不好惹。」

「假使我的猜測沒錯的話，」大鬍子同事說道，「他大概就是傳說中的那名真理村工匠——帕尼泊阿當。他有辦法獨自一個人將九個人撂倒在地上。」

「怎麼知道就是他？」

「你看他的驢子……簡直就是龐然大物，和牠的主人一樣！而每個人都知道帕尼泊有一隻大怪驢。」

「一對九，真的嗎？」

「我們只有三個人……而且你應該也看到了他斧頭的尺寸吧？如果我們攻擊他，他一定會還手。因此是不是多觀察他一下再決定？」

「你說的有道理，我們先研究一下再說。」

帕尼泊早已發現那三名警察，但他絲毫不在乎；他把北風背上馱的籃子都裝滿木頭後，自己也扛了不少在身上，然後打從他們面前經過，向村子走回去。

「嗨！朋友們，你們安靜地待在原地不動是對的。」

* * *

「木柴的缺乏根本無法讓人接受，」肯伊生氣地抱怨道，「您和我一樣清楚，真理村有它的優先權！」

莫希顯得很為難，也很難表現得和往常一樣友善。一方面，特漢貝沒能除去帕尼泊；另一方面，西岸和東岸兩地部隊的士兵也同樣在抱怨寒冷，不過卻沒有人敢去砍柴，深怕觸犯了王權，因而引來塞特裔二世的不滿。

「我沒有忘記，肯伊，但我的權力有限！我已去信給國王，請他准許我令人砍一些老樹，並且請他下令運送利比亞木柴給我們，可是直到現在，我還沒收到任何回音。我懷疑塞特裔是否還在赫莫波利斯。」

「您難道連幾袋木炭都沒有剩嗎？」

「一袋都沒有，否則我早就派人送去給你們了。」

肯伊相信莫希話中的誠懇。

「既然這樣，我們只好自己想辦法了，我需要讓工匠擁有豁免權，才能為我們帶回木柴。」

「我想您指的是帕尼泊吧？」

陵寢書記沒有回答。

「我可以略過警察對他所做的相關報告……不過叫他不要太引人注目。」

「謝謝您，將軍；您真的是真理村的保護者。」

＊　＊　＊

多虧帕尼泊，村子內終於又找回一絲暖氣，病患的情況也不再危急。帕尼泊一回到家，立刻便將他越來越美麗的女兒摟在懷裡，輕輕地搖著她，娃貝特感動地望著這一幕。

「馬上就要吃晚飯了……阿沛弟哪裡去了？」

「他在學校接受處罰；昨天書記助理在糾正他數學作業時，遭到他的侮辱。」

「這個伊姆尼永遠不會讓我們有安寧的日子過！」

帕尼泊溫柔地吻了吻小女兒、將她交回給妻子，然後出門前往伊姆尼的辦公室。後者正用激動的口吻向首長和陵寢書記說話。

「我有一些嚴重的事情要報告，並要求召開法庭來審這幾個人。」

「你想利用我兒子來攻擊我，是不是？」

「你？才不是呢！」

「你有什麼不滿要報告的？」尼菲問道。

「首先，歐塞哈特用了過量的方解石；所以說他是用在個人的用途上，卻沒有向我報告那些雕像準備要送去給誰。」

「沒有人，」首長接腔道，「他是根據我的命令去準備這些方解石貢桌，用於塞特奝二世的陵墓。」

伊姆尼馬上滿臉通紅。

「我……沒有人告訴我這件事。」

「在告人狀之前，最好先打聽一下。還有呢？」

「還有，卡烏浪費了大量的紙莎草紙！」

「不對，」帕尼泊插話道，「他幫我的彩繪圖案畫草圖，而且我們的紙莎草紙用量也不該受到限制。」

陵寢書記同意帕尼泊的說辭。

「你不要再用這種招式了，」肯伊向他的助理勸道：「你也不夠格。」

伊姆尼將滿腔的怨氣吞回肚子裡；老天保佑他，他在家譜方面的研究頗有進展，不久之後他便可以進行報復了。

*　*　*

阿孟美斯的葬禮過後，一切郵件服務又恢復了正常，叛徒也重新開始和他幕後的主子通信。他剛剛收到對方一封以暗碼寫成的密函，與他相約在離村子不遠的祖先山丘上見面。工匠們在休假時，常常會來山丘上祭拜這些祖先和神明。

自從內戰的陰影消失以後，村民已獲准離開村子到外地，但叛徒對於索貝克仍懷有戒心。因此他沒有和其他工匠一樣，渡過尼羅河去看他們的家人，或辦理一些私事。

他利用早上的時間休息，然後徒步到祖先山丘上。當然，一名努比亞警衛尾隨在他後面，見到他是到這個地方，便放了心，隨後自行回到第五堡壘。

在一片相思樹林中，有一個小神廟。他對神廟所象徵的意義早已麻木不仁。

「沒有人在看我們，」賽克塔說道。她穿了一身白袍，喬裝成前來神廟為祖先供上祭品的女祭司。「你到底找到『光之石』所藏置的地方沒有？」

「很不幸沒有，不過我並未放棄希望。」

「只有你能夠成功，但必須先除去主要的障礙。」

「什麼障礙？」

「首長本人。」

「您指的是什麼意思？」叛徒用顫抖的聲音問道。

「務必要把尼菲寡言除去。一旦他消失了，村子也會跟著失去力量，通往『光之石』的路便昭然若揭。」

「您這是在命令我去犯罪！」

「你仔細想想，這是唯一最好的辦法。當然，你到時可賴到你最厭惡的一名工匠身上。」

「那是不可能的。」

「尼菲的死會導致行會的消失，而你的報酬也將會很可觀，相信我。」

「太危險了。」

「等到你有腹案的時候再通知我。我們把村外等著你的財富增加到十倍。」

63

全家都已入睡，阿沛弟悄悄地走近妹妹睡的小木床。他越來越討厭這個愛笑的小妹妹。阿沛弟常被學校的老師處罰，因此花在公共服務的時間上遠比和同伴在一起玩的時間來得多；一心只想打鬥和證明自己力氣的他，已對這個工匠和女祭司的世界感到很厭倦。

賽雷娜在未來一定是個十全十美的女孩！聽話的她，當然會討父母的歡心，因而使得阿沛弟掉入黑暗的世界。

因此，阿沛弟決定在來得及改變之前採取行動。只要用一條尿布把她悶死，他就可以永遠擺脫這個危險的對手。

就在他把手擱在小床上時，帕尼泊強而有力的大手立刻從後面抓住他的頭髮。

「你想幹什麼，阿沛弟？」

阿沛弟並沒有因為疼痛而哭出聲音，只是徒然地想掙脫父親的手。

「我只是想看看她睡了沒！」

「你說謊！你想傷害她，是不是？」

帕尼泊把他像一塊髒抹布般扔在地上。

「如果你真的傷害了她，我會把你的骨頭打碎。從現在起，你要負責你妹妹的安全。最好不要給我出任何的差錯。」

* * *

「他接受了嗎？」莫希問妻子。

「還沒有。」

「如果他還有一點理性的話，他絕對不會進行這個荒唐的計劃！」

「我可不這麼認為。我答應給他一筆巨額的財富，他無法抗拒這個誘惑的。」

「一個真理村的工匠謀殺自己的首長……根本不可能！」

「我們的盟友和別人不一樣。他這一輩子盡是做出背叛的行為，而且高明到神不知鬼不覺。現在只剩下最後一步，他一定會踏上這一步的。」

「由於這個該死的行會，我們已嚐到多次的失敗！妳這個計劃太不合情理，根本不會成功的。」

「現在我已經很了解這個叛徒。野心和貪心會吞噬他的心，進而使他變成一個沒有回頭路的惡魔。」

「妳似乎對自己很有信心，賽克塔……」

「首長不是唯一一越挫越勇的人。這個行會與我們作對太久了，而我痛恨失敗。」

「要殺一個人不是那麼容易……我們的盟友不是一個懦夫嗎？」

「他當然是，而且會像一個懦夫般，殺了人再把罪過推到別人頭上！他不知道自己潛意識裡已經決定下去做，因為他還沒找到一個好的方法，讓自己無後顧之憂；不過你放心，他會找到辦法的。」

* * *

法老獨自待在托特神廟整整一天，這座神廟是拉美西斯大帝時期開始建造，在梅仁達時期完工。他則命令皇室的雕匠們在牆上添加了一系列的獻祭圖案，一直等到完工後，他才來到廟內與知識之神托特進行對話。

當他們在赫莫波利斯的日子裡，桃賽特皇后從未對他的沉默不語有過任何的微言，就好像她認為這種長長的沉思冥想有助於國王自過度的悲傷中走出來，而再度尋回他的力量。

當塞特裔和承傳千年知識的托特神祭司討論時，皇后負起了料理國事的重責大任。她與留在首府內的掌璽大臣百依保持聯繫，並針對不斷而來的問題給予處理上的指示。

既溫柔又堅定的皇后已贏得了所有中埃及大臣們的心，托特神大祭司對這位皇后也讚美有加。對他而言，皇后就像是瑪亞特女神的底座，支承了整個國家的重量。

塞特裔來到辦公室，桃賽特正在寫一封信給百依，以解決從克里特島進口的一些產品定價問題，偌大的辦公室窗戶外，面對的是托特神廟。國王的臉上已多了幾分寧靜，彷彿包袱已不似從前那般沉重。

「取暖用的木柴是否仍然缺乏？」塞特裔問道。

「不，陛下，我已從敘利亞和黎巴嫩進了足夠的數量來應急。所有的省份都已獲得供應。」

「我很佩服妳，桃賽特；很少有皇后能夠如此有效率地承擔這種責任。若沒有妳，埃及很有可能會沉淪下去。」

「你一直都是法老，而法老的政府也從未停止過關心老百姓的福祉。」

塞特裔望著溫柔的晚霞將廟牆染成一片金黃。

「這座城市是不是很美？它是如此的平靜，它的祭司忠誠地追隨托特神的路，任何人都不應該打擾它的平靜。然而，我卻對它做了什麼？我把大量的士兵佈署在這裡，神廟所在的樫柳林差點就被可能發生的戰爭摧毀。」

「你的雕匠不已把神廟更美化了嗎？」

「若以軍隊給這城市所帶來的困擾而言，這個賠償又算得了什麼……現在是離開赫莫波利斯並調離軍隊的時候了。」

「我們要去哪裡，陛下？」

「底比斯。」

＊　＊　＊

「頸子後面的頭髮要剪短一點。」傑德向雷努貝要求道。雷努貝精湛的剪髮手藝向來為村民所稱道。

「遲早會到來的。」

「陵寢書記已告訴我們塞特裔和他的軍隊正朝底比斯前進。」

「有人說塞特神的憤怒感染了國王，因此他對這個當初不忠於他的城市會採取毒辣的報復。」

「你無需憂慮，雷努貝，該來的總是會來。」

「想想看，塞特裔的軍隊可能不會放過這個村子！」

「首長也許會下令我們拿起自製的武器誓死抵抗。我們還能期待什麼更好的方法？」

「可是我還想活命啊！」

「活著的方式有很多種，朋友；但沒有一種能夠取代自由。你可千萬不要把我的頭剪壞了：在這個事態嚴重的時刻，一定要維持最高貴的形象。」

＊　＊　＊

這已不再是謠言：塞特裔已經到達。莫希將軍坐鎮在位於東岸的總營部，並未作任何的反應。不祥的鳥兒成群飛來飛去，彷彿在預言塞特神的憤怒將摧毀這座阿蒙神城，人民焦慮的情緒也隨之增高。

在真理村內，歐塞哈特、伊普伊和雷努貝等雕匠刻了許多的石碑，上面有的是七條守護蛇，有的是十條、十二條或十八條不等；他們將這些石碑安置在村子的大門兩旁，以阻止邪氣的侵入。工匠們不再到國王谷地，只有整理自己的家園，再不然就是他們的陵墓，當作什麼事情都沒有一般。智女帶領著女祭司向哈托爾祈禱，希望愛可以戰勝怨恨。

「我們的祖先運氣比我們好，」帕尼泊向尼菲說道，「過去的年代沒有這麼混亂，行會這種單位也較少受到威脅牽累。」

「他們的年代有他們的問題，而我們應該要正視我們所面臨的危險，同時一心維護被『光之石』所賦予生命的作品。跟我來。」

他聲音中的莊嚴令帕尼泊感到一震，於是隨著首長來到神廟。他們穿越露天中庭後，進入了第一間大廳，那裡有一個狹窄的階梯通到屋頂。

太陽已下山，天空乾淨得沒有一片烏雲。

「我要教你如何使用我們所謂的『知識的工具』，也就是用棕樹葉脈製成的星盤。你可以利用它將任何一種建築的每一角與東南西北點對齊成一直線。」

帕尼泊表現出這方面優異的天賦；和天空玩遊戲令他得到相當大的快樂。

「我所教你的是夜裡十二時辰的神秘知識，」尼菲提醒他，「不過你也需要了解黃道十二宮每十度的星星位置，以及它們所含的意義。這些星群的位置隨著一年四季而變化，你可從中知道時間的祕密，並得知舉行儀式的最佳時刻。每個星座中的其中一顆星根據其位置的改變被定為計算時辰的單位。天狼星是所有星座的標準星，它與太陽同時升起的那一天就是我們日曆三百六十五天的第一天。此外，天狼星在一年之中會消失七十天，然後與太陽同時再度出現，因此木乃伊化的過程才會被定為七十天，以象徵其復生的意義。」

「為何要告訴我這些？」

「為了讓你了解真理村的生活等於是對星星的想像，而且你也許在或遠或近的將來負責建造一座神廟。我今晚教你的是不可缺少的東西。」

「但你才是首長啊！」

「每一代都會隨著時間過去，只有諸神的語言長存，無論它是寄語於光明或石頭之中。」

智女出現在階梯口，左手握了一根象徵塞特神力量的權杖，祂的天火足以穿透任何最堅固的物質。

「有了它，你可計算出影子，而且獲知依太陽移動所建立的正確方位；你留著它，並只能將它運於建造。」

權杖非常灼熱，但帕尼泊的手毫髮未傷。他覺得自己握著的權杖沉重得幾乎令他舉不動；然而智女剛剛卻能輕易地掌握它。

「我們繼續觀察天空，」首長說道，「你還有很多東西要發掘呢，帕尼泊！」

整個村子沉浸在一片不安的睡眠中。尼菲、卡萊兒和帕尼泊在神廟的屋頂上度過了一夜，彷彿未來是屬於他們的。

64

「我們的線民有沒有提供最新的消息？」莫希向副官問道。

「法老在丹德拉停下，向哈托爾女神祭祀。他朝底比斯前進的速度非常緩慢，因為他依照傳統，一路上不管神廟的大小，都會去參拜，以使諸神接受他。」

「塞特裔到底有沒有表達出他的真正目的？」

「沒有，將軍。」

「我軍的士氣如何？」

「不怎麼樣。他們都在等待明確的命令。」

「那好，令所有的武器都放置在軍營內，並且要所有的底比斯士兵準備慶祝塞特裔二世的到來。」

副官放下了心上的一塊石頭。他和許多人一樣，懷疑莫希會走阿孟美斯的路子，起來反抗法老，而引發一場血腥的對抗。還好，將軍表現得很理性，並接受了法老的政權。

如果莫希是持相反的態度，那副官便什麼也不說。既然莫希將底比斯和百姓的利益擺在前面，他決定要說出心裡的話。

「將軍，您可能會因為您的一名軍官而惹禍上身。」

「這個軍官對我有什麼批評？」

「他說您為了挽救自己的地位，曾經不顧一切、大力支持阿孟美斯，並對塞特裔說謊。」

莫希竭力保持鎮定。

「是哪個人敢說出這種毫無根據的話？」

「是弓箭隊上尉。」

莫希幾乎氣昏過去。

「這個出身微寒的傢伙，是我一手提拔他上來……他怎麼會做出這種忘恩負義的事情？」

「他想把責任推到您頭上，希望能保住自己一條命，甚至獲得升遷。」

「他跟誰說了這些話？」

「只有跟我說，主要是想叫我支持他。他看我很專心地聽他說，因此認為我是站在他那一邊，並且會說服其他的軍官加入我們。」

「那你為何仍對我忠心？」

「因為您是國家的忠誠僕人，一心只為國家的幸福著想。」

「你願不願意讓這個上尉繼續相信你是他的盟友、而且正在準備一項陰謀對付我？我要知道他是否想盡辦法來害我，或是放棄他這個可恥的計劃。」

「直接逮捕他、讓他受軍法審判不是更好嗎？」

「我們必須先知道他是否有同黨。」

「我並不喜歡這個任務，將軍，不過我去做就是了。」

「我不會忘記你的功勞的。」莫希保證道。

* * *

「最近得到的消息不是很好，」首長向工匠們說道，「索貝克隊長也分不出它們的虛實，不過聽說塞特裔想要處分底比斯，而莫希將軍決定不用武力反抗他。」

「我們的命運又如何呢？」帕伊憂愁地問道。

「物資的運送補給目前都維持正常。萬一中斷了，我們的庫存還夠大家撐好幾個禮拜，這都要感謝陵寢書記平日耐心地屯積糧食。」

「那水呢？」卡烏問道。

「最好是定量分配。假使真的缺水，肯伊會向當局反應，左隊隊長也會組成一支隊伍，為我們取得供水。」

「我們什麼時候才會再回到國王谷地工作？」費奈德問道。

「這要視國王的態度而定。目前我們還有一個更緊急的工作，那就是讓真理村脫離險境。」

「怎麼做？」

「完成一個作品，讓卡納克神廟在下一次的阿蒙神祭典上用得到。索貝克隊長、帕尼泊和我會到西岸的造船廠，去取一些必要的木頭來建造一條遊行儀式所用的阿蒙神舟。」

「處於這麼混亂的時期裡，這樣做很冒險！」圖弟說道，「耐心等待是否較為保險？」

「智女認為我們所剩的時間不多。等我們一拿到木頭，大家馬上就日以繼夜趕工。」

＊　＊　＊

平常造船廠總是忙成一團，但現在卻處於休息狀態。由於沒有明確的指令，木工們全都放下了工具，並把相思木與洋桐木板堆放在一間棚子裡。

當三人來到造船長入口時，一名守衛把他們擋了下來。

「你們是什麼人？」

「我是真理村的首長，隨行的是警衛隊長和一名工匠。」

「您是尼菲寡言本人？」

「正是他。」帕尼泊回道。

「我去通知廠長。」

廠長的年紀五十來歲，寬肩闊胸，樣子不是很友善。

「您的來訪讓我很驚訝……有什麼事？」

「我們打算取得一些必要的木頭，以製造一條祭典用的神舟。」尼菲回答他。

「您有沒有徵用令？」

「只有法老才能給我這只徵用令。」

「所以說，我不一定要把木頭交給您。」

「您是否願意給我們一個方便？」

造船廠的工匠對真理村的工匠都很嫉妒，因為他們擁有一些別人無法知道的祕密。對廠長而言，這是一個洩恨的好機會！

「如果我拒絕呢？」

「那麼您會讓我們陷入一個很大的困境，因為只有您這兒才有上好的木塊，我們一定得用它們來製造一條配得上阿蒙神的神舟。」

「您說話還算坦白，尼菲！」

「我知道您認為我們的行會很驕傲，但實際上我們和你們一樣，會碰到材料的問題，我們也希望在不為難任何人的情況下，把工作做好。」

「這個壯漢和警察陪著您一起來……他們是不是準備來硬的？」

「不是，」首長微笑道，「他們只是來幫忙把貨搬上驢背。決定權在您一人。」

「若是我交給您這些木頭，您是否會把木工的祕密技術告訴我？」

「您已經擁有這種專業技術；祕密是另一回事。」

「這麼說，就算我好意配合，也得不到什麼好處，是吧？」

「是的，除了好意本身就是一個美德。」

若換作是帕尼泊，他早就把這個令人受不了的傢伙一拳擺平，然後帶了木頭就走。像他這種寄生蟲，沒有什麼好說的。

「去拿您該拿的吧！」廠長妥協了，「不過要填一張取貨單。我可不想惹來行政上的麻煩。」

「陵寢書記會為您辯護的。」

尼菲把木頭分配了一下，確定北風帶頭的每隻驢子載重量不致於過重之後，自己和索貝克、帕尼泊再扛剩下的部份。

*　*　*

工匠們用短柄橫口斧去掉船身上凹凸不平之處，然後鑿出舷牆、艄柱和艉柱，以及支承船舵的部位；他們接著用長柄橫口斧將龍骨的外部整平。

狄弟亞依照首長和傑德所畫的藍圖來指揮工作，帕尼泊從旁協助；雕匠們分配到船身的工作，石匠們負責木板的接榫工作。由於每個人都學習過特殊的技巧，因此不管任何的材料，他們都能夠勝任愉快，儘管如此，傑德仍在一旁監督，準備隨時糾正不完美之處。

神舟終於現形，有蓮花形狀的艄與艉，與金質的神龕；整條相思木神舟表面磨得非常光滑，美得教人屏息。

「這條神舟簡直可以當你的代表作。」首長對珠寶匠圖弟讚美道。

「我真不喜歡這麼趕……若沒有帕尼泊和卡烏的幫忙，我根本做不出什麼像樣的作品。」

「你們別以為工作已經完成，」傑德說道，「還得再加上羊頭的雕刻，以顯示阿蒙神的存在，還有在神龕頂部四周鑲上聖蛇，以驅邪氣。」

「我們不要忘記神龕的四面都要用布簾遮住，」尼菲加了一句，「因為阿蒙神同時也是保密之神，這麼一來，神舟才得以完整地獻給法老。」

叛徒靈光乍現。

首長最近一定是得到一些消息而沒有告訴大家，可想而知，這些消息絕對與真理村的命運有關。村子大概是要面臨悲慘的下場，因此尼菲找到絕佳的方法，準備把最珍貴的財產「光之石」藏在阿蒙神舟上的神龕布簾後面，運出村子。

首長是否和卡納克的大祭司協議，用這個無價之寶來換取他個人的安全？他雖然身為行會的首長，在緊要關頭的表現卻有可能像一名懦夫。殺了他，也許不是一件什麼大罪過。

總而言之，叛徒眼前有一個大好機會：尼菲到時會把「光之石」藏在金質的神龕裡面，而且認為不會有任何一個工匠敢侵犯這處聖所。

尼菲寡言錯了。

65

莫希的副官與弓箭上尉相約在壓榨機附近見面。這台機器是軍隊後勤人員製作葡萄酒，以供士兵在節慶時飲用。會面的地方相當偏僻，上尉心裡很高興能信任這麼一位有勢力的盟友。

長久以來，上尉早已懷疑莫希只關心自己的前途，因此腳踏兩條船，扮演兩面人的角色；他視莫希為一個厚顏無恥、殘暴無情的野心家，為了鞏固自己的權力，什麼事都做得出來。他沒有告訴任何人，只是私下小心翼翼地進行調查，而目前的結果足以讓他判定將軍是個殺人兇手。他相信只要有副官和其他高階軍官的支持，他一定可以找到證據。

說不定莫希還殺了阿孟美斯；他極有可能設下一個陷阱，讓塞特奝掉進去。一定要盡快通知國王，讓這個一心只想奪權的不忠將軍被抓起來判刑。

只需要幾名有勇氣的軍人聯合起來，便可打敗這個終於露出馬腳的未來暴君。副官知道如何找來這些軍官，而不引起將軍的注意。

一陣腳步聲遠遠傳來。

接著，又是一片寂靜。

為何副官停下腳步？上尉在黑暗中觀察，當他辨識出有好幾個人影包圍在他四周時，全身的肌肉立刻緊繃起來。

「誰在那裡？」

他們現身了。

三十幾名弓箭手拉緊弓瞄準他。

「你最好馬上投降。」莫希命令道。

上尉意識到自己沒有逃脫的機會，於是把手滑到腰際，打算拔出匕首。

「小心！」莫希高喊道，「他要攻擊我們！」

三名弓箭同時發射。第一枝箭射進他的左眼，第二枝射中他的喉嚨，第三枝命中他的胸膛。

他直挺挺地倒了下去，後腦撞擊到壓榨機的邊緣。

莫希搶先過去檢查屍體，並彎下腰悄悄地塞了一小張紙條在他的腰際。

「幹得好，」莫希向弓箭手說道，「如果沒有這三位馬上採取行動，我們之中可能會有好幾人受傷。叫人對屍體進行搜身。」

「有一份文件，將軍！」

「把它唸出來。」

「是一些人名……一些高階軍官的名字！」

「把這些名字大聲地唸出來。」

在場的弓箭手全呆在那兒，如同莫希所言，的確有阿孟美斯的舊羽，準備謀反除去塞特裔二世！

「把這些反叛份子逮捕起來。」莫希下令道，同時暗自高興可以除掉這些對他不夠忠誠的人，並換上那些無條件服從他的人。

* * *

副官在莫希的豪宅內等候。總管回來了，前來迎接他的人是賽克塔。

「您看起來似乎累壞了！」她說道，「您沒有不舒服吧？」

「我很好，夫人。」

賽克塔轉身面向總管。

「這位軍官工作得太勞累……您去給他準備棗子酒，好讓他恢復一點精神。」

總管立刻照辦，而副官也不再客氣地品嚐著香醇的棗子酒。

「請跟我來。」賽克塔說道，並且把客人帶進一間有斑岩柱的大廳內。

「貴府真的是美侖美奐！」

「我承認自己還很滿意；您有沒有發現那些紅黑相間的緶帶飾很細緻？」

副官把酒杯放在矮桌子上，並抬起頭望向天花板。

「我先生應該很快就會回來，」她說道，「他非常感謝您安排了與那名上尉的見面事宜。他一定會很驚訝見到人是將軍，而不是您本人，不過莫希會勸服他不再犯類似的過錯。」

「將軍的寬大為懷令我很驚訝，我不否認這點……如果上尉是經由軍法審判，他一定會被判很重的刑。」

「我先生對部下一向非常寬容。這不是一個優點嗎？」

「當然是……不過人們尤其欣賞他的威嚴。因此我才會對這種寬恕感到驚訝。」

「依您看，這個上尉還有沒有其他的同謀？」

「沒有，他向我保證過。他只信任我一人，並希望我能拉攏一些對莫希有敵意的高階軍官。」

「一旦他不再犯這種錯，應該就沒有別的軍官想害我先生了吧？」

「沒有，夫人。」

「而您自己，親愛的朋友，您差一點就背叛了將軍。」

副官額頭上冒出了汗珠，他全身突然感到一陣不尋常的疲倦。

「我？完全不可能！」

「我相信那個上尉的惡毒說法一定引起了您的震撼，而您也懷疑起我先生的忠誠度。」

「不，我向您保證沒有這回事！」

副官試著想站起來，卻沒有辦法。一陣冰冷的霧模糊了他的視線。

「我先生已不再信任您。因此有必要把您除去，就如同弓箭上尉的下場一樣。」

「我……我怎麼了？」

「想必是疲勞過度和飲酒過量吧！在您這麼累的情況下，實在應該只喝水的。」

一陣尖銳的疼痛令副官呼吸困難。他嘴巴張開、全身動彈不得，最後昏死了過去。

賽克塔確定他已經死了之後，才呼叫總管。

「快來，我們的客人身體不舒服！」

「情況很嚴重，夫人。」

「快把軍醫請來！」

「我擔心恐怕來不及了……」

「天哪！這個可憐的孩子勞累過度，以致於心臟病發。」

為了不讓事件擴大，當然由任職皇宮醫療總長的達克泰檢驗屍體，並開立診斷書，證明副官因心肌梗塞而死亡。

賽克塔很高興她的毒藥這麼有效。不過她心裡有點發毛，因為要不是副官的天真，莫希的事業可能已經完蛋了。幸運之神又再度眷顧他們，前途也再度展現光明。

＊　＊　＊

聖舟上的神龕頂部四周需要將聖蛇裝飾固定上去，伊普伊削瘦而敏捷，最適合擔任這項工作。

「還是讓我來做好了。」歐塞哈特提議道。

「你太重了！」

「難不成你忘了我才是雕匠組長？」

「這並不代表你的身手靈活到足以擔任這個工作！」

伊普伊如猴子般輕巧地爬到神龕上面，連梯架和安全帶都不用。

「快下來，太危險了！」

「別胡說了！」

伊普伊把精工雕刻的聖蛇條飾固定好，然後在完全沒有支撐點的情況下用銅鑿做了最後的修飾。有那麼一刻，他懸空不動，彷彿一隻展翅待飛的小鳥。

然而他不過是真理村的使徒而不是小鳥，只見他重重地摔落到舷牆邊。

他痛苦地大叫出聲，大家意識到這下子摔得不輕。

「不要碰他！」首長吩咐道，「帕尼泊，你去把智女找來。」

卡萊兒一路用跑的趕來，並冷靜地為伊普伊檢查。

「鎖骨斷裂。」她診斷道，「奈克特、帕尼泊，你們兩人協助伊普伊平躺，並把一塊折疊的毛巾墊在肩胛骨底下。」

伊普伊全然信任智女，因此靜靜躺在那兒任由她處理。

「你們兩人將兩邊肩膀往外拉，讓鎖骨骨折部份先復位。」

奈克特和帕尼泊在卡萊兒的指示下做得相當成功，而且沒有讓病人吃到太大的苦頭。

智女用包住麻布的夾板將骨折的地方固定住。

「我會不會變成殘廢？」伊普伊憂心地問道。

「當然不會，」卡萊兒安慰他，「你得包紮幾天，我會用上好的藥用蜂蜜來幫你治療。幸好傷口並無大礙，所以不會有什麼後遺症。」

伊普伊焦急地望著金色的神龕。

「我算是弄好了，對不對？」

「作品很成功。」尼菲回答他。

奈克特和帕尼泊用擔架把伊普伊抬走，這時碧玉和另外兩位哈托爾女祭司帶來一塊很大的金色布簾，用於圍住整個神龕。

叛徒確定到時裡面一定藏了他想要的東西。

66

神舟的開光儀式在夜裡舉行。首長和左隊隊長自雕匠的工作室走出來，手中捧著一樣物品，上面覆蓋了一塊厚布。他們將這個珍貴的物品安置在神龕裡面，等到它在阿蒙神廟遊行時，組成世界的十物將會被賦予生命：太陽、月亮、空氣、水、火、人類、行走於地上的生物、天上的生命、水中以及地底下的生物。

神舟與這些形式的生命連在一起，象徵能量的結合，在不斷的變化中維持宇宙的統一。

儀式結束後，工匠們去探望了伊普伊，確定他在止痛藥的幫助下安然入睡後，大家便各自回家了。

神舟被安放在一個底座上面，介於大神廟與阿蒙神的小廟之間。由於神舟含有神聖的意義，以及本身會發出神奇的力量，因此首長認為不需要留人看守。

雖然如此，叛徒還是加倍小心，並先觀察小黑和大壞蛋是否仍在村子裡遊蕩。夜裡的寒冷令牠們寧可留在家裡睡覺。接著，他又窺探四周，以確定這不是一個圈套。

神舟擺放的地方空無一人，叛徒在一個相當的距離之外停留了好些時間。一隻貓頭鷹咕咕叫著，山裡的豺狼此起彼落、呼應了幾聲，接著又是一片寧靜。

他變換了位置，靠得更近，然後又停下來耐心地等了一會兒。如果真有工匠躲在某處觀察他，他一定可以發現這名工匠。

一路上暢通無阻。

他攀上舷牆、爬進神舟，並悄悄溜進布簾內。神龕的門用門拴鎖住，他輕輕地把它拉開。

想到「光之石」的強烈光芒，他閉起了眼睛，雙手顫抖地把門推開。多年來，他一直想得到的東西就在前面，一到手之後，他便成是底比斯最有錢人的人之一了。

他睜開眼睛，不見強烈的光芒，只見淡藍色的月光，叛徒在神龕內部環視了一圈。

沒有「光之石」，只有一小尊雕像。雕像中的阿蒙以敏神的姿態出現，亦即右手高舉，性器官勃起。阿蒙神是原神的象徵，一直不斷地由自己的精液創造出自己。

「光之石」會不會就藏在雕像底下或後面？不，神龕內部的空間不夠大。查一下總是好的，只是這麼一來就得移動雕像，而犯了瀆聖罪。

叛徒猶豫不決。

如果他這麼做了，還配稱得上是真理村使徒嗎？他等於是切斷了與行會的最後一絲關係，也否定了遵循瑪亞特的路。話又說回來，他可曾真正遵循過這條路？他所追尋的，既不是智慧、也不是創作，而是他個人的利益，他與其他工匠早已形成陌路了。

叛徒很清楚這麼做的嚴重性，然而他卻毫不退縮。

他堅定地伸出一隻手，抓住雕像頭上皇冠所插的兩根金羽毛，然後把雕像移開。

「光之石」並沒有藏在那裡。

當他把雕像放回原位時，他感到手心一陣劇痛。一道很深的傷口劃過了皮膚，但卻完全沒有滴血。

他急急忙忙地把門關好，鎖上門拴，並蓋好布簾。希望能用藥膏止住手掌的疼痛。

* * *

肯伊和每個早晨一樣，用蓖麻油來清洗頭髮。蓖麻油不但能讓頭髮再生，而且還能除去前一夜殘留的惡夢。昨天夜裡更是特別不舒服，因為肯伊夢見自己正在吃黃瓜、喝熱啤酒和吞食一隻鱷魚！第一個表示：遇到困難；第二個意味著：損失財產；第三個則是：與官員相爭，自己有理。不過肯伊不記得這三個夢境的順序！而最後一個夢境具有決定性的關鍵，因為它會蓋過其他兩個……

「吃早餐了。」牛妞喊道，「我來幫您擦擦頭，否則您會著涼的。」

老肯伊讓步了，只要是家裡的事情，他永遠爭不過她。年輕的牛妞是個完美的家庭主婦，而且做什麼像什麼。肯伊的房子變得美麗又舒適，其他的婦女雖然有些嫉妒，但還是前來向她學習。

「妳沒有自己足夠的時間。」老肯伊向她嘮叨著。

「我在這裡有太多的事情要做了，而要把事情做得好，就得有足夠的時間。」

「妳做得很好，牛妞，但我指的是妳的感情生活……有人告訴我費奈德覺得妳很美麗。」

「您忘了我是個已婚的女人？」

「我們的合約很清楚，牛妞：妳將是我的遺產繼承人，但妳是個自由之身。如果妳不喜歡費奈德，那就選另外一個人吧！妳這個年紀不該和像我一樣的老頭子過一輩子。」

「假使這就是我的自由呢？」

「那些年輕的男人對妳沒有吸引力嗎？」

「以目前來講，的確是一點都吸引不了我。我很滿足於整理我的房子、和哈托爾女祭司歡笑地過日子。再說，既然您對我就像您先前所承諾的，我何苦到別的地方去尋找虛幻的幸福呢？」

牛妞堅定的態度讓肯伊無言以對。這麼說來，他不會因為她而面臨困難，相反的，這樁婚姻只有給他帶來許多的好處。

他胃口大開地享受著早餐的蠶豆熱餅，直到帕尼泊出現，才打斷了他的寧靜。

「物資的補給出了問題。」

「是水嗎？」
「不是，是肉品。」
「不可能的！」
「戴斯可不這麼認為。」

* * *

戴斯一頭短髮、身穿皮質纏腰裙、右手拿著一把刀、左手握著一塊磨刀石，他將所有的助理工都聚集在一起。
「沒有牛肉、沒有羊肉、沒有豬肉、甚至連一隻家禽都沒有！這是不是在開玩笑？我假如不工作，就沒有薪水可拿了！」
「大家冷靜。」肯伊要求道，他最痛恨好好的一頓美味早餐被人打斷。
「我憑什麼要冷靜？已經有一個禮拜的時間沒有送肉來我這兒了。」
「為什麼沒有及早通知我？」
「因為那些送貨的人一再說謊敷衍！現在該怎麼辦？」
第一個夢應驗了：遇到困難。
「我來處理。」陵寢書記說道，這一天還沒開始，他就已經覺得累了。
他在首長的陪同下，來到了百萬年大神廟，入口處的磚造拱形建築內庫存了許多糧食。說話不清不楚、留著小鬍子的牲口書記接見了他們。
「真理村已經有一個禮拜沒有收到肉品了。」肯伊開門見山地說道。
「以東岸目前的情形而言，這很正常。當局已無法正常作業。」
「我要提醒您，不管在任何情況下，百萬年大神廟都得提供我們生活必須品。我們在神廟的土地上，不是擁有一些牲口和一處家禽飼養場嗎？」

「不見了。」

肯伊立即想到第二個夢，不禁皺起了眉頭。

「不見了？這話什麼意思？」

「我指的是那些所有權狀。實在很抱歉，不過我還是得中斷供給。」

「弄丟這些文件的是您本人吧？」尼菲問他。

「也許吧！反正事情就是這樣。」

「您忘記了更重要的一件事：只要這個國家還有瑪亞特神在，當局就不能推卸責任，並且需要更正它的錯誤，而不讓人民無緣無故受損。」

牲口書記態度依然強悍。

「這由當局來決定，而且……」

「您最晚今天下午就派人給我們送貨，」尼菲打斷他的話，「而且這種不合法的事不得再發生，否則就由法老親自出面干涉。」

書記原本打算再侵占一批肉品，然而首長威嚴的態度和強硬的口氣令他打消了繼續抬損的念頭。

「貨會送去村子的。」他承諾道。

肯伊鬆了一口氣。幸好吞食鱷魚的夢是第三個，也是最後一個夢。

*　　*　　*

莫希非常痛恨炎熱的夏天及酷熱的太陽，而近來這段不尋常的涼爽日子令他感到很舒適。他仍然深受士兵的愛戴，底比斯軍隊也很贊成軍方肅清阿孟美斯的餘黨。對於弓箭上尉的死，大家都認為他死有餘辜，因為他陰謀反抗塞特奝二世的行為令人感到不恥。

莫希出席了他副官的葬禮，對於這名英年早逝的軍官深表惋惜，並向其家屬致上他最深的敬意，同時也不忘贈予他們一塊田，以感謝副官曾經做出的貢獻。

「我們在真理村的盟友是否有進一步的消息？」他向賽克塔問道。

「還沒有，不過他一定會接受我們的提議的。」

「我越來越不確定了。」

新任副官前來向莫希行禮報告。

「將軍，尼羅河警察局來了一份報告……國王的艦隊已達底比斯！」

67

天氣已轉趨溫和，空氣中飄著千百種花朵的香味。冬天終於結束了，熱氣彌漫在春天裡，迎接國王艦隊的到來。底比斯的士兵全聚集在河岸邊，手中所高舉的不是平日的武器，而是棕櫚葉，十幾名樂師在一旁演奏著音樂，大家熱烈地等待著歡迎國王夫婦，彷彿很肯定塞特裔二世對底比斯城會有善意的表達。

只有莫希一人內心焦慮不安，因為他完全不知道國王的真正意圖。當塞特裔與桃賽特走下船梯時，莫希自問他會不會面臨被流放到巴勒斯坦或努比亞，在那兒當個小堡壘營長直到老死。

塞特裔二世是個奇特的人，既強而有力、又宛如在夢中般不實際；儘管他就在眼前，莫希仍然無法看穿他的想法。

「陛下及皇后的蒞臨，令臣感到莫大的快樂！」

「我們很高興終於能在阿蒙神城回歸平靜的日子裡停留一段時間。」皇后帶著迷人的微笑說道，「我希望不會有什麼人事物影響到我們的安全。」

「底比斯對皇室忠心不貳，您們可以放心。」

「我們現在就到卡納克，」桃賽特說道，「國王希望與總祭司面談。」

「法老不希望先接受底比斯軍隊致敬？」

「等我們決定了，再告訴您，將軍。」

莫希鞠躬退下。

他對自己未來的命運仍然一無所知，不過他發現國王一臉疲倦，走起路來也像一名垂垂老朽般困難。

為了讓國王看到真理村無瑕而美麗的一面，肯伊令大家將整個村子和助理區徹底地打掃了一遍。

「塞特裔還留在阿蒙神廟內嗎？」他向索貝克隊長問道。

「他昨天已經離開那兒，去主持一項高階會議，其中沒有任何人受到懲處。底比斯終於可以鬆一口氣了。」

「這麼說，他應該很快就會駕臨村子了。」

「好幾天以來，」索貝克坦言道，「我一直都有種不祥的感覺。」

「很明顯的，塞特裔已不計較過去，阿蒙神城也不用再怕他了。」

「有什麼東西圍繞著我們……或許是一個邪惡的靈魂想要謀害我們。」

「如果有這麼一回事，我應該會做噩夢才對！」

「你們還是小心一點，」索貝克勸道，「我的預感一向都很靈的。」

「你總不會認為那個叛徒就藏在我們之中吧？假使他真的存在，我們早就認出是誰了。不順的日子已經過去，上下埃及已恢復統一，而真理村也將再度正常運作，並過著它平靜的生活。」

「願老天爺保佑我們。」索貝克依然憂慮地說道。

前方一個山丘頂上有一名警衛對他做了一個手勢。

「皇室的隊伍已接近。」索貝克宣佈道。

*　　*　　*

塞特裔已不親駕馬車，他的車伕以緩慢的速度前進，以免國王受到顛簸之苦。六十歲的法老看起來比實際年齡多了二十歲，彷彿他體內已無卡氣。

莫希負責整個隊伍的安全，這讓他鬆了一口氣：國王依舊信任他，讓他保有所有原來的職權，包括真理村保護者一職，同時也讚揚他為和平所做的努力。

塞特奝在所有大臣面前頒給他金鍊章，也等於是將他晉升為全埃及最重要的人物之一。

國王的馬車一停下，村子大門立刻開啟。

「你們心中要存虔敬之心，」首長向工匠們說道，「不要急躁，每個人就自己的位置好好扛著神舟，阿蒙神自會決定航向。」

神舟的隊伍開始前進。走在最前頭的是首長和智女，再來是兩隊工匠用兩根長長的雪松幹扛著阿蒙神舟，最後面跟著陵寢書記。

接近中午的太陽將金神龕照得閃閃發光。

連莫希看了這個行會的傑作都驚嘆地說不出話來，想要佔有行會祕密的慾望也越來越強烈。

「帶朕到拉美西斯大帝的廟裡，」塞特奝二世命令道，「朕先祭拜他，然後再到朕的陵寢。」

* * *

首長將印有真理村字樣的泥章打破、拉開門拴、並推開金色的木門。他握著火炬，帶領國王參觀他的陵寢。

塞特奝沿著走廊細細地看著瑪亞特的畫像、自己化身成奧塞利斯的雕像、拉神的祝禱文，一直到帕尼泊獨創畫法的那間小室，牆上的主題是用特殊的赭黃色所畫的所有陪葬品。國王在每一幅畫前都佇足良久，彷彿他正活在畫中儀式進行的那一刻，讓這些象徵性的物品將他的木乃尹之身活化。

「沒有其他任何一個皇室的陵墓有這種畫法，不是嗎？」

「沒有，陛下。」

「作者是哪一位？」

「是彩繪匠帕尼泊阿當。他的畫風是否令您不快？」

「正好相反，首長，正好相反……他居然能將朕所希望的東西完整地詮釋出來，甚至連朕本人也無法描述得這麼詳細。千萬不要更改任何一個細節。」

國王來到有四根立柱的大廳，並膜拜了帕尼泊所畫的每一位神。接著，他穿過一道門，進入了陵墓的最後一個房間。

傑德和帕尼泊在四面牆上畫了法老在天上、在人間、以及在奧塞利斯陰間王國的三次誕生畫面。

「我們打算繼續在岩石內挖下去，最後鑿出一間您的大石棺室。」

「沒有這個必要，尼菲；朕覺得這座陵墓已完成。您就在這兒放置一具紅色花崗岩石棺，天花板則畫天神，祂振動的雙翅將使朕能呼吸到生命的空氣。」

* * *

帕尼泊憤怒的程度，彷彿連畫室的牆壁都跟著振動起來。

「中斷工程？這簡直太荒謬了！我已構想了一系列在走廊上和復生室的圖案！」

「我們必須尊重法老的意願。」尼菲強調。

「就算它會使我們的作品不完整，也得尊重？」

「這是屬於他的作品，由我們去執行，而不是我們的。」

「你去問傑德，他會告訴你我們所準備的圖畫有多少！草圖都已經畫好了，只等著去實現它們。」

帕尼泊氣昏了頭。

「你應該用你首長的身份去說服國王，讓他知道自己錯了！」

「他已告訴我原因，我也贊同他的看法。」

「換句話說，這麼多個月來的辛苦，都成了一場空。」

「你不是為了自己的樂趣而作畫，帕尼泊，因為你是真理村的使徒。假如你無法了解這個任務的重要性，你的手恐怕再也沒有創造性了。」

帕尼泊氣得衝出畫室。

「我曾經有過類似的經歷，」傑德說道，「我的反應也和他一樣。這不也證明了他熱愛他的工作嗎？」

尼菲沒有答腔便走出了畫室。

* * *

首長召集了右隊的所有工匠到議室堂。帕尼泊在進入禮堂之前，先走到淨身池邊，尼菲正在那兒沉思。

「請接受我的道歉，我表現得像個自負的大蠢蛋。這種事不會再發生了。」

「你真的可以放棄自我的創作嗎？」

「當然不能，首長，因為它是我的生命，我也還沒有老到要放棄它。不過我已了解完成一項使命比任何個人的成敗都來得重要。你會原諒我嗎？」

尼菲溫和地笑了笑。

「你還有很多事情要奮鬥，帕尼泊，不過我對你有信心。」

「沒有你，首長，我甚至不會存在。」

「你當然會，因為有一股火焰在主導著你，千萬不要讓這股火熄了。」

帕尼泊認識尼菲越久，就越覺得他的思想在另一個世界優游；尼菲和國王谷地內的岩石本質一樣，從無形中汲取生命的力量。

首長和塞特裔長談之後，每個工匠都迫不及待、想知道他要宣佈什麼。

「法老給了我們三個任務：第一，盡快將他的陵墓完成，並把石棺放進去；第二，在皇后谷地內建造桃賽特皇后的陵寢；第三，在卡納克神城內建造一座獻給底比斯三神的神廟。」

「卡納克有它自己的工匠，」卡烏不同意道，「為何我們得到東岸去工作？」

「這座神廟將建於阿蒙神廟之外，而且塞特裔要求由我們來進行。」

「這會不會是把我們調到村外的第一步，然後再關閉村子？」卡沙擔心地問道。

「完全不是這麼一回事，」尼菲肯定道，「我們的前人也常常遇見這種臨時性的任務。」

大家討論著一些技術資源及時間上的問題，然後便各自分散離去。

「你看起來好像不太高興。」雷努貝對帕尼泊說道。

「我會服從首長的命令，但我想他在面對這個國王時，顯得不夠剛強。」

68

掌璽大臣百依召集了政府中最優秀人員到皇宮的召見廳，準備給年輕的西卜塔一個考試。西卜塔很早就展露了他過人的天份，名聲也越來越大。他的一隻腳有點跛，走起路來有些困難，他毫無表情地進入了召見廳。

西卜塔剛剛升等成為皇室書記，亦即有了最高層次的學識，在科學方面的表現尤其出色。一些老官員對他抱持懷疑的態度，因為很少有技術師能將國事管理得很好；儘管百依大力推薦，許多人仍猶豫著是否讓年輕的西卜塔擔任要職。

年紀最大的一位官員首先發難。

「你對於租船的法律了解多少？」

「法律規定出租的船只能是輕船。由於曾經出現過許多弊端，因此荷倫赫布法老已修改過相關法律。不過這條法律仍保持一項原則，那就是有錢人必須讓付不起船資的人免費渡河。船資以船的大小而不同，我需不需要一一說明？」

「不需要。」

官員們提出許多法律性的問題，西卜塔不疾不徐地清楚作答，連百依都很驚訝他在一些複雜的事物上，居然有如此深厚的了解。當運河管制官提出一個非常困難的經濟問題時，百依心想這回西卜塔要失敗了；然而後者不慌不忙地在一塊木板上計算了一會兒之後，便將專家級的分析結果交了出去。

大家由懷疑的態度逐漸轉成佩服。官員們目瞪口呆的表情，令百依有種做父親的為兒子的勝利感到無上的喜悅。年紀最大的那名官員已解除了敵意，而對西卜塔最感興趣的人，要算是卜塔神總祭司。他是國家顧問的最重要成員之一，沒有他的同意，法老就不能登基為王。

＊　＊　＊

叛徒在百萬年大神廟不遠處的一棵榿柳樹下假寐。假如有努比亞警衛在觀察他的話，這時會認為他在村外蔭涼處小睡一下是很正常的事。

樹幹的另一邊有一個賣籃子的女販。

賽克塔為了這次的會面，刻意把自己打扮得令人認不出她的真正身份。

「你叫我來這裡，所以我來了。」

「我考慮了您的提議，覺得它很不實際。」

「你錯了！」

「把我在外面的財富加上十倍……您這是在說謊。」

賽克塔必須用強而有力的理由說服他。

「我是莫希將軍的妻子，我丈夫是全埃及最重要的人物之一。他要實現他的承諾根本不是問題。如果你想加價，那就說吧！」

叛徒感到一陣暈眩。

這麼說來，她所提的財富不是一個幻想。

「目前的情況很不好，」賽克塔繼續說道，「尼菲寡言已成了國王的心腹，真理村比從前更為棘手，再加上我丈夫在名義上是它的保護者，因此更不能出一點差錯。」

「為何他如此想要『光之石』？」

「誰不想把它占為己有？」

「他想奪取最高政權，對不對？」

「莫希有這個資格。」

叛徒知道他可以信任她。她不但沒有對他隱瞞事實，反而讓自己的丈夫冒著一個莫大的危險，這足以證明她的誠意。

「如果你真想成為一個有錢人，那就把『光之石』交給我們，並將首長除掉。」賽克塔再度強調，「只有你能夠成功。」

叛徒將臉埋在手掌裡。

「我的要求並不多，」他坦言道，「倒是我妻子對這筆財富會比我來得更高興。我只是想對這麼多年來所受的不平出一口氣……有資格領導真理村的人應該是我，不是別人。」

他冰冷的怨恨令賽克塔非常高興；他不但有本事把自己隱藏得很好，而且還具有殺手的特質，只是他還不知道罷了。

她用低得近乎溫柔的聲音說道：「那麼，你的決定是？」

「您的運氣很好……最近剛發生一些事，給了我一些靈感。」

賽克塔興奮得發抖。

「你……你接受了？」

「這的確是唯一的辦法：我會除掉尼菲寡言。」

* * *

負責維修卡納克神廟的建築師是一個高大、嚴肅的人。

「國王命令我要幫您的忙。」他向首長說道，語氣中可以感覺到他的不滿。

「我想不需要。」尼菲溫和地說道。

「不需要?沒有總祭司和我的准許，您不能在卡納克的聖地上建廟！」

「您不認為只要法老批准就夠了嗎？」

「那當然可以。」建築師尷尬地回道，同時為自己沉不住氣而說錯話感到丟臉。

「國王希望我們在阿蒙神廟外、離碼頭有一段距離的一個平台上建一座廟；因此我們不會影響到你們的行事活動與祭祀。我只要求您幫我調來必要的砂岩，我會告訴您放置的地方。」

「這座廟的藍圖是否和真理村其他事物一樣，屬於國家機密？」

「它的一些門會用石英岩建造，」尼菲答道，「廟的結構有三部份，分別貢奉阿蒙神、其妻穆特神、其子孔蘇神。一些凹室內會放置一些帶有國王卡氣的雕像，牆壁上也會刻一些經文，讓卡生生不息。到時是我的同事海伊負責指揮工程，他會很願意接受您的建議，讓這座神廟的風格與卡納克其他神廟有諧和性。」

* * *

國王谷地是一個封閉的世界，外表看起來有敵意，裡面是一片神秘與寂靜。皇后谷地則全然相反，它位於底比斯墓園的最南邊，谷地屬於開放性，很容易進入，而且面向一個綠色大平原。拉美西斯大帝決定凡是法老的母親、妻子，以及擁有「皇子」頭銜的重要人物，都可長眠於此。

在皇后谷地的東方有一座卜塔神廟，工匠們在它的附近建立了一個小村落，裡面有幾間石屋，若遇到施工期較長的工程，他們便就近住在那裡。

桃賽特皇后對這個完全嗅不出死亡味道的地方凝望良久。太陽溫和地照耀著，微風徐徐吹來，彷彿春天決定用它的方式向來訪的皇后致意。

「奈費達莉皇后也長眠於此，不是嗎？」

「是的，皇后，」首長答道，隨行的還有智女及費奈德。「聽說她陵寢內的壁畫美得無與倫比。」

尼菲感覺她想成為一位名垂青史的偉大皇后，而這種偉大是塞特裔二世所未能達到的。

「國王對他的陵墓很滿意，」她說道，「而且他希望我將來能長眠在這個谷地，與其他的皇后作伴。您如何去選擇我的陵墓位置？」

「有兩種方法，皇后。」

尼菲請桃賽特跟他來到一間工作室。他在矮桌子上把一張上等品質的紙莎草紙圖攤開。

桃賽特讀著在她之前的一些皇后名字，感覺自己彷彿與她們一起走過那些多采多姿的歲月。

「第二種方法是什麼，首長？」

「在這個谷地裡，有一些品質不佳的石灰岩脈；就算工作得再好，牆壁和天花板還是有可能會塌下來。因此費奈德對岩石的判斷非常重要；他不會被某處岩石的美麗外表所吸引，而忽略了背後所隱藏的嚴重缺點。」

「我們找的地方盡可能離奈費達莉的陵墓近一點。」桃賽特表達了她的意願。

尼菲和費奈德試著要令她滿意，但他們兩人始終找不到合適的地點。皇后感到很失望，只好同意他們到遠一點的地方尋找。費奈德終於在谷地的西邊找到了一個上好的岩塊。

「這裡不行。」智女說道。

「為什麼？」桃賽特擔心地問道。

「因為在這裡我感覺不到哈托爾女神的保護。陵墓若建在這裡，靈魂不會快樂。」

又是一陣失望。

「我們找不到的。」卡萊兒下結論道。

「為何會碰到這麼多的困難？」桃賽特驚訝地問道。

「這個時間不對，皇后；我們改天再來。」

卡萊兒知道尼菲已經意識到失敗的真正原因：皇后谷地拒絕接受桃賽特。

69

一艘奇怪的船航行在尼羅河上，朝底比斯北邊一百五十公里遠的阿比多斯前進。船上沒有船艙，取而代之的是一個靈座，智女在一旁扮演伊西斯神的角色，碧玉扮演其妹奈芙蒂斯神。沉默的祭司們分別擔任水手的工作，尼菲和帕尼泊兩人則站在船首。

「你到底會不會告訴我此行的目的？」帕尼泊問道。

「金坊。」尼菲簡短地回答。

帕尼泊全身彷彿遭到電擊一般。

「它不是在真理村內部嗎？」

「它可以無所不在；不過有資格進去的人，必須先迎接自己的死亡。因此這趟旅程有它的必要。」

「我沒想到……」

「光去想是沒用的，只要準備好就可以了。」

兩人一路上不再交談任何一句話。帕尼泊感覺好像進入了一個深不可測的深淵；時間似乎靜止不前，只剩神秘的靈座和嚴肅的旅客等待面臨一個大考驗。

當船抵達阿比多斯靠了岸時，天色已經暗了下來。

一批剃了光頭、身穿白色纏腰布的祭司站在碼頭邊；其中一人上前與尼菲說話。

「東方之神奧塞利斯是否在你們其中？」

「是的，祂的姐妹伊西斯和奈芙蒂斯沿途一直保護著祂。」

「帕尼泊是否要追隨奧塞利斯到金坊之路？」

「我要。」帕尼泊堅定地說道。

祭司用一根長長的金色木棍敲擊地面，然後帶領隊伍前行，首長、智女和碧玉也在其中。帕尼泊一左一右各有一名祭司，並且被帶到四周全是樹木的小丘上。

西邊有一個十公尺深的井，微弱的光線照在井裡面。

「你現在進入這個奧塞利斯的世界，」首長說道，「並超越你的第一次誕生。」

帕尼泊毫不猶豫便進了井裡，它的底部通往一個百來公尺長的走廊。

他慢慢地往前走，光線也一直往後退；它雖然不強，卻已足以讓帕尼泊辨識出沿途柱子上的復生經文。

突然，一道光芒自走廊盡頭發射出來，令帕尼泊一時睜不開眼睛。

「我必須把你的眼睛矇住，」他後方的一名祭司說道。「有了這條布巾，你就不會害怕黑暗。但你得先有一雙防止跌倒的涼鞋。坐下來，把腳伸直。」

另一名祭司在帕尼泊的腳底畫了一雙紅色的涼鞋。接著他被扶起來，眼睛也矇上了一塊紅布。

「我們要把你帶到金坊的入口處，」首長說道，「凡帶有卡氣的雕像皆在此處被賦予生命，只有照著瑪亞特法則做事、視金子為諸神肉體的人才能夠進入金坊。」

帕尼泊被帶著往前走。

「我是門，」一個低沉的聲音說道，「如果你無法說出我的名字，我就不能讓你進去。」

帕尼泊試圖回想在真理村所學到的一切。答案只有一個。

「你的名字是正直。」

「既然你認識我，你便可從我這兒經過。」

蒙住他眼睛的紅布已被拿掉，一名祭司牽著帕尼泊來到第二道走廊。

他把帕尼泊的衣服脫下，並為他包上一層野獸的皮。

「你已在塞特神的裹屍布裡面，」首長說道：「你要讓自己被帶領到復生室。」

四名奧塞利斯神的信徒將帕尼泊帶上滑車，並把他拉到一間有十根立柱的大廳內，每一根柱子都是用整塊花崗岩直接雕成。

「你已來到第一小時的島上，」尼菲揭示道，「當光芒誕生時，它會從原始的海洋中冒出來。」

帕尼泊被扶起來，並望著奧塞利斯神的一尊雕像躺在一張黑色的床上，首長繼續用「光之石」將它拋光。

「這個復生之軀已轉成金身，雕像被創造存在於這個世界上，它們就像陽光般閃閃發光。你會看到人們看不見的東西，進入人們無法進入的地方。」

智女將水和牛奶澆在小土丘上的一棵相思樹上。土丘上畫了一隻眼睛。

「我身為伊西斯，會仔細照顧我的兄弟奧塞利斯；雖然我身為女人，但行事像個男人，是我在金坊內回復奧塞利斯的年輕，讓他用光明來活下去。」

「既然你身覆塞特的皮膚，卻毫髮未損，」祭司說道，「所以你現在可以脫下，帕尼泊，並且親吻奧塞利斯。」

帕尼泊脫下裹屍布，走到奧塞利斯雕像前面，在祂的額頭上吻了一下。

「塞特擁有金子的祕密，」智女說道，「祂的姐妹伊西斯將祂的石身轉變成活生生的金身。」

智女手中轉動著「光之石」，在帕尼泊驚嘆的眼光下，石床和雕像慢慢轉變成金子。

碧玉以奈芙蒂斯的身份，為帕尼泊戴上用楊柳和酪梨葉所做的項圈，然後將小金片貼在他的眼睛、額頭、嘴唇、頸部和大腳趾上。

智女用伊西斯護身結摸了摸他的心臟，這時碧玉遞給他一個杯子。

「你是奧塞利斯，喝下這個毒藥，然後將它轉變成生命之水。」

帕尼泊將杯子內的液體一仰而盡。他首先嚐到令人不舒服的苦澀味道，隨即變成如蜂蜜般的甜味。

「願你能抓住光明與瑪亞特的石頭。」碧玉邊說邊為他的手指套上金指套。

這是帕尼泊第一次觸碰「光之石」。

「讓金子使你復生，」智女唸道。「它照亮你的臉龐，給你呼吸的空氣。」

帕尼泊將「光之石」交回給首長，然後一名祭司要他進入廟裡的最後一個房間，那是一個很大的房間，裡面有一具金子做的木乃伊棺。它的天花板成倒V字型，上面畫了一個巨大的天神，由光明之神高高舉起。

「奧塞利斯—帕尼泊，」首長命令道，「你進入這生命之棺。」

帕尼泊躺進了木乃伊棺。

「你已離開，但你會回來，」智女唸道，「你已入睡，但你會醒來；你已靠了陰間的岸，但你會再復活。願你的骨頭全恢復原位，並四肢健全。」

一陣長長的沉默讓帕尼泊覺得他在天空中，與群星和一些太陽神舟共遊。

接著智女和首長在木乃伊棺的頭部旁邊，將一根金柱子豎立起來。

「起來，奧塞利斯！」尼菲命令道；「屍體已經消失，你以金身出現，並永遠活著，因為你的生命像『光之石』一樣穩定。」

兩名祭司幫助帕尼泊離開木乃伊棺，並幫他穿上一件白色罩衫。碧玉在他額頭上綁了一條金色的帶子，上面畫有兩個眼睛。

「我將創作之生命交給你。」首長對帕尼泊說道，同時交給他一小塊光滑無比的花崗石。

「你已在金坊內看到了神秘的本質。」智女說道，「一旦這個世界消失時，留下的會只有打敗死亡、創造生命的奧塞利斯。讓奧塞利斯引導你的目光與行為；你要像他一樣，能夠化成火、氣、水與土。當奧塞利斯復生時，田地都變得很肥沃；祂是黑色的河泥、綠色的草木，而祂的身軀就像星星一樣光芒四射。你要牢記在心，奧塞利斯的身體分散於埃及各處，而每一省都保存著祂的一部份，真理村工匠的任務就是將祂的每一部份集合起來。」

首長走近帕尼泊，右手放在他的頸部，左手放在他的右肩上，然後像兄弟般擁抱他。

接著智女、尼菲、碧玉、帕尼泊，以及所有的祭司圍著金棺，把手臂張開，大家手牽手，排成一個橢圓形。帕尼泊感到有一股無法想像的力量穿過他全身。

「願這位新加入金坊的弟子，對於他未來被賦予的工作能完全稱職。」首長語重心長的說道。

70

帕伊吃了一頓豐盛的大餐，臉頰似乎比平日來得更圓滾滾，於是決定到村子的大街上走走，以幫助消化。他的頭有點痛，所以幾乎是拖著步伐走。經過首長和智女的房子前面時，他心想兩人大概也快回來了。

一個不尋常的現象吸引了他的注意力，所以他又走了回來。

「這是什麼東西……」

帕伊靠近大門。

「太可怕了！」

他的叫聲引起了烏奈士的注意，他正好到附近的大甕汲水。

烏奈士也被這個木門上可怕的紅色手掌印嚇了一跳。

「好恐怖！誰會……」

「你有沒有看到這隻手掌的大小？看起來屬於一個高壯的人所有！」

「不要亂講！千萬不能讓尼菲看到這可怕的東西。我們趕快把它擦掉，然後什麼都不要說。」

「萬一……又再發生呢？」

「到時再說吧。」

* * *

塞特裔二世的統治已進入了第五年，剛送走過冷的冬天，迎接的是過熱的春天。酷熱的天氣使得驢隊必須送加倍的水到村子裡。

最不受影響的人要算是帕尼泊，他甚至比平日都還要來得生龍活虎；此外，他很高興看到自己那個愛作怪的兒子，現在也乖乖睡起了午覺，更高興看到他可愛的賽雷娜一天比一天更美麗。帕尼泊這段期間也陪著首長到東岸，以幫助左隊儘快完成底比斯三神廟。

左隊隊長海伊用另一種眼光來看待他。

「歡迎加入金坊受洗弟子的行列，奧塞利斯─帕尼泊。首長和智女不在的期間，我必須留在這裡帶領行會，不過當時我的心也與你們同在阿比多斯。」

「在那幾個小時裡，一切是如此的緊湊！」

海伊微笑了一下。

「儀式一共進行了九天。」

帕尼泊轉身對著尼菲。

「不可能的！」

「除了時間之主奧塞利斯外，誰有能力將時間消除？」

三神廟已接近完工，帕尼泊只剩一些浮雕的部份要上色，這些浮雕的古典風格可與塞特裔一世和拉美西斯大帝的雕塑媲美。他的手又多了一個新的力量，在精準度與速度方面又更上一層；帕尼泊沉浸在這一片寧靜的聖地中，用暖色系把獻祭的場景一一畫活了。

* * *

塞特裔二世走路越來越困難，但他仍堅持要親自主持卡納克三神廟的第一次祭典。在皇后的全程陪同下，塞特裔向阿蒙、穆特、孔蘇等父、母、子三神祭拜，並撐到典禮最後。

「這座建築真的很美，」國王向首長說道，「等到有天卡納克擴建時，它將被歸入大神廟內，大家也繼續到此祭拜三神。我的石棺準備好了嗎，尼菲？」

「我準備親自完成主石棺的棺蓋，同時間珠寶匠也會完成權杖的修飾。」

「各位得快一點，我的來日已不多。」

＊　＊　＊

國王坐上轎子回皇宮，這時桃賽特上前和尼菲說話。

「您在皇后谷地是否找到了合適的地點？」

「沒有，皇后。」

「為何會延遲？」

「智女認為應該等到一個最理想的時刻再進行，千萬不能急就章。」

「如果我命令您在奈費達莉的墓旁挖築我的陵寢呢？」

「我會服從您的命令，但一定會有許多的阻礙發生，最後令我們不得不放棄工程。」

「請坦白回答我，首長：我是不是受到詛咒？」

「智女不做如是想，皇后；她只是認為要耐心地找到一個解決的方法。」

＊　＊　＊

百依把桃賽特皇后寫給他的長信撕毀，因為信裡有一個祕密不能被其他大臣知道：塞特裔二世即將不久於人世。只有一個人可以取代他而避免發生嚴重的危機，那就是桃賽特皇后。

然而桃賽特仍停留在底比斯，並且拒絕留下她丈夫，獨自一人回首府。百依只好位於最前線，身負一個明確的任務：阻止動亂再度發生，並對付任何潛在的野心份子，而且這一次野心份子會先搶攻北方，再將勢力擴張到整個國家。

桃賽特必須盡快回來，如過去幾位皇后一般，登基成為法老。但百依已不再幻想：皇后絕不會在緊要關頭放棄她的丈夫的，而且她還會親自監督葬禮的一切事宜。就算百依一再堅持，她依然會在底比斯停留一段必要的時間，如此一來，她便無法對付一場無可避免的篡位陰謀。

為了預防這種陰謀，只有一個解決的方法：讓一個無法全然擔負責任的人登基成為法老，讓一位攝政皇后來統治埃及。百依擁有一個最理想的人選：年輕的西卜塔。

他不屬於任何黨派，因此不會得罪任何人。再說，他對於政治上的殘酷遊戲絲毫不感興趣，誰會提防他？

因此當急之務是：加速對西卜塔的專業訓練，使他禁得起殘酷的打擊。百依決定給皇后寫一封信，並試著用密語安慰她。

＊　　＊　　＊

塞特裔夫婦在卡納克的皇宮內宴請首長和智女。國王只在午餐開始時停留了片刻。他表達了自己很遺憾、無法親自到村子裡慶祝陵寢完成的心情，因為他已沒有多餘的精力去橫渡尼羅河。光是離開他的房間就已令他的體力吃不消；他甚至不聽御醫的忠告，主動站起身向尼菲和卡萊兒致意，感謝他們在他最後這段日子裡給了他不再奢望的平靜。

智女很肯定這是她最後一次見到塞特裔二世。桃賽特已感受到她的不安。

「國王並不畏懼死亡，」皇后說道，「他在底比斯過了一段平靜而快樂的時光，這尤其要感謝你們兩位。我會永遠銘記在心。」

「我不知道是否能用我的醫療經驗幫上一點忙……」

「太晚了，卡萊兒。國王已不再接受任何治療，只服用一些止痛劑。他的主要器官都已退化，沒有什麼藥方可以挽救他的病情。」

「所有他到冥間天堂所需要的象徵物品，行會都已準備好了。」首長說道。

「法老知道，因此很安詳。你們一定有一個問題不敢問出口：國家和真理村的未來會變得如何？目前的情勢的確很複雜。兩位請不要擔心，行會依舊是一個基本的重要組織，並且不改以往、繼續運作下去。」

* * *

尼菲和妻子飯後漫步於皇宮的花園內，他們走過一條又一條的花叢小徑，最後在一棵石榴樹下的獅爪椅坐了下來。北風輕拂著他們的臉龐，兩人手握著手，一同欣賞著水塘裡開放的白蓮花。一對鴛鴦愉悅地飛在水面上，牠們是忠貞愛情的化身，天空彷彿完全屬於牠們。

尼菲和卡萊兒不約而同地想起兩人的初次見面，當時他們離真理村是如此的遙遠、又是如此的接近；命運賜給他們最美妙的禮物，就是讓他們能夠為行會貢獻自己。

「妳記不記得，卡萊兒，從前的我有多麼靦腆？我當時還怕到不敢上前和妳說話。」

「我一直都不喜歡自以為是的男人，而且你並不是在見面的那一刻就征服我的心。總之，不是立刻就征服了我。」

「我是個不善表達感情的人，因此不太會說知心話。我真的很希望能好好地愛妳，請原諒我做得不好。」

她用藍色的眼睛深情地望著尼菲，使得尼菲對她更加愛憐。

「任何事物都無法將我們分開。我們擁有這種無比的幸福，難道不該每天感謝諸神及祖先的慈悲嗎？」

陽光在石榴樹的葉縫中跳動。

「我多麼希望和妳留在這裡，直到永恆，只可惜我的職責不允許我這麼做。」

「春天的這麼一個下午，不就是一種永恆嗎？」

71

「我只剩下一個祕密要告訴你。」首長對帕尼泊說道，「那就是『光之石』的所在地。」

帕尼泊的心跳猛然加速。

「我該如何感謝你所賜給我的一切？」

「我只是在做我份內的工作罷了，帕尼泊：既然你已被授予金坊的祕密，你就應該要了解其中最重要的一部份。」

兩人慢步走在村子的上街上，就好像他們聊的是日常工作上的話題。

「你有沒有想過『光之石』藏在哪裡？」

「從來沒有，」帕尼泊答道，「決定藏在何處是你的責任之一，我一點都不想與您分擔這種責任。」

首長所選的路，令帕尼泊吃了一驚。

當尼菲停下腳步、告訴帕尼泊「光之石」所在的位置時，帕尼泊終於了解尼菲曾經給予的指示。

「居然是在這裡……」

「難道有更合適的地方嗎？」

「不，當然沒有……」

「你有一項少見的優點，帕尼泊：你的求知慾很強，但卻沒有不應有的好奇心。因為『光之石』，你將了解到時間與空間實際上是兩者一體。宇宙會呼吸，而整個宇宙都包含在『光之石』

內。在真理村能夠得到這種知識，是得付出一些代價的。」

尼菲和帕尼泊朝村子中心走回去。

「那麼……是什麼樣的代價？」

「我剛滿五十歲，帕尼泊，我已經不再擁有年輕時的精力。如果我的預感正確，行會會有許多的工作要進行；所以有必要分擔責任。」

「我不懂。」

「海伊將左隊帶領得很好，而我必須要有一個和他旗鼓相當的人來帶領右隊。你會是這個人，帕尼泊。」

帕尼泊向來不怕雷電，可是這次尼菲對他說的話如青天霹靂般，讓他措手不及。

「你……該不會是認真的吧？」

「你已有四十歲，對於所有建築的技術都很熟悉，你的畫術也已達到完美的境界，而且你也在金坊被授予神秘的知識……事實上，我沒有選擇。所有真理村的其他首長都會做出同樣的決定。」

「這是不可能的，我……」

「你不像是會逃避責任的人，帕尼泊。」

帕尼泊被刺了一下，不由自主地握緊了雙拳。

「你比誰都了解我，首長；你認為我是當工匠隊長的料嗎？」

「我有沒有說話不知輕重的習慣？」

* * *

就連大壞蛋也專注地聽著帕尼泊說話。至於正在哄女兒的娃貝特，則以為自己正在做夢。

「工匠隊長……這真的是首長的決定嗎?」

「妳認為我沒有這個能力?」

「當然有!但你到時還會有時間照顧你的孩子和妻子嗎?依你所擁有的精力,你鐵定會將工作速度加快兩倍!」

「妳放心,有些存在的規定,誰也無法違反它們。」

「尼菲是對的。」她用有感而發、同時又充滿驕傲的語氣說道。

「可是法庭不見得會批准。」

「假若真理村無法知道誰是領導人才,那它也將存活不久。」

帕尼泊親了親小女兒的額頭,便走出家門到西邊的墓園散步。沒錯,首長的權威雖然不容置疑,但有多少的工匠到時會反對他提名自己的義子?帕尼泊寧可希望大家反對,因為他無法想像自己對那些曾經教導他的同事發號施令。

當他走近尼菲的陵墓時,發現碧玉就坐在撒滿金色陽光的石階上。她那紅褐色的頭髮從未如此美麗過。

「我一直在等你,帕尼泊。」

「妳怎麼知道我會來這裡?」

「你難道忘了哈托爾賦予祂的女祭司預知的能力?」

「那麼,妳應該知道在我身上發生了什麼事。」

「看你這個樣子,」她笑著說道,「就好像你終於碰到了真正的對手……而這個對手,無疑是你自己!不要放棄,帕尼泊,千萬別冀望逃脫你的命運。塞特神給了你力量,你應該把它用於為他人服務。否則,這個力量會毀了你。」

* * *

「塞特畲二世的靈魂已飛向天空，」陵寢書記對村民宣佈道，「它已進入光明的王國，並回到創造它的主人那裡。願它繼續散發光芒，也希望在等待新何露斯出現之際，天空依然明亮。」

消息來臨的這一天，肯伊剛好召開真理村法庭，以決定批准或否決帕尼泊的提名。

「桃賽特皇后向我保證過我們的未來，」尼菲說道；「她和已故的國王一樣，認為行會的角色很重要。」

「我們是不是該延後提名的決議？」肯伊提議道。

「千萬不要，」首長堅決說道，「我希望新的右隊隊長能開始進行國王葬禮的準備工作。」

於是法庭便在哈托爾和瑪亞特神廟的露天中庭展開，並由陵寢書記主持。

「我同意首長的決定和選擇，」肯伊說道，「你們之中是否有人反對？」

左隊隊長海伊要求發言。

「從帕尼泊進入行會以來，我一直在觀察他。我和大家一樣，知道他所有的缺點，但我相信他有能力擔任尼菲寡言所交給他的職務。」

智女簡單地用目光表達了她的認可。

「你有沒有問過你的隊員？」首長向海伊問道。

「他們一致同意帕尼泊擔任右隊隊長。」

「所有哈托爾女祭司的決定也一樣。」智女附上一句。

「娃貝特純潔反不反對？」肯伊擔心地問道。

「完全不反對。」娃貝特答道。

「現在只剩下右隊工匠發表意見了。你們是否做了決議？」

「真有這個必要嗎？」傑德說道，「如果我們認定尼菲寡言為首長，不就是要他帶領行會走向正確的路途嗎？既然他選定帕尼泊為新的右隊隊長，我們只需服從他就好。」

卡沙那對褐色的大眼睛充滿了怒火，方方的大臉也脹得通紅。

「如果大家了解帕尼泊，就應該知道他是個不守規定、也不管工作時間的人！他跟我們不一樣，根本不知道什麼叫疲倦，也不會管別人的死活。這種態度不是一個隊長應有的態度。」

「你說得好，」帕伊說道；「帕尼泊已經仔細的把你的話聽進去了，將來他不會忽略你的警告。不過就因為這些就得否決他的提名嗎？」

卡沙做了一個無可厚非的表情。

「如果我在搏鬥中曾經勝過帕尼泊，我就會投反對票，」奈克特說道，「但我卻從來沒有贏過他。若新隊長是我們之中最強的一個人，而且不管在何種情況下都為我們而戰，那也是一件不錯的事情。」

右隊的工匠們一致同意他的看法。

「我們沒有聽到書記助理伊姆尼的發言。」首長提示道。

肯伊顯得有點尷尬。

「我的助理和我的意見一致。」

「是不是讓他在帕尼泊面前親口說出來，會比較好？」

陵寢書記心不甘、情不願地讓步了。

小書記用他的小鼻子、小眼睛怯怯地望了帕尼泊一眼，後者則用猛獸的目光盯著他。

「我沒有理由反對各位的決定……」

「你也是行會的一份子，我們要知道的是你自己的意見。你同意帕尼泊的提名嗎？」

伊姆尼原本就蒼白的臉，這下綠得很難看。只要他一個人，就可以推翻一切，引來長長的審議，而在審議的過程中，他必須要為自己拒絕的原因提出合理的辯解。

「同意，同意……我同意。」

小書記迫不及待地回到工匠的行列，以避開眾人的眼光。

陵寢書記高興地走向帕尼泊。

「帕尼泊阿當，你被任命為真理村右隊工匠的隊長，所有的成員都得服從你。你要根據首長的計劃去執行工作，同時要遵守行會的規定，並把瑪亞特的聲音放在你心中。由於你的新職位，你將會有一棟較大的房子，就在村子的東南角，在村外有一塊地，糧食和物資的配給都會比較多。相對的，你的休息時間會被減少，同時也必須參加所有的法庭審理，並且要更常到廟裡祭拜。你願不願意發誓努力不懈地盡到你的責任？」

「我以法老及義父母的生命發誓。」

72

助理隊隊長貝肯是第一個看見的人，當時他正在一條小水渠內汲水。當他一看見時，嚇得連手上的水罐都抓不住而掉在地上，只見他那日益肥胖的身軀一路衝回村子裡。

「你怎麼了？」鐵匠歐貝德看他上氣不接下氣的樣子，好奇地問道。

「快去叫智女……我一定得跟她說這件事！」

貝肯不是隨便就會做出這種事的人，因此歐貝德不敢稍有怠慢，立刻請大門的守衛去通知智女。

貝肯等了一個多小時，因為卡萊兒正在治療一個呼吸困難、病得不輕的小女孩。當她走出村子時，貝肯趕緊跑過去見她。

「那隻烏龜……我看到那隻地神化身的烏龜，牠非常的巨大，而且嘴巴和一個井口一樣大！」

這隻特殊的烏龜也同時被視為一條魚，牠的性器官使大地受孕，並向世人通知河水氾濫的來臨。對於懂得這些現象的人，烏龜的出現表示會有大氾濫。有時人們會擔心牠過於口渴，以致於喝掉河裡大部份的水，然而這一次卻正好相反。

「你是不是有點誇大其詞？」

「有可能，」陶匠說道，「但我向您保證牠的嘴巴大得不尋常，而且這隻烏龜朝田裡快速前進！接著牠就消失了……」

「有沒有其他的人看到？」

「沒有，當時只有我一個人在那裡……我跟您說的都是事實！」

「我相信你，貝肯，我這就去知會當局。」

*　　*　　*

莫希簡直不相信自己的耳朵。

「你確定你的消息無誤？」他向一名剛自首府回來的軍官問道。

「國策顧問團的確是選定年輕的西卜塔為法老人選，而且也經過桃賽特皇后的批准。」

「這個人是誰？」

「是百依培養的人。」

「簡直豈有此理！沒有人知道這個西卜塔是何等人物，而掌璽大臣也不是個不切實際的人啊！」

「聽說新國王有特殊的才能，朝廷裡的大臣都很佩服他。」

莫希始終抱持懷疑的態度。桃賽特不可能會放棄她夢寐以求的王位，不過，如果她自封為法老，一定會面臨很大的反對聲浪。為了避免這種情況，她安排了一個傀儡坐上法老的位子，實際上是她在背後治國，這麼一來，就可以將許多懷有敵意的黨派蒙在鼓裡。

「智女希望立刻見您一面。」

莫希馬上就接見了她。

「即將來臨的氾濫會有很大的危險，」她警告道，「一定要採取一些防範措施，以避免一場大災難。」

「您何以如此肯定？」

「一隻巨龜的現身。」

莫希愣住了。

「這個理由是不是有點……牽強？」

「這種預兆一直都很靈。還好是助理隊長看到這隻巨龜，他馬上就通知了我。」

「我們是不是該等專家觀察的結果？」

「到時會來不及，底比斯可能因此而受到嚴重的損害。如果您拒絕出面處理，我就直接去見桃賽特皇后。」

莫希察覺到事情的嚴重性：若真發生這種事，他會被冠上怠忽職守的罪名。

「我們一起去見皇后。那些技術師不會聽我的話的，見了皇后，您的話也許會來得較有份量。」

* * *

桃賽特正準備要主持底比斯高官會議。她打算在會議中向底比斯官員宣佈，一旦葬禮完成，她將離開阿蒙神城。

當一名侍從向她通報莫希及智女求見時，她決定先接見他們。

莫希讓智女說明她所擔心的事，同時暗自希望皇后把她的話視為無稽之談；然而桃賽特聽了之後的反應卻令他大失所望。

「千萬不能輕忽這種預兆。莫希將軍，您派您的部下去幫堤防工程師的忙，並要他立刻緊急做好加強的工作。此外，您派一名差使到其他各省通知這件事，同時您要負責將低地的農民疏散到高處。」

「這不是一個簡單的任務，皇后，再說……」

「所以我才會把這個任務交給您去辦。」

「臣是否能夠先參加高階會議?」

「不好,您一刻都不要浪費。我願意把會議的大致內容先告訴您:等到真理村首長在塞特裔陵墓的大門蓋上封印,西卜塔便登基成為法老。在新國王尚未有能力獨當一面的這段期間,我會替他攝政。現在,您立刻就去辦這些事。」

莫希心裡有點不舒服,因為皇后把智女一人留下來與她在一起;不知道這個巫婆又打算耍什麼花招?還好尼菲的死期已不遠,到時她再也變不出什麼名堂。

「您希望私下和我談談,對不對?」

「您已讀出我的想法,皇后。」

「萬一真的發生這場天災,您的警言將會令埃及免於遭受更大的損失,也挽救了我的政權。您可以說是我的恩人,卡萊兒。」

「不要離開底比斯,皇后。」

皇后顯得有點心煩。

「您這個要求已經太過!再過十天,塞特裔的木乃伊將被下葬;因此我必須立刻啟程回比拉美西斯。否則,局勢會變得很混亂。」

「就算您今天出發,仍無法避開河水氾濫的洶湧,您會有溺斃的危險。我沒有其他的理由能留住您,只能祈求諸神讓您聽進我的話。」

* * *

河水氾濫的猛烈程度,令所有人都嚇壞了。

許多的河堤已被沖破,一些牛隻也不幸被淹死,還好由於先前已多方採取防範措施,因此沒有人傷亡。莫希的士兵忙著救一些離家太遲的農民，並幫助他們爬到棕櫚樹上去避難。

在皇宮的碼頭上，桃賽特皇后的船被異常的大浪襲擊，最後終於沉沒。幸好皇后還是選擇了留在底比斯，因此安然無恙。她到卡納克神廟，為諸神獻上一面金鏡和一面銀鏡，分別象徵太陽和月亮，以求它們的反光能驅除這次氾濫所帶來的災難。

充滿紅色汙泥的河水已逐漸平息，底比斯的居民終於能再度乘坐小船渡河，只是得小心地避開河裡的漩渦。

儘管百依給桃賽特寫過那封安慰的信，她仍然覺得百依讓一個沒沒無聞的年輕人登上王位，等於是背叛了她，因而懷有怒氣。她壓下了心中的怒氣來到真理村，感謝智女的救命之恩，還有首長對塞特裔的葬禮所做的一切。

皇后是絕不會再婚的。已經有謠言傳說她另有情夫，大家都認為她會嫁給底比斯的某個貴族，然後再除去西卜塔，以奪回政權。桃賽特絲毫不在乎這些謠言，也不屑於澄清：她對塞特裔二世會永遠忠貞，儘管他已不在人世，她仍深愛著他。

桃賽特到瑪亞特神廟拜過後，便和卡萊兒走在真理村的大街上。

「掌璽大臣百依背叛了我，」她向智女說出心中的話，「不過他卻也讓埃及免於一場嚴重的危機；誰能預料這場氾濫會將我困在底比斯、而必須有一個新國王來打消那些野心份子的計劃？我原先認為你們在皇后谷地找不到合適的地點，是因為我將成為一位法老，但我錯了……是西卜塔成了法老，我只不過是攝政皇后。哈托爾女神是否已接受我進入皇后谷地？」

「還沒有，皇后；我曾再度回到谷地，答案仍然一樣。」

* * *

百依終於決定讓自己休息一個晚上，因此獨自一人留在皇宮的辦公室內。埃及現在有了新法老，而且他原先所擔心的事也沒有發生，沒有任何人反對西卜塔的登基。後者由於肢體殘障的關係，在冗長的加冕過程中吃了不少肉體上的苦。不過他克服了這次的考驗，大臣們都熱情地為他歡呼。沒有人對西卜塔懷有戒心，因為大家認為百依已控制了桃賽特，現在他才是埃及的真正主人，桃賽特已退居次要的角色。

大家都錯了。

百依始終極為欣賞皇后，對年輕的西卜塔則非常關愛。執政的人將是桃賽特，而嚴謹、正直的西卜塔會是一個很好的管理人才。他是皇后的屏風，將無數的敵人隔絕在外。一旦桃賽特經歷了種種考驗，日後她會和偉大的哈謝普蘇女王一樣，升格成為法老。

百依只有一個願望：向桃賽特親口解釋這一切，證明他不但沒有背叛她，反而為她設想到未來。

73

賽克塔又再度與叛徒見面，並覺得這次的情況比較樂觀。桃賽特皇后剛剛離開底比斯，每個人都認為她一回到首府，馬上便會採取對百依的報復行動，並擺脫掉傀儡國王西卜塔。到時只有莫希成了中流砥柱，不管南方或北方，較為理性的官員都會投靠到他這一邊。

「我帶來了你要的東西。」她向叛徒說道，同時遞給他一個小瓶子。

「您確定它的藥效真的很好？」

「不用擔心。」

「等到它完全發揮藥效，需要多少時間？」

「大概一個小時左右。你是否真的要開始行動？」

「眼前有一個大好的機會……」

「祝你成功，你將會變得很富裕。」

＊　＊　＊

塞特裔的葬禮已完成，行會終於可以慶祝帕尼泊新任右隊隊長。自從他上任以來，在陵寢書記的嚴密監視下，他嚴守一切規定，令原本抱持懷疑態度的人全鬆了一口氣。因此宴席上充滿了歡樂的氣氛。

在帕尼泊的帶領下，工匠把塞特裔的木乃伊棺完美地下葬到陵墓內，而且一樣祭品都不缺。有時他過於求好心切，因此他的命令有點吹毛求疵。不過由於他對自己的要求總是比對別人來得高，大家也就沒有話說。

歡慶右隊隊長新上任不是一件小事，當然宴會上的食物也馬虎不得：牛排、多種美味的魚、蔬菜泥、鮮乳酪、蜂蜜蛋糕、烈啤酒，以及許多上等年份的葡萄酒。

尼菲和妻子很高興所有的村民都能分享這種單純而強烈的快樂，連小綠猴、迷人貓、大壞蛋和小黑都加入了歡樂的行列。小黑大啖幾塊肉之後，已趴在主人腳邊昏昏欲睡。

席間大伙兒也百無禁忌地開起大膽的玩笑，甚至連帕尼泊平日的死對頭，如卡沙和奈克特，也收起了他們的敵意，真誠地向帕尼泊道賀。

「實際上，」奈克特說道，「你上了大當：我們可是很高興你的升遷，但你可就沒那麼輕鬆了！只要隊上哪個人出了狀況，第一個想到的人一定是你！隊長不是得為他的屬下解決問題嗎？」

「我承認這一點也不好玩，你講得沒錯。」

阿沛弟背著父母偷偷地喝了啤酒，結果趴在一張凳子上睡著了；其他的孩子沿著大桌子追逐嬉戲，也累得開始想睡覺。

娃貝特對於丈夫的升遷，比任何人都來得更驕傲，只是不敢對其他的女祭司承認罷了。這時她手上抱著小女兒，做了一個準備離席的手勢，其他婦女也先後跟著離開。

首長在回家之前，緊緊擁抱了帕尼泊一下。

「我們眼前還有很多的工作要進行，帕尼泊；等到慶祝活動一結束，我們再和海伊、陵寢書記好好討論。」

尼菲和智女一走，雷努貝便拿了一個漂亮的酒壺放在帕尼泊面前，壺裡面至少裝有三公升的葡萄酒。

「這是從肯伊酒窖裡拿出來的好酒，我一個小時前已先開瓶……你聞聞看！」

帕尼泊不得不承認這壺酒的確香味特異。

「給我們一點面子吧，隊長，為我們的健康乾了這壺酒！」奈克特起哄道。

帕尼泊不甘示弱，一下子就把壺裡的酒全喝光了。

「帕尼泊萬歲！」帕伊的熱情立刻感染了其他人。

* * *

整個村子都已入睡，帕尼泊暫時還不想回家。他雖然沒有醉，但卻開始感到一陣異常的不舒服。他想呼吸夜裡的空氣，讓這種不舒服的感覺消失。

然而，他的心跳變得非常不規律，整個人汗流浹背，他所看到的天空彷彿黑暗中夾雜著一些紅、藍、綠色的線條。

接著他的手出現了一些瘋狂的舉動，他不自主地用拳頭擊倒一面矮牆，而且力道比平時大了十倍。他突然有一種想要毀掉一棟房子的衝動，這時他意識到自己已被魔鬼附身。

他知道自己一個人絕對無法擺脫困境。因此他跌跌撞撞地往首長家裡走去。卡萊兒一定會有解藥的。

他眼前的路似乎跳起舞來，路面上的坑洞張大了嘴，想要吞噬他的腳。

帕尼泊雖然全身麻木，但他仍繼續往前走。

對了，是這扇門沒錯！

帕尼泊使盡了力氣，試圖用一塊石頭把門打破。

「快開門，尼菲，否則今晚就是一死！」

帕尼泊已認不出自己的聲音，他根本不知道自己在說什麼，也不知道在做什麼。

門開了。

「帕尼泊！」尼菲叫道，「你怎麼了？」

「我看不到你，我聽不清楚你說什麼……」

尼菲扶著他進到屋內，並讓他在前廳坐下。他沒有發現小書記伊姆尼在遠遠的一頭，把這一幕都看在眼裡。

卡萊兒原本剛入睡，這時已經起來，並為帕尼泊把脈、檢查眼睛、聽他的心跳和腸胃蠕動的情形。

「帕尼泊被人下了藥。」她下結論道，「大概是曼德拉草混和了蓮花和其他的藥草。」

「他會不會有生命危險？」

「我不認為，不過我先要幫他催吐。否則接著而來的幻覺，會讓他變得很危險。」

卡萊兒讓他吐了一會兒，然後用以毒攻毒的方法，讓他服下劑量很低的毒藥，以消除他體內的毒素。

帕尼泊在清晨時分恢復了知覺。他什麼也不記得。

* * *

百依上前迎接剛抵達首府的桃賽特皇后。

「皇后，我真的很高興……」

「帶我到皇宮去向法老道賀，之後我會留在後宮再也不出來。」

「不，皇后，這並非是西卜塔的意願，也不是埃及的願望。我是為了國家、也是為了您才這麼做。」

桃賽特聽了百依懇切的解釋。她並不懷疑他的真誠，但在進入皇宮的同時，她仍批評了他的策略。

「讓西卜塔登基無疑是避開了一場危機；但如果他要自己執政，那麼我也不可能攝政。」

「這位年輕的國王不會有這種態度，我很肯定。」

「儘管你經驗老道，但你不認為這次過於天真了嗎？」

皇后還來不及求見，穿著簡單的西卜塔就已跛著腳前來見她，而且對她行了一個鞠躬禮。

「掌璽大臣和我一直都焦急地在等著您，皇后！我覺得有一些莫名的力量在利用我，只有您能夠制住它們。這雙頂皇冠對我而言太沉重了，我只想服從您的指示，因為只有您有治理這個國家的能力。」

桃賽特甚為驚訝，不知道西卜塔是否真的和百依一樣真誠，或是高明的偽君子。只需要和他一起工作幾天，便可以知道。

「一位法老應該要想出一些法令，去對抗不公的事情，同時不論貧富，都要以瑪亞特法則來為他們做事；您是否已做了一些決定？」

「完全沒有，皇后，因為我認為自己無法做出這種重要的決定；不過我已經準備了一些資料，也許您會有些主意。」

大多數的朝臣原本指望會看到桃賽特和西卜塔對立的畫面，然而他們都大失所望。國王和皇后大部份的時間都一起關在辦公室裡，偶而會出來要百依頒佈一系列有關經濟、社會的新措施。部長們和老百姓都很高興有這些新方案。人們甚至開始覺得這種寡婦和殘障者的奇特組合，倒也不失為一個好方法。

當桃賽特到皇宮的花園內透透氣時，她終於接受私下見百依一面，這是她回到首府以來第一次這麼做。

百依在忠臣的外表下，隱藏了他的真正感情。他拒絕向自己承認他對這個遙不可及的女人產生了特別的情愫。

「我原以為你背叛了我，百依，而我錯了。埃及虧欠你很多。」

「皇后……我只是盡自己的責任罷了！」

「你把西卜塔訓練得很好。我把他當作兒子，我們兩人攜手合作，以確保埃及人民的福祉。」

「我當時這麼做是為了您，皇后，而我……」

「你命令真理村首長開始準備西卜塔法老的陵寢和百萬年神廟；你也知道，這兩個建築對加強他的統治力量是不可或缺的。」

「我這就去寫信給首長。」

桃賽特任他離去而沒有告訴他，為了報答他的忠心，她將給他一個連作夢都不敢希冀的意外大禮。

74

首長、智女和費奈德共同在國王谷地內找到了西卜塔的陵墓位置，就在塞特裔二世的陵墓不遠處，略靠西北邊。尼菲身穿金色的儀式服，在一塊處女岩上用木槌和金鑿象徵性地敲下去；接著由新隊長帕尼泊揮動他的大石鎬繼續鑿下去。

這回是由帕尼泊根據尼菲的藍圖來指揮一個陵墓的建築與裝飾工程。

「這個地方的石灰岩品質很好，不用擔心什麼意外狀況。」

「你還是要小心，」尼菲忠告道，「岩石有時候喜歡作怪。過於自信有時會導致一些無可彌補的錯誤。」

「我對這座山岩有信心，它不會說謊。再說，如果我犯了錯，有你在旁邊，可以隨時指正我的錯誤……」

「一個工匠隊長若犯了錯，就不配再擔任這個職務。」

再猛的拳頭也不會比這句話來得更痛。

「你認為我會差到這種程度？」

「我們的工作處處充滿了陷阱；凡事要謹慎，並要有堅持不懈的精神。不要忘記物質就像人類一樣，不斷有反抗與製造混亂的傾向。因為你是個領導者，所以你不再有權利休息；就算在睡夢中，你也會想到前一夜和後一夜的工作。」

太陽已慢慢西下，工匠們收拾好工具，準備前往山口上過夜。

最後只剩尼菲和帕尼泊兩人佇足在西卜塔未來的陵寢前面。

「上天賜給我們的生命是如此的美好，帕尼泊！你能否想像諸神是如此大方地讓我們擁有這麼好的運氣？」

帕尼泊背靠在一個大石塊上。

「我每天都在實在我的夢想……人生夫復何求？事實上，我還有許多的東西要學習，而且我應該要把已經學到的傳授出去。」

他們慢步地跟在其他隊員後面。在這個詳和的傍晚，他們的兄弟情誼映著晚霞，將兩人的心緊密地結合在一起。

* * *

晨祭結束後，尼菲遲遲未下令離開山口往村子方向走。工匠們迫不及待地想見到家人，他也想見到卡萊兒，但他遲疑著不願離開山上，彷彿它可以給人一種保護。

「休假萬歲！」卡沙說道，「我們也許選對了地方開挖，但岩石也是頑固得很，我已經累得半死了！」

首長一邊走上小徑，心裡一邊想著自從拉美西斯大帝逝世以來的點點滴滴。拉美西斯是一位名垂青史的偉大法老，之後的法老無人能出其右。還需要多少年的時間，才能出現一位可與之相提並論的法老？

儘管經歷了種種問題，真理村仍然繼續它的使命。海伊和帕尼泊兩個隊長的個性雖然如天壤之別，但首長會維持行會的團結，讓它繼續保持創造的活力。

帕尼泊把一些尖銳的火石裝滿了一整袋。他將袋子扛在肩上，絲毫不覺得重。

「你打算把這些石頭拿來做什麼？」已經完全康復的伊普伊問道。

「我很少見到這種形狀的火石，打算把它們拿來磨一磨，做成石鑿送給石匠。」

「看來又有額外的工作了。」雷努貝抱怨道。

「別大驚小怪了！」傑德諷刺地說道：「一個新隊長當然要讓人知道他有什麼本事，我們要做到的是能夠證明自己有能力達到他的要求。」

「我們只不過是平凡人啊！」卡沙不同意地叫道。

「我當然知道，」帕尼泊說道，「所以太多的休假對你們有害。當手變得懶惰時，它也失去原有的靈活了。」

有好些工匠都在想帕尼泊遇到緊急情況時，會不會違反一些規定；現在西卜塔的陵墓準備工作可算是一種緊急情況，大家於是等著瞧。

＊　＊　＊

莫希的馬兒已開始喘不過氣來。牠全身是汗、心跳快速，連邁出下一步的力氣都沒有。

「沒有用的畜牲。」莫希把牠交回給馬伕。早上還沒過完，這已經是第三匹被莫希耗盡力氣的馬兒了。他對動物沒有一絲同情心，只是一味地折磨牠們、拿牠們出氣。

一些弓箭手也好不到哪裡：他們全被斥為沒力氣、動作慢、射不準！莫希親自射給他們看，向他們證明自己比他們來得優秀。接著又在一場搏鬥練習中，將一名比他壯的步兵壓在地上。

他一進了自己的豪宅，立刻撥開上前準備侍候他的總管，然後直接衝到賽克塔面前，將她的新裙子一把撕破，開始猛烈而粗暴地與她做愛。賽克塔一度以為自己終於達到了高潮。

「你把我弄痛了，我的大猛獅！」

「這種無止盡的等待真令人惱火……幫我按摩肚子，我早上吃太多了。」

莫希全身的肌肉繃得很緊。

「我們的盟友不會成功的。」他忖思道。

「他是個生性謹慎的人，不過這回似乎很樂觀。」賽克塔說道。

「這個真理村讓我們遭到太多次的挫折了！」

「因為我們之前沒有萬全的準備，親愛的……這一次，打蛇要打七寸。」

「不知道這次又有什麼不知名的神在保護他們……這個尼菲彷彿殺不死似的！」

「他會消失的，」賽克塔保證道，「行會也將變得四分五裂。」

「但願首府的三人聯盟治國也一樣會崩潰！我實在想不通百依的策略。」

「它的道理再簡單不過了：掌璽大臣暗戀皇后，也知道自己吃不到這個天鵝肉，不過他為她作了一切準備，讓她日後成為法老。這個可憐的西卜塔，又殘又沒有個性，他只不過是個欺騙朝臣的幌子罷了，桃賽特主要是利用這段時間鞏固自己未來的政權。」

「百依比我想像中還要可怕……」

「一旦桃賽特消失，他也就無足輕重了。等我們除掉首長之後，下一個要對付的人便是她。千萬不能低估這個幾乎和我一樣危險的對手。」

莫希轉過身趴在床上。

「幫我按摩腰部……那些死馬弄得我腰痠背痛。」

「桃賽特很信任你，這是她致命的錯誤。」

莫希雙手往後伸，一把抓住賽克塔的頭髮。

「這個皇后不算什麼，重要的是『光之石』！只要首長還活著，就無法將它拿到手。」

「你放心，它很快就會到手了。」

＊　＊　＊

「工具一樣都不缺。」伊姆尼仔細檢查後說道。

「那最好。」陵寢書記用厭煩的語氣說道，「沒有其他的事要報告嗎？」

「目前沒有。」

「你確定？」

「您可以相信我！」

肯伊只放心一半。是沒錯，以伊姆尼吹毛求疵的個性，如果有什麼不尋常的事，他早就報告了；然而老書記依舊煩躁不安，彷彿村子馬上就要發生一場大災難一般。他一整天都在街道巷子裡走來走去，以便向這個問問、那個談談，結果也沒有發現什麼令人不安的事。

牛妞感受到了他的憂慮。

「有什麼嚴重的煩惱嗎？」

「只是做了一個惡夢，不過有點像是半夢半醒！我打從今天早上開始就一直覺得不對勁。」

「您是不是在我背後多吃了不該吃的食物？」

「沒有這回事！我要去拿一本好書再讀一遍，看書會讓我平靜下來。」

向來穩如泰山的牛妞，突然間也被肯伊感染了他的不安。

她立刻勤快地去掃地，以消除這種不舒服的感覺。

＊　　＊　　＊

小黑在家裡一向很安靜，但現在卻不停地走來走去、一下子要人摸摸牠、躺下來不久又站了起來。

尼菲試圖讓牠靜下來，卻不得結果；在牠黑色的眼珠裡有一個疑問，但尼菲無法了解牠的意思。

「你是不是把你的護身符弄丟了？」卡萊兒擔心地問道。

尼菲用手摸摸頸子。伊西斯的護身結已經消失無蹤。

「可能是小繩子斷了，我沒有注意到。」

「我明天給你一個新的。」

智女發現有一張小紙條從大門底下塞進來。她把它撿起來，看完內容後便順手放在矮桌上。

「有人要我去助理區那兒……發生了一個意外。既然小黑坐立不安，我乾脆帶牠一起去。」

*　*　*

鐵匠歐貝德顯得很驚訝。

「一個意外？我想不可能……那些助理工全都離開有好一會兒了。」

一顆火石刺進首長的心臟，他坐在一張扶手椅上，手指緊緊抓住兩邊的扶手。

他的眼睛露出一絲微弱的光芒，彷彿用盡所有的力氣與死神對抗，希望能爭取見到妻子最後一面。他在人間摯愛的妻子，死後也將繼續愛她，直到永恆。

他的嘴巴發不出任何聲音，死亡已箝住了他，卡萊兒用雙手緊緊握著他的手，希望在這最後一刻陪伴他的靈魂走進永恆。

75

自從尼菲死後，一個強烈的沙暴不斷地吹襲著村子，彷彿是西峰所發出的怒吼聲，其憤怒的程度似乎到了要壓垮真理村的地步。陽光無法穿透灰黃的雲層，白天和夜晚變得沒有兩樣。

男人、女人、小孩都顯得沮喪消沉，大家根本無法吃喝，也沒有人敢發一語。大壞蛋把牠的頭埋在翅膀底下、迷人貓在草編的椅子上蜷縮成一團、小黑也一直躲在卡萊兒的床底下。沒有一個女祭司有勇氣把貢品放在祖先的貢桌上，就好像祖先已棄行會而不顧。整個村子因為首長的死而失去了動力，連最平常的作息都已不具任何意義。

慢慢地，黃沙淹沒了所有的廣場，沒有人想到去清掃它們。這麼一個殘酷的罪行，是否引來了諸神的怒火，因而要毀掉這個小團體？

尼菲已經不在，誰還會想要碰那些工具、誰還敢想到自己個人的幸福？他在他身後留下了一群孤兒，沒有他，這些孤兒又如何能存活下去？

「我們沒有權利表現出這種態度，」帕尼泊對卡萊兒說道，「這麼做會對不起尼菲，也破壞了他曾經所作的努力。我們要根據習俗為他舉行葬禮。否則，他會真的死了。行會的責任是要讓他永遠與我們長在。」

智女困難地站了起來，帕尼泊立刻伸手扶住她。

當卡萊兒出現在村子的大街上時，風暴開始平息下來。

真理村的居民踩著沉重的步伐，一個接一個跟在智女後面，朝廟裡走去。

* * *

工匠們用他們對尼菲的敬愛製作了石槌、銅鑿、橫口斧、角尺、鉛垂、貢桌、床、鏡子、涼鞋、箱子和一些其他物品，並且把這些陪葬品一一放入尼菲寡言的陵墓內。所有的雕像中，最出色的要算是首長和妻子依偎在一起的那一尊；雕像中的卡萊兒用左手攬著丈夫的肩膀，是一種保護的象徵，兩人的目光顯得非常炯炯有神。

陵墓的入口擺了一張牛腳椅，上面放了一個小雕像，象徵首長的卡氣，他的創作力將永遠繼續活在另一個世界。

當儀式結束時，智女在陵墓的大門前種了一棵酪梨樹，那是奧塞利斯神為了諸神與人類而創造的樹，因此它的葉子呈現心形。

大家的眼淚不聽話地流了滿臉，而每個人都很佩服卡萊兒的堅強。小黑陪伴在她身旁，不斷地發出令人心碎的嗚嗚聲。最後卡萊兒在帕尼泊的幫助下回到了家裡，終於不支倒臥在床。

整個村子陷入了令人沉重的悲痛，孩童的歡笑聲也已不再。

行會失去了它的領袖，命中是否注定它會跟著消失？

* * *

三天過去了。

智女打開家門，出現在門口。雖然因過度的悲傷而顯得纖弱，但她依然鼓起了勇氣畫了一點妝，並且穿上哈托爾的祭司袍。卡萊兒美得彷彿不屬於這個世界，而她所神遊的世界既沒有快樂、也沒有痛苦。

「如果有人要看病，」她向陵寢書記說道，「我已經可以看診了。」

「有件事情比看病更急，卡萊兒；我雖然穩住了一部份人的情緒，不過得馬上召開村子法庭。已經有太多人告狀了。」

「告誰的狀？」

「帕尼泊。那些指控頗為嚴重，我不能坐視不管。」

＊　＊　＊

所有的村民都聚集在哈托爾神廟前的露天中庭內。陵寢書記主持法庭，並先聽取起訴人和辯護人的說辭：在他的旁邊有智女、左隊隊長、兩名哈托爾女祭司、以及帕伊和卡洛的妻子。

「我們所面對的是村子過去從未發生過的慘劇，」肯伊用沉痛的語氣對大家說道，「首長尼菲寡言在自家被人謀殺，而且是我們之中的一個人犯下這樁可恨的罪行。如果這個人還有一點良知的話，請他出面承認，並且試著解釋他的動機。」

沒有人打破這個令人窒息的沉默。

「智女是否可向我們說明悲劇發生的當時情況？」肯伊問道。

「我收到一張紙條，要我到助理區去為一名傷者治療。那是把我支開的一個圈套。當我回到家時，紙條已經不在，我丈夫也已經死了。」

「尼菲寡言被人用什麼樣的方法謀殺的？」

「有人用一顆非常尖銳的火石刺進他的心臟。火石曾經被人仔細地磨過。」

「看來兇手的力氣應該很大，」伊普伊插話道，「我曾經看見帕尼泊從山口帶回一些火石。傑德可以證明。」

傑德不得不同意他的證詞。

帕尼泊的反應非常激烈。

「你們控告我殺害我的義父、一位我深深敬愛的人，居然只是因為我從山上帶回一些石頭？」

「帕尼泊的確是帶回了那些石頭，」傑德說明道，「好幾個右隊的工匠都看到了……包括那名兇手！因此他才會想到用火石來作案，以便嫁禍給帕尼泊。」

「我曾經看到尼菲和帕尼泊兩人在激烈的爭吵，」烏奈士說道，「他們兩人在塞特裔二世的陵墓完工問題上意見不合。」

「沒錯，」帕尼泊承認道，「但我們已經言和了！」

「你曾經告訴我，你不欣賞首長面對國王時的態度。」雷努貝說道。

「更糟的還在後面呢！」烏奈士接著說道，「帕伊和我，我們兩人曾經擦掉首長家門上的一隻紅色手印，讓這個兇兆不會實現。而這隻手和帕尼泊的手一樣大！」

帕伊點點頭表示的確有這件事。

「你們已經把證據擦掉了，這個證據無法成立。」肯伊不高興地說道。

「我們不能懷疑這兩位工匠所說的話，」伊姆尼加了進來，「況且我曾經看見帕尼泊企圖闖入首長的家門，而且我遠遠的就聽到他威脅著說：「快開門，否則今晚就是一死！」」

「帕尼泊當時是被兇手下了藥，」智女出面澄清，「他所說的死，是指自己的死亡。」

「帕尼泊有罪就是了，」伊姆尼堅持道：「他一心想要讓尼菲寡言認他為義子，好讓他被選為工匠隊長。一旦他達到了目的，便除掉他的保護者，因為尼菲終於發現他的真面目。我研究過行會的一些檔案，我可以證明我和尼菲有遠親關係。該被認為義子的人是我，不是帕尼泊！」

伊姆尼拿出一張紙莎草紙，上面解釋了他與尼菲的遠親關係。

帕尼泊本想衝向這個小人，但傑德把他阻擋了下來。

「伊姆尼的話沒有根據，」智女平靜地說道，「不管他說的是什麼樣的關係，尼菲和帕尼泊之間沒有一點不合，他和自己選認的義子之間存有完美的兄弟之情。」

儘管智女說了這些話，伊姆尼依然不放棄。

「所有的矛頭都指向帕尼泊！我建議法庭判他有罪。」

「不能讓伊姆尼的嫉妒心誤導了我們。」傑德反駁道。

「一切都沒有明確的證據。」肯伊說道。

「有一個辦法可以得知事實。」智女嚴肅地說道，「讓帕尼泊接受洋槐廟的考驗。假使他活著走出來，那就表示他真正無罪。」

* * *

幾名哈托爾女祭司聚集在洋槐廟前。傳說中奧塞利斯神被兄長塞特神殺死後，祂的墓前長了一棵洋槐樹，而樹上那些可怕的刺會將說謊的人刺死。

帕尼泊面對著女祭司，再度向她們肯定自己是無辜的。

「生與死兩者結合在洋槐樹內，」智女說道，「帕尼泊，你走上前與洋槐結合在一起。」

那些巨大的刺是如此的尖銳，看起來比一把刀還要危險，要刺進身體應該是一件很容易的事。然而帕尼泊不能躲開；如果他退縮，就會被視為有罪，而且一定會被判處死刑。

帕尼泊上前擁抱了洋槐樹。

* * *

當帕尼泊安然無恙地自洋槐廟走出來時，連伊姆尼也對奧塞利斯神的判決無話可說。樹上的尖刺全都縮了回去，對帕尼泊完全沒有造成絲毫的傷害，因此，他並沒有說謊。

帕尼泊是無辜的，所有的罪名也被洗刷一清。

「我從未懷疑過你。」卡萊兒對他坦言道。

「事情會有水落石出的一天，我向妳保證！」

智女往山丘上走去，一直爬到首長的陵墓所在，帕尼泊在後面跟著她。

「你看這個村子，」她對他說道，「它就像穿越暴風雨的一條船。如果我們不時時守著它、如果我們不盡自己最大的努力，它就有可能會沉下去。事實上殺死尼菲的兇手想要毀掉整個行會。尼菲永遠不會被取代、我們的痛苦也永遠不會減輕。但我們要繼續他的使命，讓真理村活下去。」

一隻隼飛過村子，在墓園的上空畫了幾圈後，便振翅朝太陽飛去。

「那是尼菲寡言的靈魂，」卡萊兒輕聲說道，「它指引我們通往光明的路。」

（待續：光之石四部曲Ⅳ真理的聖地）